新潮文庫

風が強く吹いている

三浦しをん著

JN269168

新潮社版

8721

風が強く吹いている　目次

It's blowing hard
by
Shion Miura
Copyright ©2006, 2009 by
Shion Miura
Originally published 2006 in Japan by
Shinchosha Publishing Co.
This edition is published 2009 in Japan by
Shinchosha
with direct arrangement by
Boiled Eggs Ltd.

風が強く吹いている

205 神童
204 王子
203 ムサ
202 キング
201 ジョータ・ジョージ
トイレ
洗面所
階段
104 ニコチャン
103 走
102 ユキ
101 ハイジ
手洗い
洗面所
台所

竹青荘図　山口 晃

プロローグ

環状八号線から、外側に向かって歩いて二十分ほどしか離れていないこの土地でも、夜になると空気は澄みわたる。天気のいい日の昼間には、しょっちゅう光化学スモッグの注意アナウンスが流れるのが嘘《うそ》のようだ。小さな一軒家の建ち並ぶ住宅街は街灯もまばらで、ひっそりと静まり返っている。

一方通行の入り組んだ狭い道をたどりながら、清瀬《きよせ》灰二《はいじ》は空を見上げた。彼の故郷、島根の星空とは比べるべくもないが、それでもたしかに、細かい光の粒がそこにはあった。

流れ星でもあればいい。そう思っても、空は静かなままだ。

首もとを風が吹き抜けていく。もうすぐ四月になろうとしているが、夜はまだ寒い。行きつけの銭湯「鶴《つる》の湯《ゆ》」の煙突が、家々の低い屋根の向こうに浮かびあがる。

清瀬は空を眺めるのをやめ、羽織っていたドテラの襟に顎《あご》を埋《うず》めるようにして足を速めた。

東京の銭湯の湯はどうにも熱い。この日も、清瀬は体を洗ったあとに浴槽に身をひたしたが、たまらずにすぐ立ちあがった。「鶴の湯」の常連である左官屋《さかんや》のオヤジが、そんな清瀬を見て洗い場で笑った。

「あいかわらず瞬間入浴だな、ハイジ」

せっかく料金を払ったのに、このまま出るのも癪《しゃく》だ。清瀬は再び、洗い場のプラスチックの椅子《いす》に腰かけた。鏡を覗《のぞ》きこみ、持参した剃刀《かみそり》で髭《ひげ》を剃《そ》る。左官屋は清瀬の後ろを悠々とよぎり、うなり声を上げながら浴槽に浸《つ》かった。

「江戸っ子は昔っからなあ、風呂《ふろ》の温度は、湯がケツに嚙《か》みつくぐらいがちょうどいい、ってんだよ」

左官屋の声が、天井の高いタイル張りの空間に響く。女湯からはひとの気配がしない。番台では銭湯の主《あるじ》が、先ほどから暇そうに鼻毛を抜いている。どうやら客は清瀬と左官屋の二人だけのようだった。

「その言葉、うまいこと言うなといつも思いはするんですが、ひとつ疑問が」

「なんだい」

「ここは下町じゃありません。山の手です」

清瀬は髭を剃り終わり、また浴槽に近づいた。左官屋を視線で牽制《けんせい》しつつ、蛇口をひねって熱湯に水を注入する。温度のちがう液体が、ゆらぎながら混ざりあっていく。それを確認し、清瀬は浴槽に身を沈めた。蛇口のそばに陣取り、安全な温度になった湯のなかで脚をのばす。

「下町と山の手の区別がつくようになるとは、あんたもずいぶん、こっちの暮らしに慣れたもんだね」

左官屋は蛇口の奪還を諦《あきら》めたようだ。ぬるくなっていく湯を避け、清瀬の対角線上にあたる位置まで移動した。

「もう四年目になりますから」

「どうだい、竹青荘《ちくせいそう》は。今年は部屋が埋まりそうかい」

「あとひとつなんですが、どうでしょうね」

「埋まるといいねえ」

「はい」

本当に、と清瀬は思った。これが最後の年だ。そして最大のチャンスがまわってきている。あと一人。湯をすくい、両手で顔をこする。どうしてもあと一人必要だ。

剃刀に負けたのか、ちりちりと頰に湯がしみた。

清瀬は左官屋と連れ立って銭湯を出た。自転車を引く左官屋と、のんびりと夜道を歩く。熱い湯のおかげで、寒さはまったく感じない。羽織ったドテラを脱ごうかどうしようか、清瀬が思案していたそのとき、背後から入り乱れた足音と怒声が遠く聞こえてきた。

振り返ると、細い道の彼方《かなた》に男の人影が二つあった。

なにごとかを叫ぶ男を振り切るようにして、もう一人の男が正確なストロークでこちらに向かって走ってくる。その男はみるみるうちに清瀬と左官屋に迫り、若い男だ、と清瀬が視認したときには、すぐ脇《わき》を通りぬけて走り去っていった。そのあとをかなり遅れて、コンビニのエプロンをつけた男が追いかけていく。

清瀬の肩をかすめた若い男に、息の乱れはまったくなかった。清瀬は思わず、あとを追って走りだそうとしたが、左官屋の非難のこもった声に出鼻をくじかれた。

「いやだねえ、万引きだってさ」

そう言われてみれば、追っていた店員の男はたしかに、「つかまえてくれ」と叫んでいた気がする。だが清瀬の耳は、その言葉を意味のある音として認識できていなかった。力強く、機械のように脚を繰りだす若い男の走りに、すっかり目を奪われていたせいだ。

清瀬は左官屋からハンドルを奪うようにして、自転車をもぎ取った。

「借りますす」

呆気《あっけ》にとられた左官屋をその場に残し、清瀬は全力で立ち漕《こ》ぎをして、闇《やみ》に消えた若い男の痕跡《こんせき》を追った。

あいつだ。俺がずっと探していたのは、あいつなんだ。

清瀬の心に、暗い火口で蠢《うごめ》くマグマのような確信の火が灯《とも》った。見失うはずがない。細い道のうえで、あの男の走った軌跡だけが光っている。夜空をよぎる天の川のように、虫を誘う甘い花の香りのように、たなびいて清瀬の行くべき道を示す。

風を受けて、清瀬のドテラが大きくふくらんだ。走る男を、自転車のライトがようやく照らしだす。清瀬がペダルを踏むたびに、白い光の輪が男の背で左右に揺れる。

バランスがいい。興奮を必死に抑え、清瀬は男の走りを観察した。背筋に一本のまっすぐな軸が通っているみたいだ。膝《ひざ》から下がよくのびる。無駄な強張《こわば》りのない肩と、着地の衝撃を受け止める柔軟な足首。軽くしなやかなのに、力強い走りだ。

清瀬の気配を感じたらしく、街灯の下で男がわずかに振り返った。夜に浮かびあがるその横顔を見て、清瀬は「ああ」と小さく声を漏らした。

きみだったのか。

喜びなのか恐れなのか、自分でもわからない感情が胸に渦巻く。なにかがはじまろうとしていることだけが、はっきりと予感できた。

自転車を加速させ、走る男の横についた。遠くにいるなにものかに操られるように。自分のなかの深い深い場所からの呼び声に突き動かされるように。問いかけは清瀬の意志とは無関係に、気がつくと口から発せられていた。

「走るの好きか?」

男は急に足を止めて立ちすくみ、困っているとも怒っているともつかぬ表情を清瀬に向けた。激しい情熱を秘めてどこまでも黒い目が、純粋な光を宿してまっすぐに問い返してくる。

あんたはどうなんだ。そんな質問に答えられるのか、と。

その瞬間、清瀬は悟った。もしもこの世に、幸福や美や善なるものがあるとしたら。俺にとってそれは、この男の形をしているのだ。

清瀬を撃った確信の光は、そのあともずっと、心の内を照らしつづけた。暗い嵐《あらし》の海に投げかけられる灯台の明かりのように。一条の光は、絶えず清瀬の行く道を示しつづけた。

変わることなく、ずっと。

一、竹青荘の住人たち

走ることが、こんな形で役立つとは思ってもいなかった。

ゴムの靴底が硬いアスファルトを弾《はじ》く。その感触を味わいながら、蔵原走《くらはらかける》は声もなく笑った。

足先から伝わる衝撃を、全身の筋肉がしなやかに受け流す。耳もとで風が鳴っている。皮膚のすぐ下が熱い。なにも考えなくても、走の心臓は血液を巡らせ、肺は乱れなく酸素を取りこむ。体はどんどん軽くなっていく。どこまでだって走っていける。

だが、どこまで？　なんのために？

そこで走はようやく、いま自分が走っている原因に思い当たり、少し速度をゆるめた。耳を澄ませて、背後の気配を探ってみる。怒声も足音ももう聞こえない。右手にはがさと音を立てる菓子パンの袋がある。証拠隠滅とばかりに、走は袋の口を開け、走りながらパンをむさぼった。食べ終わったあとの袋をどうするかしばらく悩み、着ていたパーカーのポケットにつっこむ。

空き袋を持っていたら、それを盗んだことのなによりの証拠になってしまう。それでも、ゴミを道端《みちばた》に捨てることはできなかった。おかしなものだな、と走は思う。いまとなっては、だれがなにを言うわけでもないのに、走は毎日トレーニングを欠かさない。身についた習性だからだ。ゴミを道に捨てることも、どうしてもできない。いけないことだと、幼いころから言われてきたからだ。

走は自分でも納得できた場合には、だれかに教えられたことをとことん守った。自分のなかで取り決めたことについては、だれよりも厳しく己れを律した。

菓子パンを食べたことで血糖値が上がったのか、走の脚はまた規則正しく地面を蹴《け》りはじめた。鼓動を感じながら呼吸を意識する。まぶたは半分閉じたようになって、自分の足もとやや前方を見据える。繰りだされる爪先《つまさき》と、黒いアスファルトのうえに描かれた一筋の白線だけを見る。

細い線をたどって、走は走る。

ゴミは道に捨てないくせに、パンを盗んでも罪悪感が生じない。空腹でひりつく胃をなだめられたことに、満足を覚えるだけだ。

動物みたいだな、俺。走はそう思う。速く長く走るために、毎日トレーニングをして、正確で強靭《きょうじん》なフォームを身につけた。腹が減ってどうしようもないから、コンビニエンスストアでパンを盗んだ。これでは獣と変わらない。決まったルートで縄張りを巡回し、必要に応じて獲物に襲いかかる獣だ。

走の世界は単純で脆《もろ》かった。走る。走るためのエネルギーを摂取する。ほとんどそれだけで、あとは言葉にならず、形にならないものが、ただもやもやとたゆたっているばかりだ。しかし時折、もやもやとしたもののなかから、だれかがなにかを叫ぶ声が聞こえる。

快調に夜の道を走りながら、走はこの一年近く、何度も何度も脳裏に蘇《よみがえ》ってくる映像をじっと見つめていた。視界が真っ赤に染まるほどの激情。思いきり振りかぶって止まらなかった拳《こぶし》。

もしかして、これが後悔というものかもしれない、と走は思った。俺のなかから聞こえてくる叫びは、俺が自分自身をなじっている声なんだ。

たまらなくなって、走は周囲に視線をさまよわせた。道に覆《おお》いかぶさるように立つ木々は、細い枝を空に張り巡らしている。そろそろ芽吹きのときを迎えていたが、柔らかな緑はまだどこにも見つけられない。枝の先に、またたく星がひとつ引っかかっていた。菓子パンの空き袋が、ポケットのなかで枯れ葉を踏みしめるような音を立てる。

走はふと自分以外のものの気配を感じ、背筋を緊張させた。

追ってくる。たしかにだれかが追ってきている。錆《さ》びた金属の軋《きし》む音が、背後に迫りつつある。たとえ耳を塞《ふさ》いでいたとしても、この感覚は皮膚を通して伝わるはずだ。大会で何度も味わった。地面を揺らす自分以外の生き物のリズム。呼吸音。風のにおいが変わる瞬間。

ひさしく覚えなかった高揚が、走の心と体を震わせた。

だがここは、永遠の楕円《だえん》を描く競技場のトラックではない。走はふいに身を翻《ひるがえ》し、抜け道に入るために、小学校のある角を曲がった。走りに加速がついていく。捕まるものか。絶対に振り切ってみせる。

このあたりの道は入り組んでいて、私道なのか公道なのかわからないぐらいにどれも狭い。そのぶん、あちこちに派生する行き止まりの路地がある。追いつめられないよう、走は巧みに進路を選んだ。闇《やみ》に塗りつぶされた小学校の窓の下を駆けぬける。この春から通う予定の、私大のキャンパスを横目に見ながら疾走する。

少し大きな通りに行き当たった。右折して環状八号線方面に向かおうかと一瞬迷ってから、そのまま直進して住宅街を行くことに決めた。

信号に足止めされることなく、通りを渡る。静かな住宅街に、走の足音が響く。だが追跡者もこのあたりの地理を熟知しているらしく、どんどん気配は濃くなってくる。

走は自分が、走っているのではなく逃げているのだということに改めて気づいた。悔しさが喉《のど》までこみあげる。俺はいつだって逃げている。なおさらに、脚を止めたくなくなった。ここで止まったら、逃げていることを認めてしまうような気がした。

ほの白い小さな明かりが、走の足もとを照らした。小刻みに左右に振れる光の源は、いまやぴったりと走の背後につけている。

自転車に乗ってるのか。ようやくそのことに気がついて、走は自分でもあきれてしまった。軋む金属音をたしかに耳にしていたのに、追跡者が自転車に乗っているという可能性は、まったく考えていなかった。自力でこの距離を走って、走の速度についてこれるものなど、そうそういないと経験が知っていたはずなのに。

走はいつのまにか、自分のなかの曖昧《あいまい》で恐ろしいものに追いかけられているような気分になっていたのだ。だから必死で走っていた。

急に馬鹿《ばか》らしくなり、走はちらりと振り返った。

若い男が、カゴのついたママチャリを漕《こ》いでいる。暗くて表情はよく見えない。あのコンビニの店員ではないようだ。エプロンをつけていないばかりか、ドテラのようなものを着て、ペダルを回転させる足には健康サンダルを履いている。

なんなんだ、いったい。

様子をうかがうために、走は速度を落とした。自転車は古い水車みたいな音を立てながら、ごく自然に走に併走しはじめる。

走は横目で男を盗み見た。さっぱりとした顔立ちのその男は、湯上がりらしく髪が濡《ぬ》れている。自転車のカゴには、洗面器がなぜか二つ入っていた。男も、たびたび走のほうを見る。特に、走っている脚のあたりばかり見る。まさか変質者じゃないだろうなと、なんだか気味が悪くなった。

自転車に乗ったその男は、少し距離を取り、黙って走の横についていた。走も相手の出かたをはかりながら、ペースを乱さずに走りつづける。コンビニの店員に頼まれて自分を追ってきたのか、それともまったく無関係なただの通行人なのか。走のなかで不安と緊張と苛立《いらだ》ちが頂点に達しようとしたそのとき、穏やかな声が遠い潮騒《しおさい》みたいに耳に届いた。

「走るの好きか？」

走は驚いて足を止めた。目の前の道が忽然《こつぜん》と消え、うろたえて断崖《だんがい》の縁にたたずむ人間のように。

走は夜の住宅街の真ん中で立ちすくむ。鼓動が耳の奥で響いていた。かたわらを走っていた自転車が、甲高い音を立ててブレーキをかける。走はのろのろとそちらに顔を向けた。自転車にまたがった若い男が、じっと走を見ている。それでようやく、最前の問いを発したのが、その若い男であったことに思い至った。

「急に止まるな。少し流そう」

そう言って男は、再びゆっくりと自転車を漕ぎだす。どうして見も知らぬあんたについていかなきゃならないんだ、と思いはしたが、なにかに操られるように、走の脚は男のあとを追っていた。

ドテラを羽織った男の背中を見ながら、走は憤《いきどお》りともあきれともつかない気持ちがこみあげてくるのを感じた。走ることについての好悪《こうお》を聞かれるのは、ずいぶんひさしぶりだった。

食卓に好物を出されたときのように、「好きだ」と気軽に答える。あるいは不燃物をゴミ捨て場のカゴに投げこむようにすげなく、「嫌いだ」と答える。走には、どちらもできそうになかった。そんな質問に答えられるわけがない、と走は思う。たどりつきたい場所があるわけでもないのに、毎日毎日走りつづけてしまう。そういう人間のなかに、走るという行為に対する好悪を断言できるものなどいるだろうか。

走にとって、走ることが単純に喜びだったのは、草を踏みしめて野山をかけずりまわっていた幼いころだけだ。それからあとは、楕円に閉じこめられ、ひたすら時の流れの速度に抵抗してあがいた。あの日の爆発的な衝動が、積み重ねてきたすべてを粉々に砕いてしまうまでは。

自転車の男は、徐々に車輪の回転をゆるやかにしていき、やがてシャッターの下りた小さな商店のまえで止まった。走も走るのをやめ、いつもの癖で簡単にストレッチをして筋肉をほぐす。男はのっぺりした光を放つ自動販売機で冷たい茶を買い、ひとつを走に投げてよこした。店のまえの地べたに、どちらからともなく並んでしゃがむ形になった。走は手のなかにある缶の冷たさが、体内の熱を吸い取っていくのを感じていた。

「いい走りをしている」

しばらくの沈黙のあと、男は言った。「ちょっと失礼」

男はおもむろに、ジーンズに包まれた走のふくらはぎに手をのばす。こいつが変質者でも、もうどうでもいいや。投げやりな気分になり、走は男の手が自分の脚を触るのに任せた。ひどく喉が渇いていたので、男の買った茶を一息に飲み干す。

男は腫瘍《しゅよう》の有無を判じる医者のような手つきで、走の脚についた筋肉を事務的に確認した。そして顔を上げ、真っ向から走を見据える。

「なんで万引きなんかした？」

「……あんたなにもの？」

走はかたわらのゴミ箱に空き缶を投げ入れ、ぶっきらぼうに質問を返した。

「俺は清瀬《きよせ》灰二《はいじ》。寛政《かんせい》大学文学部四年」

走が入学する大学だった。走は半ば無意識に、

「蔵原走……です」

と素直に答えていた。中学生のころから、部活の軍隊並の縦社会で暮らしてきたせいで、「先輩」にあたる存在には弱い。

「いい名前だな。走は」

と、清瀬灰二と名乗った男は、いきなり走を呼び捨てにした。「このへんに住んでるのか？」

「四月から俺も寛政大に通うんで」

「へえ！」

清瀬の目が異様な輝きを帯びたことに、走はたじろがずにはいられなかった。自転車で追いかけてきて、いきなり見ず知らずの人間の脚に触る男。やはりまともではないのだ。

「じゃ、俺はこれで。お茶、ごちそうさまでした」

走はさっさと立ちあがろうとしたが、清瀬がそれを許さなかった。走のシャツの裾《すそ》を引っ張り、強引にもとのとおり隣に座らせようとする。

「学部は？」

「……社会学部」

「なんで万引きなんかした？」

話は発射地点に戻り、走は地球の重力の呪縛《じゅばく》から逃れられない宇宙飛行士のように、よろよろと再びしゃがみこんだ。

「ホントにあんた、なんなんですか？　俺を脅そうっての？」

「そうじゃない。きみが困っているのなら、なにか力になれないかと思ってね」

走はますます警戒の度合いを深めた。清瀬には絶対に裏がある。ただの好意で、こんなことを言いだすはずがない。

「後輩だとわかったからには、捨て置けないだろう。……金かい？」

「ええ、まあ」

貸してくれるのかと走は期待したが、実際にいま清瀬が持っているものといったら、洗面器が二個とポケットのわずかな小銭だけらしかった。清瀬は、金は出そうとせずに質問だけをつづけた。

「親御さんからの仕送りは？」

「アパートの契約金に、って渡された金、全部麻雀《マージャン》に使っちゃって。来月分の生活費が振り込まれるまでは、しょうがないから大学で野宿です」

「野宿」

清瀬は身を乗りだし、走の脚のあたりにじっと視線を注ぎながら、なにか考えこみはじめた。走は居心地が悪くなって、スニーカーのなかで足の指先を動かした。

「それは大変だな」

やがて清瀬は、真摯《しんし》な口ぶりで言った。「よかったら、俺が住んでいるアパートを紹介しよう。ちょうど一部屋空きがある。竹青荘《ちくせいそう》といって、この近くだ。大学にも徒歩五分だし、家賃は三万円」

「三万円？」

走は思わず声を上げてしまった。その破格の家賃には、いったいどんな秘密が隠されているのだろう。毎晩血の滲《にじ》みだす押入や、暗いアパートの廊下を徘徊《はいかい》する白い影を想像し、身震いする。計器を使って数値化できる速度の世界に身を置き、走ることに適した肉体を日々丹念に作りあげることに喜びを見いだしてきた走は、幽霊や怪奇現象といった、とらえどころのない境界に属するものが苦手だった。

だが、清瀬は走の悲痛な声を、麻雀で無一文になったものの嘆きととらえたらしかった。

「大丈夫だ。大家さんに頼めば、家賃は待ってくれる。竹青荘は、敷金礼金もいっさいないから」

独り決めして空き缶を捨て、立ってもう自転車のスタンドを蹴《け》りあげている。この得体の知れない男の住む竹青荘に、走はますます疑念を抱いた。だが清瀬は、

「さあ、早く。案内する」

と急《せ》き立てる。「そのまえに、走の荷物を取りにいかないとな。大学のどこで野宿してたんだ？」

体育館の脇《わき》だ。コンクリートの外階段の陰に隠れるようにして、風雨をしのいでいた。

走が郷里から持ってきた荷物は、スポーツバッグひとつにすべて収められる量だった。

必要なものがあれば、あとで家から送ってもらえばいいと思った。走は住む部屋を決めもせず、ふらりと自分の家を出て、東京に来たのだ。着いたその日の夜から雀荘《ジャンそう》に行き、すっからかんになった。

それでも、不安や恐れは感じなかった。知りあいのいない場所で、一人で過ごすのは苦ではない。むしろ解放感を覚えたほどだ。だがたしかに、入学式までには住処《すみか》を決めたいところだったし、ジョギングのついでにコンビニで万引きするような暮らしにはうんざりだった。

おとなしく立ちあがった走を見て、清瀬は満足そうにうなずいた。自転車にまたがることはせず、絡《から》まり気味のチェーンの音も高く、ハンドルを引いて歩いていく。清瀬の羽織るほつれたドテラを、街灯が白々と照らした。

おかしなことに、清瀬はあれほど走の走りに注目していたようだったのに、「陸上経験者か」などとは聞いてこなかった。もう万引きするなよ、とも言いはしなかった。走は思いきって、先を行く清瀬に声をかけた。

「清瀬さん、どうして俺に親切にしてくれるんです」

清瀬は振り返り、アスファルトの隙間《すきま》から緑の雑草が芽吹いているのを見つけたひとのように、ひっそりとした笑みを浮かべた。

「俺のことは、ハイジと呼んでくれていい」

走は観念し、自転車を引く清瀬の隣に並んだ。どんな安アパートでも、どんなに住人が風変わりでも、野宿よりはましだろう。

アパートは想像以上に古かった。

「……ハイジさん、ここが？」

「そう、ここが竹青荘。俺たちは『アオタケ』と呼んでいる」

清瀬は誇らしげに、自分たちのまえにある建物を見上げた。走はただ呆然《ぼうぜん》とするばかりだ。文化財でもないのにこんなに古い木造建築を見るのは、はじめてだった。

安普請《やすぶしん》の木造二階建ては、いまにも崩れ落ちそうだ。ひとが住んでいるとは、とても信じられない。だが恐ろしいことに、いくつかの窓に柔らかな明かりが灯《とも》っていた。

竹青荘は、大学と銭湯「鶴《つる》の湯《ゆ》」のちょうど中間ぐらいの場所にあった。路地を抜けると、新しく建ちはじめたマンションと、昔ながらの畑が混在するあたりに出る。竹青荘はその一画に、青々とした生け垣に囲まれて建っていた。門はなく、生け垣の切れ間から敷地内を見通すことができる。

砂利の敷き詰められた広い前庭があり、その左手奥には、大家が住んでいるらしき平屋があった。こちらは瓦《かわら》を葺《ふ》きかえたばかりなのか、星明かりを弾《はじ》いて屋根がうっすらと輝いている。右手側に建つのが、問題の竹青荘だ。

「部屋は全部で九室。走が来てくれたおかげで、全室埋まったよ」

清瀬は砂利を踏みしめながら、走を竹青荘の玄関前に案内した。玄関は、薄いガラスのはまった格子《こうし》の引き戸だった。羽虫のたまった細長いフードのなかで、外灯がせわしなく点滅している。煤《すす》けた光を頼りに、走はなんとか、玄関横にかけられた古い木の表札を読みとろうとした。そこには雄々しく崩された文字で、「竹青荘」と書かれているようだった。

無造作に自転車を停めた清瀬が、重ねた二つの洗面器を小脇に抱え、玄関の引き戸に手をかける。

「住人にも、おいおい紹介しよう。みんな、寛政大の学生だ」

これにはちょっとコツがいるんだ、と言いながら、清瀬は持ちあげるようにして立てつけの悪い引き戸を開けた。

入ってすぐはコンクリートで固めた土間になっていて、かたわらには蓋《ふた》のついた下駄《げた》箱《ばこ》が設置されていた。郵便受けの役割も果たしているらしい。蓋には横長の投げ入れ口が開けられ、ボールペンで紙に書き殴った部屋番号が、セロハンテープで貼《は》りつけてあった。紙はどれも、日に焼けて茶色くなっている。ざっと下駄箱に目を走らせたところ、部屋は一階に四室、二階に五室あるようだった。

二階に通じる階段は、玄関を入った右手にあった。上ってみるまでもなく、歪《ゆが》んでいるのが見て取れる。未《いま》だにこの建物が崩壊していないのは、つくづく不思議だ、と走は思った。

清瀬は履いていた健康サンダルを土間に脱ぐと、

「さあ、上がれよ」

と走をうながした。走は言われるがまま、「一〇三」と書かれた箱にスニーカーを収めた。

「ハイジさん、おかえりー」

と声がしたのは、そのときだった。びっくりしてあたりを見まわす。だれもいない。横で清瀬も、不審そうに眉《まゆ》を寄せている。

「こっちこっち」

と重ねて声をかけられ、走と清瀬は天井を振り仰いだ。玄関の天井に、なぜか拳大《こぶしだい》の穴があいていた。顔を押しつけるようにしているのだろう。穴からはだれかの目がのぞき、悪戯《いたずら》そうな笑いを象《かたど》っていた。

「ジョージ」

清瀬が低い声を出した。「なんなんだ、その穴は」

「踏み抜いちゃった」

「いま行くから待ってろ」

清瀬は憤然と、しかし足音を立てずに階段を上っていく。走は迷ったが、清瀬のあとを追うことにした。走が足をかけると、階段はうぐいす張りになっているかのように、激しく軋《きし》んだ。

暗くて急な階段を上りきり、走は二階の様子を眺めた。予想していたよりも天井が高い。階段の隣には便所と洗面所らしきドアが二つあり、その並びには二室あるようだった。廊下を挟んで、階段と反対側には三室。どの部屋もひっそりと静まり返っていたが、三室並んでいるうちの階段のすぐ正面、「二〇一」とプレートの張られたドアからだけは、明かりが漏れていた。

清瀬はためらいなく二〇一号室に歩み寄り、ノックもせずにドアを開けた。走は戸口からおずおずと、室内を覗《のぞ》いた。

二〇一号室は十畳ほどの広さがあり、中央に置かれた卓袱台《ちゃぶだい》を境に、二組の布団《ふとん》が敷きっぱなしになっていた。二〇一号室の住人は、どうやら二人いるようだ。布団のまわりには、それぞれの持ち物らしき本やがらくたが乱雑に散らばっている。

なによりも目を引いたのは、その部屋の住人だった。まったく同じ顔をした男が二人、すがるような目でこちらを見ていたのだ。とてもよく似た双子《ふたご》だ。走はまちがい探しをする気分で、二〇一号室の住人の顔を見比べた。

「気をつけろって言っただろ。どっちが踏み抜いたんだ」

清瀬が腰に手を当て、冷たく言い放つ。身を寄せあうようにしていた双子が、同時にしゃべりはじめた。

「兄ちゃんだよ」

「ジョージだよ」

「汚いぞ、兄ちゃん。罪をなすりつけるなんて」

「穴を広げたのは、おまえじゃないか」

「俺は兄ちゃんのあけた穴に、はまっちゃっただけだ」

声のトーンまでそっくりだ。清瀬は「黙れ」というように、軽く右手をあげて双子を制した。

「玄関寄りの板間は、弱くなってるって注意しただろ？」

二〇一号室は畳敷きだったが、ちょうど玄関の真上にあたる位置だけは、床が板張りになっている。清瀬の小言《こごと》に、双子は同じタイミングでこくこくとうなずいた。

「気をつけてはいたんだ」

「フツーに歩いてたんだよ、フツーに。そしたらいきなりバキッと」

清瀬は、ふんと鼻を鳴らした。

「フツーに歩いたんじゃ、この床板は抜けるんだ。これからは細心の注意を払って歩け。いいな？」

双子はまたこくこくとうなずいた。清瀬は慎重に板間に膝《ひざ》をつき、あいた穴を検分する。

「あのう、ハイジさん」

双子のうちの一人が、遠慮がちに清瀬に声をかけた。

「なんだ」

「あのひとはだれ？」

双子の視線が、戸口にぼんやりと立ちつくす走へ注がれた。

「ああ」

と、思い出したように清瀬も走を振り返った。「蔵原走。おまえたちと同じ、この春から寛政大に通う一年生だ。今日からここに住む」

走は室内に足を踏み入れ、卓袱台の横に立って軽く頭を下げた。

「よろしく」

「はじめまして」

と、双子は声を揃《そろ》えて答えた。

「走、こいつらは双子の城《じょう》兄弟。兄の城太郎《じょうたろう》と弟の城次郎《じょうじろう》だ」

紹介された双子は順番に会釈《えしゃく》した。立ち位置を変えられたら、もう見分けがつかなそうだ。

「俺のことはジョージ、兄ちゃんのことはジョータって呼んで」

と、次郎のほうが人懐《ひとなつ》こく話しかけてきた。「みんなそう呼ぶから」

「あの穴、なにかに活用できないかなあ。なあ、走」

と、太郎のほうも気安い調子で話題を振ってくる。走は、「うん……」と口ごもった。

矢継ぎ早にしゃべる双子に、圧倒されていた。

清瀬が身を起こし、

「雑誌でものせて、ふさいでおくしかないな」

と穴を見下ろした。「床を踏み抜いたときに、脚に怪我《けが》はしなかったか？」

「それは全然」

双子は同じ速度で首を振った。清瀬がもう怒っていないと察し、明らかに安堵《あんど》した表情だ。

これだけ双子に畏《おそ》れられているということは、と走は考える。どうやらハイジさんが、この竹青荘の実力者らしい。古いアパートでの団体生活の先行きを思い、走は重いため息をついた。どこへ行っても、派閥や上下関係から逃れることはできないのだろうか。

「まだ走を、部屋にも案内していなかったのに。頼むからこれ以上、アオタケを破壊しないでくれよ」

清瀬はそう言い残し、さっさと二〇一号室から出ていってしまう。ジョータとジョージは、走を部屋の戸口で見送ってくれた。

「来た早々に、ボロい建物なのがばれちゃったな」

「実際に住んでみれば、静かでいいところだよ」

口々に言う双子に、「おやすみ」と挨拶《あいさつ》し、走は階段を下りはじめている清瀬の背を追った。

たしかに、竹青荘は静寂に包まれていた。あれだけ双子が騒ぎたてたのに、ほかの住人は部屋を空けているのか姿を見せない。まわりに点在する雑木林の木々のざわめきと、時折遠くを走る車の音だけが聞こえる。開け放したままだった玄関からは、ぬるみはじめた春の夜風が、畑の土のにおいを乗せてゆるやかに吹き寄せていた。

走は土間に放置してあったスポーツバッグを手に取った。あいたばかりの頭上の穴は、水着の女が表紙の雑誌によって、すでにふさがれていた。双子の部屋から射《さ》す明かりがなくなったため、玄関は薄暗い。

ようやく走は、竹青荘の一階を落ち着いて見ることができた。二階と間取りはそう変わらないようだ。玄関からまっすぐ奥に向かって、廊下が通じている。

廊下の左側には、玄関から近い順に、台所、一〇一号室、一〇二号室と並んでいた。先ほどの双子の住む二〇一号室は、ちょうど玄関と台所の真上に位置している。そのぶんだけ、二階のほうが一室多い。清瀬が住んでいるという一〇一号室は、二〇二号室の下にあたるらしい。一〇二号室のうえは二〇三号室というわけだ。

一階の廊下の右側は、二階の間取りとすべて同じだった。階段の横には便所と洗面所のドアが二つ並び、一〇三号室と一〇四号室はその奥にある。それぞれ二〇四号室と二〇五号室の下にあたる位置だ。

走は清瀬に案内されて廊下を進もうとし、ぎょっとして足を止めた。一階の廊下の奥が、ただごとではないほど濃く白い煙で靄《もや》っていたからだ。

「ハイジさん、火事じゃありませんか？」

だが清瀬は動じた様子もなく、「ああ、あれ」となにやら説明しようとした。その途端、廊下の左奥にある一〇二号室のドアが勢いよく開けられた。なかから人影が飛びだしてくる。火事に気づいて出てきたのだろうと走は身構えたのだが、その人物は走たちのいる玄関のほうにはやって来ず、そのまま向かいの一〇四号室のドアを乱暴に叩《たた》いた。

「先輩！　ちょっと、ニコチャン先輩！」

振動で一階のすべてのドアが揺れるほど、乱暴に叩きつづけること十数回。ようやく一〇四号室のドアは開いた。

「うるせえぞ、ユキ」

のっそりと大きな人影が出てきたようだが、とにかく煙がすごくて、走にはよく見えなかった。二人の人影は、台所近くにいる走と清瀬には気づいていないようで、激しく口論をはじめる。

「煙草《たばこ》の煙が俺の部屋まで入ってくるんですよ」

「買わなくても味わえていいじゃねえか」

「俺は吸わないんです！　とにかく迷惑だから控えてください」

ほら、こんなに立ちこめて、と一〇二号室の住人はばたばたと腕で煙を払った。走たちのところまで、白い有害物質が漂ってくる。たしかに煙草のにおいだ、と走は納得した。火事ではなかったのはいいが、二人の喧嘩《けんか》はエスカレートしている。

「おまえの音だってうるせえぞ。チャカポコチャカポコ、わけのわかんない音楽を一晩中、大音量で聞きやがって。こっちの夢見が悪くなる」

「深夜はヘッドホンをしてます」

「それでも漏れてくんだよ、不快なチャカポコが！」

「古いアパートだから多少はしょうがないでしょ」

「俺の煙だって出たくて漏れてんじゃねえ。ドアの立てつけが悪いから……」

「はい、そこまで」

清瀬が手を打ち鳴らし、言い争う二人の注意を惹《ひ》きつけた。「ちょうどよかった。新しい住人を紹介します」

争いの声がやむと、一〇二号室からは重低音に電子ノイズが絡《から》んだような音楽が、一〇四号室からはドライアイスのような真っ白い煙草の煙が、それぞれとめどなく溢《あふ》れだしていることがわかった。走はそちらには行きたくなかったが、清瀬はかまわずに、廊下の奥にいる二人のもとへ歩いていく。

勢いをそがれた形になった一階奥の住人たちは、あげた拳《こぶし》と開けた口をそのままに、清瀬と新参者の走が近づいてくるのを待っていた。

「先輩、ユキ、これは今日から一〇三号室に入る蔵原走です。社学の一年。走、こちらは竹青荘の古株、一〇四号室の平田彰宏《ひらたあきひろ》さん。みんなはニコチャン先輩って呼んでる」

「ニコチン大魔王だからな」

と、大音響の音楽を背に、まだ紹介されていないユキと呼ばれる男が憮然《ぶぜん》として言った。清瀬はそれを制して、

「ニコチャン先輩は、この春から理工学部の三年だ。俺がはじめてここに来たときは先輩だったのに、いつのまにか俺より学年が下になっている」

と、つづけた。熊《くま》のようにがっしりとした体格のニコチャンは、にこりともせずに走にうなずきかけた。

「俺のお隣さんってわけだな。よろしく」

ニコチャンは無精髭《ぶしょうひげ》の生えた面構《つらがま》えもふてぶてしく、学生とはとても思えない。走はこっそりと清瀬に聞いた。

「あの、大学って何年までいられるんですか？」

「八年だ」

清瀬の答えに、ニコチャンもつけ加える。

「俺はまだ五年目だ」

本名のわからないユキが、いらいらと口を出した。

「ついでに二浪してますよね」

ということは、今年で二十五歳か。走は咄嗟《とっさ》に計算し、それにしても貫禄《かんろく》があるニコチャンを見た。ニコチャンは茶々を入れられても怒るでもなく、鷹揚《おうよう》な態度を崩さない。煙害に遭うのは避けたいところだが、扱いにくい人物ではないようだった。

清瀬はようやく、もう一人の紹介にかかった。

「走、こっちは岩倉雪彦《いわくらゆきひこ》。法学部で、学年は俺と同じ四年だ。ユキと呼ばれている。こう見えて、司法試験に合格済みだ」

「どうも」

と、ユキはそっけなく挨拶した。名前のとおり、肌は不健康な感じに青白い。ひょろっとして眼鏡をかけた、いかにも神経質そうな面立ちだった。このひとに苦情を言われるようなことはなるべく避けよう、と走は思った。

ニコチャンがポケットから煙草を取りだした。ユキの非難の眼差《まなざ》しを感じぬ素振りで火をつける。

「ハイジよう。さっき、なんだか二階が騒がしかったみてえだが、どうかしたのか」

「双子が案の定、床板を踏み抜いたんですよ」

「早速やったか」

と、ニコチャンは笑った。

「馬鹿《ばか》だね、あいつら」

ユキが頬を引きつらせた。「せっかくアオタケで一番広い部屋をあてがわれたのに、あの板間を踏み抜いたら意味ないじゃないか」

「まえから、玄関寄りの二階の部屋は危なかったんだ。なんとか補強する方法を考えないとな」

と清瀬が言うと、ユキは眉《まゆ》をひそめた。

「俺は王子《おうじ》のせいだと思うけどね」

清瀬とユキが話しこんでいるかたわらで、走はニコチャンと黙って突っ立っていた。ニコチャンは驚異的な肺活量で、煙草をすぐにフィルター近くまで灰にし、自分の部屋のドアで揉《も》み消す。

「おい、走」

ニコチャンもやはり、走のことをいきなり下の名で呼び捨てにした。「俺はいま、ものすごいことに気づいたぞ」

「なんですか？」

「おまえたち三人、名作アニメの登場人物と同じ名前だ！」

「はあ……」

走はアニメに疎《うと》いので、鈍い反応しか返せなかった。ニコチャンは二本目の煙草を挟んだ指で、清瀬、走、ユキを順繰りに示す。

「ハイジだろ。走は蔵原だからクララ。そして、ヤギのユキちゃん。ほらな？」

「勝手にひとをヤギにしないでください」

清瀬との話を終えたユキが、ニコチャンを一〇四号室に押しやった。

「俺のことはペーターと……」

と言っているニコチャンを無視して、一〇四号室のドアを強引に閉める。怒りに燃えたユキは身を翻《ひるがえ》すと、そのまま自分の部屋に籠《こ》もってしまった。一〇二号室のドアも乱暴に閉められ、暗い廊下には煙と音楽の名残だけが浮遊した。

「あの……」

困惑した走が声をかけるのに、清瀬は軽く肩をすくめてみせた。

「気にするな。いつもこんな調子なんだ。二人とも走のことは気に入ったみたいだから、よかったよ」

気に入った？　そうなのか？　走の困惑はいよいよ深まったが、黙って少し廊下を戻り、清瀬が一〇三号室のドアを開けるのを見ていた。

「さて、ここが走の部屋だ。鍵《かぎ》はこれ」

と、清瀬は部屋のドアの内側にぶらさがった、丸い頭の真鍮《しんちゅう》製の鍵を示した。「室内から施錠《せじょう》したいときは、これを内側の鍵穴に入れて、外から鍵をかけるときと同じようにしないといけない。それが面倒くさいから、みんなほとんど、部屋にいるときには鍵をかけないんだ」

走は、鈍い金色の鍵を手に取った。魔法の扉を開けるためにあるような、レトロな形状をしている。それは代々の部屋の主《あるじ》の手によって、メッキがところどころ剝《は》げ、あたたかい丸みを帯びていた。

清瀬は先に立って一〇三号室の窓を開け、風を入れた。部屋は六畳で、押入もついている。走は念のため、押入のふすまを開けてみた。危惧《きぐ》していたような血の染《し》みはなく、室内は古いがきちんと清潔さを保っていた。

「明日、貸し布団屋《ぶとんや》を教えよう。今夜は俺の毛布で我慢して。あとで持ってくる」

「すいません」

「便所と洗面所は各階にある。掃除当番のローテーションは、月ごとに台所に貼《は》りだされる。走は来たばかりだから、四月からでいい。飯は朝と夜は俺が作る」

「ハイジさんが？　一人でですか」

「簡単なものだけだが。昼は各自で調達。朝夕も必要ない場合は、前日までに申し出ること」

清瀬は淀《よど》みなく、竹青荘の決まりごとを述べた。「風呂《ふろ》は、この先の『鶴の湯』に行ってもいいし、大家さんの家の風呂を借りることも可能だ。その場合は、夜八時から十一時までのあいだに入浴をすませること。事前の予約や風呂掃除などは必要ない。風呂掃除は大家さんの趣味なんだ」

「はい」

走は頭に叩きこむために、集中して清瀬の話に耳を傾けた。

「門限などはいっさいなし。わからないことがあったら、そのつど聞いてくれ」

「飯の時間は？」

「講義によって時間帯も違ってくるから、各自あたためて食ってるよ。多いのは、朝は八時半ごろ、夜は七時半ごろかな」

「わかりました」

走はうなずき、改めて頭を下げた。「よろしくお願いします」

清瀬はまた、微笑《ほほえ》みを見せた。なにか魂胆があって、自分を竹青荘に連れてきたのかと走は疑っていたが、このアパートの住人の半分に会ったいまとなっては、そんな疑惑を抱きつづけるのが難しかった。清瀬をはじめ、いままで出くわした住人はみな少し変わっていたが、走をすぐに受け入れてくれた。清瀬が見せる微笑も、押しつけがましいところのない、ごくごく控えめなものだ。

台所のほうから、壁掛け時計がポンとひとつ時を打つのが聞こえた。

「十時半か」

清瀬は思い出したように、玄関の上がり口に置いたままだった洗面器へ視線をやった。

「まだ大家さんの風呂が使える。疲れてなかったら、挨拶《あいさつ》がてら母屋《おもや》に行くか？」

二人は連れ立って、再び玄関から外へ出る。いちいち靴を出すのは面倒だろうと、清瀬は走にも健康サンダルを勧めた。竹青荘の住人は、近所を歩くときは健康サンダルを愛用しているようだ。玄関の端には、何組かのサンダルが脱ぎ捨てられていた。

砂利を踏み、庭を横切って、母屋である平屋建ての木造住宅に向かう。庭といっても、日陰を作るのに適した大きな木が何本か、生け垣沿いに勝手に生えているのみで、あとは素っ気ないものだ。作庭と同じぐらい無造作な様子で、大きめの白いワゴンが停まっている。これも駐車スペースが決まっているわけではなく、気が向いたところにただ停めただけ、という感じだった。

都内だというのに、ずいぶん贅沢《ぜいたく》な土地の使いかただ。住む場所が決まって余裕が生まれたのか、走ははじめて、通う大学のあるこの地域に親しみを感じることができた。

東京といったら、ただゴミゴミしてせわしないところだと思っていたのに。走は夜の空気を胸に吸いこんだ。案外、そんなこともなかった。ここでも、ちゃんと人々は生活している。走が生まれ育った町と変わらない。生け垣を植えたり庭を作ったりして快適さを求める、ひとの暮らしがある。

走たちの足音を聞きつけたのか、なにやら興奮した生き物の息づかいが、闇《やみ》のなかを伝わってきた。目をこらすと、母屋の縁側の下から茶色い雑種犬が出てきて、こちらに向かってさかんに尾を振っている。

「大事な住人を忘れていた」

清瀬はかがみこんで犬の頭を撫《な》でた。「大家さんが飼っているニラだよ」

「変な名前ですね」

走も清瀬と並んでしゃがみ、真っ黒く濡《ぬ》れた犬の目を覗《のぞ》いた。

「以前アオタケに住んでいた先輩が、拾ってきたんだ」

ニラの垂れた耳を指で起こしてやりながら、清瀬は言った。「沖縄のほうでは、極楽のことをニラなんとかって言うらしい。……なんだったかな。とにかく、それから取った名前だそうだ」

「へえ、極楽ですか」

たしかに悩みなどなさそうな、愛嬌《あいきょう》のある顔をした犬だ。ぴったりの名前だと思った。

「だれにでも愛想を振りまいちゃうバカ犬だけど、かわいいんだよ」

清瀬がひとしきり、耳をいじったり丸まった尻尾《しっぽ》を伸ばそうとしたりしても、ニラはあいかわらず二人に向かって親愛の情を示している。走も挨拶がわりに、ニラの頭を一撫でしてやった。ニラは鎖につながれてはおらず、綺麗《きれい》な赤い革の首輪をしていた。

「似合ってるな」と、走は犬に囁《ささや》きかけた。

大家は田崎源一郎《たざきげんいちろう》という名の、矍鑠《かくしゃく》とした老人だった。

清瀬が適当に脚色して走《かける》の境遇を語り、家賃をしばらく待ってほしいと言うと、大家は顔色も変えずにうなずいてみせた。しかし走の名前を聞いたとたん、老人の様子にわずかな変化があった。

「蔵原走……。もしや、仙台城西高《せんだいじょうせいこう》の蔵原か？」

海辺で細かい波しぶきを顔に受けたひとのように、鬱陶《うっとう》しがっているのか興奮しているのかわからない、せきこんだ調子で尋ねてくる。自分の過去を知っているらしき人物をまえにして、走は全身を緊張させた。それと同時に、清瀬が走を竹青荘に連れてきたことへの疑念がまたもやこみあげ、いやな気分になった。走はもう、記録のために走らされたり、チームメイトの嫉妬《しっと》や競争心に振りまわされたりする世界とは、できるだけ無縁でいたかったのだ。

強張《こわば》った表情のまま、走はうつむいて母屋の玄関先に立っていた。そんな走の態度に思うところがあったのか、大家はしつこく食い下がってはこなかった。

「まあ、仲良くやってくれ。アパートを壊さないようにな」

それだけを言って、テレビの音がしている茶の間へさっさと引っこむ。走は、さっそく床に穴があいたところを見てしまったが、と思いながら清瀬を振り返った。

「黙ってろ」

と清瀬は言った。「大家さんは建物が崩壊しないかぎり、様子を見にきたりはしないから」

風呂場は母屋の一番奥にあり、脱衣所には大型の洗濯機もあった。壁には、「洗濯は夜十時まで。下着類は下洗いしてから」と、筆で書かれた紙が画鋲《がびょう》でとめられている。旅館の床の間に飾られる掛け軸のように、隆々とした文字だ。書かれた内容との落差に走が気を取られていると、電気のついていない浴室のドアが、突然内側から開いた。湯気とともに、黒人が脱衣所に出てくる。予期せぬことが重なってたじろぎ、走は背後の洗濯機に尻《しり》をぶつけた。黒人は、「おや」というように走たちのほうを見た。タオルで体を拭《ふ》きながら、

「こんばんは、ハイジさん」

と、まったく訛《なま》りのないアクセントで清瀬に挨拶する。「そちらは？」

「新入りの蔵原走だよ。走、彼は留学生のムサ・カマラ。二〇三号室の住人で、理工学部の二年生だ」

「よろしく、走」

ムサは全裸のまま、洗練された動作で手を差しのべてきた。握手するという習慣のない走は、ややぎこちなくムサの手を握った。

ムサの上背は走と同じぐらいで、思慮深そうな静かな目をしている。それまで会った住人たちが騒がしかっただけに、走はようやく常識的な穏やかさを持つ人間と知りあえて、少しホッとした。しかし気になることもある。

「どうして、電気をつけずに風呂に入ってたんですか？」

走の問いかけに、ムサは明るい笑みをひらめかせた。

「自分を鍛えるためです」

と、ムサは言った。「暗い場所で水に入ることは、私たちに大きな不安をもたらします。しかし私は、あえてそうすることによって、自分を見つめようと心がけています。走もチャレンジしてみてはどうですか」

ムサの日本語には崩れがないだけに、話し言葉としては堅苦しく響き、珍妙なおかしみがあった。

「やってみます」

そう答えながら、ここにもまた変人がいた、と走は思った。

清瀬とムサが脱衣所から出ていき、走はようやく一人になって息を吐いた。服を脱ぎ、浴室の電気をつけて洗い場で体をこする。しばらく銭湯にも行けなかったので、ちゃんと体を洗うのはひさしぶりだった。走は体を洗い終えると、思い立って電気を消してみた。

ムサが言うとおり、暗いなかで湯に入るのは、なんとなく心もとない気分になる行為だった。しかも、走にとってははじめて来た家の風呂だ。勝手がわからなくて、湯船の内部にあった段差に脛《すね》をぶつけた。高齢の大家のために、足台として一段設けられているのだろう。

手探りで腰を落ち着け、ぬるくなりかけた湯のなかに足をのばした。暗闇だと、水が重く感じられる。体を動かすたびに風呂場に反響する水音も、心なしか大きく聞こえるような気がした。

走は目を閉じた。新しい生活がはじまることへの恐れと不安が、走と一緒に湯に浮いている。「金は振り込むから好きにしろ」と、投げやりな調子で言った両親の失望にあふれた顔。毎日毎日走りつづけた楕円《だえん》のトラックから見える家並み。あからさまな侮蔑《ぶべつ》を浮かべ、チームメイトが乱暴に閉めたロッカーの音。そういうものが胸をよぎって、走は鼻のうえまで湯に浸《つ》かった。

だんだん息苦しくなってくる。それでも走は空気を求めず、いつもの癖で自分の心音を数えた。走っていて、これよりも苦しいときはいっぱいあった。肺が充血しきって、喉《のど》もとまで血の味がこみあげてくるようなときが、たくさんあったのだ。それでも走ったのはなぜだったのか。走ることに快楽を見いだしていたからだろうか。だれにも、自分自身にも、負けたくなかったからだろうか。

位置がはっきりわかるほど、心臓が激しく鼓動しはじめる。濡れた手で耳をふさいでも、うるさいほど体中に響く。走はとうとう、湯から顔を出して空気を吸いこんだ。同時に、つぶっていた目も開ける。

薄暗い浴室の窓から、母屋の隣にある竹青荘がぼんやりと見えた。先ほどよりも、明かりのついた窓が増えていた。光は闇に沈んだ庭に、柔らかく窓の輪郭を落とす。ムサさんはもしかしたら、この光景を見ながら風呂に入るのが好きなのかもしれないな、と走は思った。

あてがわれたばかりの竹青荘の自室に戻ると、清瀬の毛布が置いてあった。部屋のあちこちで家鳴《やな》りがしている。特に天井付近の軋《きし》みがひどい。ひっきりなしに、枯れ枝を折るような音がする。

これからここが、俺の居場所になる。

走は毛布をかぶって横たわった。鼻先に畳のにおいを感じた。家鳴りはつづいていたが、野宿する夜に比べて心は安らかだった。

目を閉じると、眠りはすぐに訪れた。

ムサ・カマラは竹青荘の玄関で清瀬と別れ、自室に戻るために二階に上がった。ここに来たばかりの去年の春は、木でできた家というのがどうにも不安で、廊下を歩くのもおっかなびっくりだった。故郷にあるムサの家族が住む家は、コロニアル風の石造りの洋館だ。隣室の話し声が聞こえてくる薄い壁や、すれ違うのにも苦労するほど狭い廊下など、想像もできなかった。

だがいまでは、ムサは竹青荘という建物自体も、そこに住む同年代の住人たちのことも、とても好きになっていた。

ムサは、母屋の風呂場《ふろば》で紹介された走のことを考えた。走ともうまくやっていけるといい。なにかスポーツをやっているらしき俊敏な動作と、少し戸惑ったようにムサを見た、意志の強そうな目が思い起こされる。たぶん、とムサは思った。たぶん、走もすぐにここに馴染《なじ》めるでしょう。

ムサの部屋のひとつ手前、廊下の左側に三室並ぶうちの、真ん中にある二〇二号室のドアが少し開いていた。ムサは通りがかりに、なかを覗きこむ。その部屋の住人である社会学部四年の坂口洋平《さかぐちようへい》と、ムサの部屋の向かいの二〇五号室に住む商学部三年の杉山《すぎやま》高志《たかし》が、一緒にテレビを眺めていた。

「こんばんは」

だれかと話したい気分だったので、ムサは声をかけた。部屋にいた二人は振り返り、

「おう、入れよ」と気楽に勧めてきた。

水滴のついた缶ビールが差しだされ、ムサは畳のうえに正座する。

「キングさんは、またクイズ番組を見ているのですか」

ブラウン管のなかで早押しする芸能人を眺め、ムサは少しあきれた。二〇二号室の坂口は、ビデオに録画してまで、すべてのクイズ番組を見ることを趣味としていた。竹青荘では若干の揶揄《やゆ》とともに、キングと呼ばれている。「クイズ王」の意だ。

「当たり前だろ」

と言いながら、キングは手元に置いてあったティッシュペーパーの箱を猛然と叩《たた》いた。そして、

「カラカラ帝の公衆浴場！」

と、出題されたクイズの答えをテレビに向かって大声で叫ぶ。ティッシュの箱が、早押しボタンの代わりなのだ。

「キングさんとクイズ見てると、飽きがこないよ」

杉山が、ビールを飲むようにムサに手で勧めながら笑った。「すごいリアクションを

するから」

杉山は「神童《しんどう》」というあだ名だ。ムサは最初、こんなに物静かな話しかたをするひとが、どうして「震動」なのかといぶかしく感じた。神童はすぐに、「それはちがうよ」と教えてくれた。

「僕が生まれたのは、山奥の村でね。帰省するのに二日かかるんだ。あ、『帰省』ってわかる？」

「わかります。でも二日もかかるというのは本当ですか。私が本国の家まで帰るときでも、日本から飛行機に乗って一日ちょっとですよ」

「うーん、ムサの故郷より時間的には遠いところから僕は来たのか。改めてあの村の僻《へき》地《ち》ぶりがわかったな。あ、『僻地』ってわかる？」

「それはよくわからない。田舎ということですか？」

「うん、そう。その村で僕は、『神童』と呼ばれていたんだ。まあ、あくまで地域限定の神童なんだけれど。あ、『神童』っていうのはね、神さまの子ども、という意味で……」

竹青荘の住人はほとんど、ムサにおかまいなしで早口の俗語をしゃべる。ムサはもともと中級以上の日本語の語学力があったが、俗語はお手上げだった。だが神童だけは、ムサがわからない俗語や難しい単語を、丁寧に解説してくれる。おかげでムサは、ますます不自由なく日本語をしゃべれるようになった。それでも、紳士的な神童を見習って、覚えた俗語はなるべく使わないようにしている。一階の住人のニコチャンはたまに、「ムサの言葉づかいは、肩が凝っていけねえ」と笑う。

ビールを飲みながら、ムサもしばらくクイズ番組を眺めた。

竹青荘でテレビを持っているのは、キングと双子とニコチャンだけだ。ニコチャンの部屋は煙害がひどいので、近寄るものはめったにいない。キングはクイズ番組ばかりを延々と見ている。だから見たい番組があるものは、だいたい双子の部屋に行く。

いまも、隣の双子の部屋からはテレビの音が聞こえてきていたが、話し声はしなかった。どうやら今夜は、うるさい先輩たちに邪魔されることもなく、双子だけで静かに過ごしているらしい。

キングは飽きることなくティッシュの箱を叩いては、ブラウン管の外から解答しつづけた。そして番組がコマーシャルになったとたん、手元のリモコンで画面を早送りする。ビデオだったのか、とムサははじめて気がついた。

コマーシャルをさっさと飛ばし、また番組が再開された。今度は早押し形式ではないコーナーだ。キングはようやく、テレビから少し意識をそらした。

「なあ、ムサ。神童は黙りこくってクイズ番組を見るんだ。信じられないよな」

なにを言われているのかよくわからず、ムサは首をかしげた。キングは、並んで座っているムサと神童に体ごと向き直る。

「クイズを見てたら、解答したくなるのが人情ってもんだろ。『ではウオヘンに青と書いて……？』『サバ！』って感じにさ。なのにこいつ、黙ったままなんだよ。張りあいないよな」

「キングさんは一人で見ていても叫びますもんね」

ムサは、夜な夜な隣室から聞こえてくる、脈絡のない単語を叫ぶキングの声を思いながら言った。

「あったりまえだよ。クイズ番組ってのは、そのためにあるもんだろ。地蔵みたいに硬直して見るやつの気がしれないね、俺は」

そうかな、とムサは思った。

「そうかな」

と、神童は実際に声に出して反論した。「キングさんのほうが、少数派だと思うけれど。なんで出場者でもないのにそこまで熱くなれるのか、僕にはわからないですよ」

「出場者として番組に応募してみたらどうですか？」

ムサも口を挟んだ。キングはインターネットのクイズ関係のサイトをまわっては、日々熱心にクイズの問題に取り組む。だれもが恐れる白煙地獄に踏みこみ、ニコチャンのパソコンを借りてまでクイズに熱中する。クイズにかけるキングの情熱を、竹青荘の住人たちは遠巻きに見守っていた。

「画面の外から、名だたるクイズ王たちよりも速く、正確に、多く解答するのが、本当の通《つう》の楽しみかたってものさ」

キングは胸を張った。キングは図太いようで実は上がり性だから、テレビになど出られないのだ。それに気がついたムサは、もうなにも言わなかった。神童も、「そんなものかな」と穏やかに相槌《あいづち》を打つ。

キングが少し気まずそうだったので、ムサは新しい話題を提供することにした。

「アオタケに新しいひとが来たことを、お二人はもう知ってますか？」

「いつ来たんだよ！」

「どんなひと？」

二人はとたんに身を乗りだしてきた。キングはテレビの音量を下げたほどだ。キングと神童にとって、かなり興味のある話題だったらしい。ムサは勢いに押されるようにして、風呂場で走と遭遇したことを語った。

「来たのは今夜だと思います。社会学部に入学する、とハイジさんが言っていました。ハイジさんはうれしそうだった」

「いやな予感がするぜ」

キングがつぶやく。

「どうしてですか？　真面目《まじめ》でいいひとそうでしたよ、走は」

「キングさんが心配しているのは、新入りの人柄じゃないんだ」

と、神童が説明した。「ムサも知ってるだろ？　ハイジさんが、一〇三号室が埋まるのを熱望していたことは」

「はい。でもそれが？」

「それが重要なところだ」

キングはあぐらをかいた足に肘《ひじ》をつき、わざとらしく顎《あご》を掌《てのひら》で撫《な》でた。「ムサ、おまえもこの春から聞かされつづけたはずだぜ。ハイジが『番町皿屋敷』みたいに、『あと一人たりない、あと一人……』ってつぶやいてるのを」

「バンチョーサラヤシキってなんですか？」

「それはね」

と神童が教えようとするのをさえぎって、キングは断じた。

「絶対になにかある。ハイジはなにかたくらんでやがる」

「アオタケに十人入居することが、なぜハイジさんにとってそんなに重要なんだろう」

神童は首をひねった。キングが厳《おごそ》かに推理をはじめる。

「俺はここに住んで四年目だが、住人が十人……いまのはシャレじゃないぞ」

「わかってますよ。つづけて」

「十人いたことはなかった。なぜなら、ここには部屋が九室しかないからだ」

「それはそうでしょうね」

「ところが今年は違う。二〇一に双子が入ることに決まったからだ。そうしたら、ハイジが幽霊みたいに唱えはじめたんだよ。『あと一人』ってな」

「たしかに、ハイジさんは十人にこだわっているようでした」

ムサもうなずいた。清瀬はふだん、あまり感情を表に出さず、竹青荘にどんな騒動が起きても淡々としている。しかし今年、空いた一〇三号室に入居者があるのかどうか、というこことに対しては、わかりやすすぎるほど気を揉《も》んでいるのが見て取れたのだ。ムサもそれがどうしてなのか、不思議に思うことはあった。

「いったい、十人そろうとなにが起こるのでしょうか」

「わかんねえ」

キングは言いだしたわりにはあっさりと、疑問を放り投げた。「皿を数える幽霊でも出るのかもな」

「『なにかある、なにかある』って騒ぎたてたんだから、もうちょっと考えたらどうです」

神童は、会話から抜けてまたテレビに集中しだしたキングに文句を言った。だがキングはもう、クイズに気を取られて曖昧《あいまい》な返事をするばかりだった。ムサと神童はしばらく、清瀬の思惑について話しあったが、そのうちうやむやになって終わってしまった。

二〇二号室にしばしの沈黙が落ちた。

テレビまでもが、大げさな間を取ってクイズの挑戦者の解答を待っている。キングがぼそりと言った。

「なんにしろ、俺たちに悪いことが起きるんだとしたら、ハイジがちゃんと知らせてくれるさ。あいつは便所掃除をさぼるとネチネチ嫌味を言ってくるが、それ以外ではまあ、いいやつだからな」

そのとおりだ、とムサは思った。竹青荘の住人たちを陥《おとしい》れるようなことを、清瀬がするはずがない。

ムサは、「いやな予感」はしなかった。先ほど会った清瀬が、とてもうれしそうだったからだ。ムサが去年、生まれてはじめて雪が積もるのを見たときと同じぐらいに。

二、箱根の山は天下の険

走《かける》は毎日、朝晩十キロずつジョギングする。高校時代からの習慣だ。体もできあがり、一番走りこんでいた高校二年の夏の大会の時点で、走は五千メートル十三分五十四秒三二という記録を叩《たた》きだした。これは一介の高校生として驚異的であるだけではなく、日本の陸上選手としても充分通用する数字で、さまざまな大学が走に声をかけてきた。しかも走はまだまだ伸び盛りだったから、オリンピックでもよい成績を残せる有望な選手として、だれもが走を求めた。暴力沙汰《ざた》を起こした走が、高校の陸上部を退部するまでは。

走には、学校の名を背負って走ることにも、ましてや世界の大舞台で記録を残すことにも、なんら未練はなかった。そんなことよりも、風を切って前進する自身の肉体を感じながら、自由に走ることのほうが魅力的だった。組織の思惑や功名心にがんじがらめになって、実験体のように管理される毎日には飽き飽きしていたのだ。

五千メートルの記録を出した日、走は腹具合が悪かった。体調管理も含めた戦いなのだから、あとからあれこれ言い訳してもしかたがない。しかし走の感触では、自分はまだまだ速く走れそうだった。五千メートル十三分四十秒を切るところまでは、確実に記録を縮めることができる。

　陸上部をやめてからも、走は独自にトレーニングをつづけた。まだ見たことがない速さの世界に、たどりつきたかった。流れていく景色。両耳をすり抜けていく風の音。五千メートルを十三分四十秒で走るそのとき、自分の目に周囲はどう映り、自分の肉体はどれだけ血液を沸騰《ふっとう》させるのか。なんとしても、未知の世界を体感したかった。

記録を計るための機能がつめこまれた腕時計を左手首につけ、走は黙々と走る。教え導いてくれる監督がいなくても、ともに競いあうチームメイトがいなくても、走に迷いはなかった。肌に触れる風が教える。自分の心臓が叫んでいる。まだ走れる。もっと速く、と。

　竹青荘《ちくせいそう》に住むようになってから数日が経《た》ち、住人の顔と名前もほぼ把握できた。それが走の心に余裕をもたらしたのか、その朝のジョギングでも脚はなめらかに地を蹴《け》った。

　緑の多い一方通行の道には、まだあまり人影がない。犬を散歩させる老人や、早朝からバス停に向かうサラリーマンと、たまにすれちがう程度だ。走はややうつむいて白線を見つめながら、そろそろ体に馴染《なじ》みはじめたジョギングコースをたどっていく。

　竹青荘は、京王線《けいおう》と小田急線《おだきゅう》に挟まれた、こぢんまりとした昔ながらの住宅街にある。

大きな建物といったら、寛政大《かんせいだい》の校舎ぐらいしかない。最寄り駅は、京王線だったら千歳烏山《ちとせからすやま》、小田急線だったら祖師ヶ谷大蔵《そしやおおくら》か成城学園前《せいじょうがくえんまえ》だが、どの駅からも中途半端《はんぱ》に遠い。歩くと二十分以上かかるので、バスや自転車で駅に向かうひとが多かった。

走はもちろん、駅へ行くのに乗り物は利用しない。走ったほうが速いし、トレーニングになるからだ。清瀬《きよせ》に頼まれて、近所の商店街に食料の買いだしにいったり、双子《ふたご》が二人乗りして漕《こ》ぐママチャリに伴走し、成城の本屋を覗《のぞ》きにいったりしたおかげで、周辺の地理には詳しくなった。

走はジョギングのルートをいくつか決めた。だいたいは、車通りが少なく、雑木林や畑が残る細い道だ。大会では景色を楽しみながら走ることはあまりないが、ふだんのジョギングや練習のときには、たまにぼんやりと周囲を見たりもする。

軒先に置かれた三輪車や、畑の片隅に転がった肥料の袋。そんなものを観察するのが、走は好きだった。雨の日には、三輪車は庇《ひさし》の下に入れられている。肥料の袋の中身が徐々に減り、やがて新しい袋に変わっている。

そういう、ひとの気配の残滓《ざんし》を発見するたびに、くすぐったいような気持ちになった。走が朝晩この道を走り、三輪車や肥料の袋を気にかけていることを、持ち主たちは知らない。知らずに、それを動かしたり使ったりして日々を過ごしている。そう考えると、走はなんだか愉快になってくる。箱のなかの平和な楽園を、そっと覗きこんでいるような気分になる。

腕時計を確認すると、六時半だった。そろそろアオタケに戻って朝飯を食おう。

小さな公園の横を通り過ぎようとして、走は目の端に映ったものに気を引かれた。その場で足踏みをしながら、首をのばして公園を見通す。公園のベンチに、清瀬が一人で座っていた。

地面に薄く散った砂を踏みしめ、走は公園に入った。清瀬はじっとうつむいたままだ。走は少し離れた鉄棒のところで足を止め、清瀬の様子をうかがった。

清瀬は、Tシャツに着古した紺色のジャージのズボンという格好だ。ニラの散歩中らしく、ベンチには赤い引き綱が置いてある。清瀬はジャージの右裾《すそ》をまくりあげ、ふくらはぎを揉《も》んでいた。その膝《ひざ》から脛《すね》の上部にかけて、手術の痕《あと》らしき傷があるのを、走は見た。

清瀬はまだこちらに気づいていなかったが、植えこみの合間で遊んでいたニラが、走の足もとに飛びだしてきた。ニラの首には、糞《ふん》の入ったスーパーのレジ袋がくくりつけられていた。ニラは濡《ぬ》れた鼻先で走のシューズを嗅《か》ぎ、ようやく納得したのか、盛大に尾を振る。

走はかがみ、ニラの顔を両手で包みこむようにして撫《な》でてやった。ニラは、知った顔に外で行きあったことに興奮を抑えられないらしく、干菓子が喉《のど》に張りついた老人のような、空咳《からぜき》に近い荒い息を口から漏らす。

その音でようやく、清瀬が顔を上げた。気まずそうにジャージの裾を下ろす。走はわざと明るい調子で、「おはようございます」と声をかけ、清瀬の隣に腰を下ろした。

「ニラの散歩も、ハイジさんがやってるんですか」

「俺も毎日走るから、そのついでに。会ったのははじめてだな」

「飽きがくるんで、俺はちょっとずつルートを変えてますから」

走は自分が、相手との間合いを詰めようと狙《ねら》っていることを感じていた。海中に超音波を投げかけて、その反射で魚影を探ろうとでもいうように。

「……走るのは、健康のためですか？」

言ってから、走はひそかに舌打ちした。これでは、超音波を発するつもりがいきなり魚雷を投じたようなものだ。魚は驚いて深海に身をひそめてしまうかもしれない。秘密を腹にいっぱい抱えたまま、背びれを輝かせて深く潜っていってしまう。あせりを覚え、走は一人であたふたとした。直接話法しかできない性格が、つくづくいやになった。

しかし清瀬は怒った様子もなく、ただ諦《あきら》めに近い困惑の笑みを浮かべただけだった。自分には駆け引きも気の利《き》いた誘導尋問もできないと悟った走は、黙って清瀬の出かたを待つ。清瀬はジャージのうえから、自身の右膝にそっと触れた。

「俺にとって走ることは、健康のためでも趣味でもない」

清瀬ははっきりと言い切った。「たぶん、走にとってもそうであるように」

走はうなずいた。ではなんなのか、と問われても困る。ただ、たとえばアルバイト先に提出する履歴書の趣味欄に、「ジョギング」と記入することは、どうしたってできないだろうと思うのだ。

「高校時代に故障してね」

清瀬は膝から手を離し、軽い口笛でニラを呼んだ。公園のなかを気ままに歩きまわっていたニラは、すぐに清瀬のそばにやってくる。清瀬は背をかがめ、ニラの赤い首輪に引き綱をつけた。

「でももう、ほとんど治った。いまは勘と速さが戻ってきているのがわかって、走るのが楽しいよ」

傷痕を見たときから、走にはなんとなくわかっていた。清瀬が走と同じように、真剣に走りを追求してきた人間であること。はじめて会った夜に、あんなに必死に自転車で追いかけてきたのは、走の走りに興味が湧《わ》いたからであること。

引き綱をつけられたニラは、早く歩きだそうと、しきりに清瀬を引っ張った。清瀬がそれを押しとどめつつ、「どうする、走ももう戻るか？」と聞く。走はベンチの背に身を預け、しばらく迷ったすえに口を開いた。

「竹青荘を紹介してくれたのは、俺も陸上をやってたってわかったからですか？」

「きみを追いかけたのは、きみの走りっぷりがすごくよかったからだ」

と、清瀬は言った。「でも、アオタケにきみをつれてきたのは、とても自由に走っていると思ったからだよ。万引き犯だとか、そういうことをぶっ飛ばすほど楽しそうに走っていた。俺はそれがすごく、気に入ったんだ」

「帰りましょうか」

走はベンチから立ちあがる。清瀬の答えは、走の心を傷つけなかった。

本格的に動きだした朝の空気が、ひとけのない公園にも押し寄せていた。表通りを走る車のクラクション。どこかの家で、新聞を取るためにポストを開閉する音。足早に職場や学校へ向かう人々の気配。

それらをまとめて肺に取りこめば、鮮度を増した血液が指先までまわっていく。

走は清瀬とともに公園から出ると、竹青荘へ向かって再び走りだした。ニラも心得たもので、しっかりとまえを向いて走った。ニラの爪《つめ》がアスファルトを小刻みに掻《か》く音が、暗黙のうちに二人の速度の指標になった。走にしてみれば、いつもよりも格段に遅いペースだ。だが少しも気にならない。ニラの引き綱を持って隣を走る清瀬は、たしかに自分の体の運びかたを熟知しているようだった。毎日毎日走りこみ、たゆまぬ努力をつづけたものだけが体得することのできる走りだ。

走りながら、走は気になっていたことを聞いた。「どうしてニラにレジ袋を運ばせてるんですか」

「ねえ、ハイジさん」

「持つのが面倒だから」

清瀬はなんでもないことのように答えた。清瀬の言葉には、いつだって迷いがない。

それにしても、と走はニラに同情した。人間よりもずっとすぐれた嗅覚《きゅうかく》を持つ身なのに、排泄物《はいせつぶつ》を鼻先にぶらさげられるのは、ニラにとってかなり苦痛なんじゃないか。

走の心配をよそに、ニラは快調に走りつづけた。巻いた茶色い尻尾《しっぽ》が、リズムを取るように尻《しり》のうえで揺れていた。


四月に入り、竹青荘の住人たちの動きはにわかに慌《あわ》ただしくなった。

オリエンテーションや履修登録で、頻繁に大学に行かねばならない。春の風に乗る蜜《みつ》蜂《ばち》のように、一時もじっとしていられずに動きまわる。

ジョータとジョージは入学式の直後から張り切って、かわいい子がいるサークルの物色に余念がない。あとがなくなってきたニコチャンは、学生のあいだに闇《やみ》で出まわっている「楽勝単位取得マニュアル」を真剣に検討し、どの講義を取るかに頭を悩ませる。

キングの部屋からは毎晩、「就職、就職」とうなされる声が竹青荘じゅうに聞こえ、去年の時点で司法試験合格を果たしたユキは、ゼミにも入らずに夜毎《よごと》クラブをまわって音の洪水に身をひたす。真面目《まじめ》でマイペースなムサと神童《しんどう》は、そんな周囲をよそにさっさと履修登録を終え、新しいアルバイトを探しているらしい。

走もなんとか履修登録を済ませ、さっそく顔見知りも何人かできた。金がないから、新入生歓迎コンパにもぐりこんでは、タダ酒を飲む日々だ。それまでなにをしていたか詮索《せんさく》されることもなく、これからなにかしろと追いたてられることもない。他人にあまり干渉しないひとたちの集う気ままな校風に、走はすぐに溶けこんだ。

いよいよ全学生の履修登録が終了し、明日から講義がはじまるという日。走が夕方のジョギングを終えて竹青荘の玄関をくぐると、双子の部屋にあいた穴から、札がぶらさがっていた。札には、「本日、走の歓迎会。住人は七時に双子の部屋に集合」と書いてある。

俺の歓迎会。走はくすぐったい気分になった。ここへ来て二週間近くたつのに、そして理由をつけては毎晩、だれかの部屋で飲み会や麻雀《マージャン》大会をやっているのに、いまさら歓迎会もなにもないとは思うが、うれしいことに変わりはない。

「ただいま」

と声をかけて廊下に上がる。台所では清瀬と双子が、宴会に備えて料理を作っていた。清瀬は大きな中華鍋《なべ》で、タマネギのみじん切りとニンニクの塊を炒《いた》めている。中華鍋なのに、なんでオリーブオイルの香りがするんだろう。走は怪訝《けげん》に思った。真剣な表情で火の通り具合を監視していた清瀬が、「いまだ！」と言った。ジョータが素早くホールトマトの缶詰を開け、中身を中華鍋に投入する。パスタのソースを作っているらしかった。

ジョータは缶詰を傾けるのとは反対の手で、フライパンを操っている。大量の高菜とジャコが宙を舞い、今度はゴマ油の香ばしいにおいが台所に漂う。

「混ぜご飯にしようと思ってるんだ」

走に気づき、ジョータはにこやかに言った。「高菜は好き？」

パスタにご飯。炭水化物の多いメニューだな、と思いながら、走はうなずいた。

ジョージは食卓の椅子《いす》に座って、ボウルいっぱいにほうれん草の白和《しらあ》えらしきものを作っていた。額にうっすらと汗が浮くほど、力をこめてかき混ぜる。薄緑色のペースト状の物体ができあがりつつあった。不安に思った走は手伝おうとしたが、「主賓はなにもしなくていいってば」と追い払われた。双子の歓迎会は、走が竹青荘に来るまえに済んでいたらしい。先住者の威厳をもって、ジョータとジョージは調理にあたる。

することがないので、走は「鶴《つる》の湯《ゆ》」でひとっ風呂《ぷろ》浴びてきた。こざっぱりしたところで、自室で七時を待つ。

待つうちにうとうとしたらしく、慌《あわ》てて身を起こしたときには、すでに七時五分前だった。すぐに双子の部屋に行こうかと思ったが、時間よりまえに登場するのも、待ちかねていたようで気恥ずかしい。走はそっとドアを開け、様子をうかがった。台所にはだれもおらず、一階は静まり返っている。ひとの気配と立ち歩く物音は、二階の双子の部屋に集中していた。

走はそれから三分待って、二階に上がっていった。

双子の部屋のドアを開けると、「いいからこの授業ではおまえが代返しておけ！」と、ニコチャンが恫喝《どうかつ》しながらムサにヘッドロックをかけたところだった。

「あ、走！」

ジョータが情けない声を上げる。「ほら、走が来ちゃったぜ」

来ちゃいけなかったのか、と走は戸惑ったが、どうやら走が来るのに合わせて、クラッカーを鳴らそうとしていたらしい。ニコチャン先輩が騒ぎたてたせいでタイミングを逃した、とジョージは不満顔だ。神童が取りなしつつ、ムサをニコチャンから救出してやる。

双子の部屋は住人でいっぱいだった。部屋の中央の卓袱台《ちゃぶだい》とその周辺には、清瀬と双子が作った料理と、各人が持ち寄った菓子や酒がたくさん置かれている。早々とつまみ食いをしたキングが、口をもごもごさせながら、走に向かって「おう、座れよ」と言った。

清瀬の制止も聞かず、クラッカーは窓から母屋《おもや》のほうに向けていっせいに鳴らされることになった。びっくりしたニラが縁の下から這《は》いだしてきて、月に向かって盛んに吠《ほ》える。

「さてと、乾杯するか」

ニコチャンが缶ビールを手に取った。清瀬は室内を見まわす。

「なにかたりないような気がするな」

「王子《おうじ》さんがいないよ！」

と、双子が声をそろえて言った。

「だれですか？」

走の質問には、ユキが答えた。

「二〇四号室に住んでいる、柏崎茜《かしわざきあかね》のことだ。文学部二年」

まだ顔を合わせていない住人がいたのか。それにしても、どうして「王子」なんだろう。

「呼んでこよう」

と清瀬が立ちあがった。「走も一緒に来てくれ」

双子の部屋を出た清瀬は、階段に一番近い二〇四号室のドアをノックした。

「入るぞ、王子」

走は眩暈《めまい》を覚えてよろめいた。

返答を待たずに開けられたドアの内部を見て、走は眩暈を覚えてよろめいた。走の部屋と同じ間取りの狭い室内には、床から天井近くまでぎっしりと漫画が積んであった。細い通路分ぐらいしか、畳の表面が見えていない。その通路の一番奥、窓のそばに、毛布が畳んで置かれていた。布団《ふとん》を敷くスペースがないので、毛布にくるまって寝ているらしい。部屋の電気はついていたが、住人は不在のようだった。

とにかく、すごい量の漫画だ。二〇四号室は、走の部屋のちょうど真上にあたる。夜毎の天井の軋《きし》みは、このせいだったのか。走は壁となって積み重なる漫画に、そっと触れた。

「ちょっと、いじるなよ。ちゃんと分類してあるんだから」

かたわらの漫画の山のうえから声がした。驚いた走は、声の正体を見きわめようとあとずさり、漫画の山に背中をぶつけた。ざらざらと本が頭上に降ってくる。

「ああ、もう!」

天井と漫画の山の隙間《すきま》から、華やかな顔立ちの男が這いおりてきた。王子というあだ名にふさわしい、重そうな睫毛《まつげ》をしばたたかせる。

「なんなの、ハイジさん。こいつ新入り?」

「二週間ほどまえからね」

清瀬は畳に散らばった漫画を拾い集め、王子に渡した。「今夜は走の歓迎会だ。玄関に札が下がっていたはずだが」

「気づかなかった。ここ何日か、アオタケから出てないですから」

「きみにもぜひ参加してもらいたい」

面倒だなあと言いつつも、王子は清瀬の眼光に押される形で廊下に出た。走は急いで、

「あの」と言った。

「俺の部屋、家鳴りがひどいんですが」

「そんなの、どこだってひどいよ」

食べ物のにおいに誘われたのか、王子は漫画を抱えたまま、ふらふらと双子の部屋のほうへ近づいていく。

「いや絶対に、俺の部屋の家鳴りはどこよりもひどいです」

走は必死だった。こんなに重量のかかった部屋の下に住むのは、危険きわまりない。

「王子さん、俺の部屋と場所を交換しましょう」

「湿気の多い一階に、大事な漫画を置けるもんか」

走の案を、王子はすげなく却下した。「走といったね。きみは、『ナイアガラの滝の直下で暮らしている』と思うべきだ」

「どういう意味ですか？」

「スリル満点で、張りあいのある毎日」

王子は双子の部屋のドアを開けた。「しかも、『素晴らしいものの下に住めていいなあ』と、ひとがうらやむ。僕の漫画コレクションには、まちがいなくそれぐらい価値があるね」

走は助けを求めて清瀬を見た。

「きみの言いたいことはよくわかる」

清瀬はため息をついた。「だが、諦《あきら》めてくれ」

双子の部屋に、竹青荘の住人が今度こそ全員集まった。ビールで乾杯した直後から、室内の空気は加速度をつけてアルコール濃度を高めていき、そこここで笑い声が上がった。

王子は漫画を溜《た》めこんだ責任を取り、崩壊の危険が高い板間に座らせられている。走は清瀬と並んで、庭に面した窓を背に座った。こうして眺めると、竹青荘の住人の人間関係がわかってくる。狭いアパートで、半共同生活を送るのだ。もとから波長が合うもの同士でなくては成り立たないが、そのなかでも特に仲のいい相手というのがそれぞれあるようだった。

双子は王子と、スナック菓子を猛然と食べながら漫画について議論を戦わせている。ムサと神童は、キングの就職活動への不安に耳を傾けてやっている。

「スーツを買う金もないんだよ」

「アルバイトをしたらどうでしょう」

「キングさんの高校のときの制服ってブレザー？　だったらそれを着たらいいですよ」

ニコチャンとユキは夢中になって、走にはわからないパソコンの話をしていた。相変わらず喧嘩腰《けんかごし》だったが、これがこの二人には普通なのだと走ももう学んでいたから、放っておく。ニコチャンはそのあいだにも、走の座る窓辺に近寄ってきて、庭に向かって煙を吐いた。

走と清瀬は特に会話をかわすこともなく、酒を飲み、料理を食べた。黙っていても、気詰まりになるということはなかった。

お互いの共通項は陸上だとわかっていたが、それを話題にすることはなんとなく避けていた。清瀬は膝《ひざ》の故障を抱えているようだし、走も進んで話せるほどには、高校時代の出来事を自分のなかで整理しきれていない。陸上の話をしたら、結局お互いの傷をなめあうだけになってしまいそうで、いやだった。

缶ビールがなくなり、神童の田舎から送られてきたという地酒の封を開けた。少しも名を知られていないその酒は、妙に甘ったるかったが、味を気にするものはだれもいない。台所から持ってきたキュウリと塩と味噌《みそ》をつまみに、ひたすらアルコール分を摂取する。

清瀬がおもむろに口を開いたのは、そのときだった。

「ちょっと聞いてくれ。大事な話がある」

好きに騒いでいた面々が、なにごとかと清瀬に注目する。自然と、酒瓶を中心に円が築かれた。なにを言いだすのかと、走も隣に座った清瀬の顔を見た。

「これから一年弱、きみたちの協力を願いたい」

「司法試験でも受けるのか？」

とニコチャンがのんびりと聞き、

「それなら俺がアドバイスするけど」

とユキが言った。就職活動をするから、住人のための食事作りをやめにしたいとか、そんなことだろうと、だれもが予想していた。しかし、清瀬は首を振る。

「俺たちみんなで、頂点を目指そう」

「……なんの？」

ユキが用心深く先をうながす。双子は怯《おび》えたように身を寄り添わせる。キングは、

「俺は前々から、ハイジがなにかたくらんでるとにらんでたんだよ」

とつぶやく。神童とムサが顔を見合わせた。

「十人の力を合わせて、スポーツで頂点を取る」

清瀬は高らかに宣言した。「うまくいけば、女にモテるし就職にも有利になるだろう」

「それは本当？」

双子が敏感に反応した。じりじりと円陣を狭め、清瀬のほうににじりよっていく。

「もちろん、本当だ。運動のできる男が女性にもてはやされ、かつ、大手企業にも歓迎されるのは、明白なところだ」

とたんに、双子は相談をはじめた。

「女の子にモテるんなら、俺はやるけど。兄ちゃんは？」

「俺だって同じだ。でも具体的に、なんのスポーツで頂点を目指すんだ？　野球は九人だし」

「サッカーは十一人だしねえ」

「カバディじゃねえか」

とニコチャンが口を挟んだ。

「ちがいます」

と清瀬は言った。ユキが冷ややかな視線をニコチャンに送る。

「いまの日本でカバディをやって、就職活動を有利に運べるほど有名になれると、あんた本気で思うんですか？」

「それに、カバディは七人でやるもんだしな」

と、キングがクイズで鍛えた雑学を披露した。ニコチャンと王子が即座に手をあげ、

「じゃあ、俺は下りる」

と言った。ニコチャンに皮肉を言ったわりに、ユキも一緒になって手をあげた。

「あとはきみたちで頑張ってくれ」

ムサが一同を見まわして、にこやかに報告する。

「ちょうど七人になりました」

「だから、カバディをやるわけじゃないんだ、ムサ」

清瀬は咳払《せきばら》いをした。「それに、ユキに下りる権利はない。俺は毎年、正月に帰省したくないと駄々をこねるきみのために、特別におせちと雑煮を作ってやったよな」

「脅す気か、ハイジ」

ユキが抗議の声を上げたが、それはあまりにも弱々しいものだった。清瀬はひとの悪い笑みを浮かべた。

「俺がいままで、なんのために毎日飯を作って、ここの住人の体調管理に努めてきたと思う？」

いったい清瀬は、なにを言いたいのか。少なからず、清瀬の家事能力に恩恵を受けている一同は、危険を察知して沈黙した。程良く肥えたから、さあ食べよう。包丁を研《と》ぐ魔女のまえに引きだされた、迷子の兄弟のようだ。

走の走りに興味を示し、自身も陸上をやっているという清瀬。今夜の歓迎会に、強引に王子を引っ張りだし、竹青荘の住人を全員集めた清瀬。そして、十人でするスポーツ。

走は、「まさか」と思った。

「俺の目指すものが、まだわからないのか？」

清瀬は楽しくてたまらない、というように、居並ぶ住人たちをいたぶる。清瀬の視線に射られたものはみな、出はじめの蚊みたいに遠慮深く、うつむいて首を振った。

「だれでも一度ぐらいは、目にしたことがあるスポーツさ。雑煮を食いながら、正月にテレビで」

「それって、もしかして……！」

神童が息をのんだ。清瀬は窓枠にもたれたまま、悠然と述べる。

「そう、駅伝。目指すは箱根駅伝だ」

双子の部屋に、怒号と混乱が渦巻いた。

無理だ。気でもちがったのか。なんで正月早々、短パン姿で襷《たすき》をかけて山を登らにゃならん。ハコネエキデンってなんですか。「駅伝」というのはね、「駅馬《えきば》伝馬《てんま》」制から採られた名前で……。だいたいここに陸上部員なんていないじゃない。などなど。

そのなかにあって、走《かける》だけは口をつぐんだままだった。

陸上をやるものには、「箱根」は特別な思い入れのある大会だ。それだけに、「箱根」を目指すのがどれほど大変なことかわかっていた。清瀬の言いだしたことは、まったくの夢物語だ。素人《しろうと》ばかりの竹青荘の住人が、目指そうと思って目指せるものではない。

清瀬はすっくと立ちあがり部屋を出ると、めずらしく音を立てて階段を下りていった。

「怒ったのかな？」

ジョージが不安げにつぶやく。

「俺だって怒っている」

ユキはいらいらとコップの酒を飲み干した。「ハイジのやつ、悪い冗談を言う」

どうなることかと、走が推移をうかがっていると、再び部屋のドアが乱暴に開けられ、清瀬が戻ってきた。手には、竹青荘の玄関先にかけられていた大きな表札がある。その板で殴られるのかと、だれもが思わず、亀《かめ》のように首を縮めた。清瀬は円の中心に立ち、煤《すす》けた表札をシャツの裾《すそ》でぬぐった。

「これを見ろ」

清瀬は綺麗《きれい》になった表札を印籠《いんろう》のようにかざし、周囲に座るものたちに見えるよう、ぐるりとその場で一回転した。

「な、なんじゃそりゃ！」

口々に驚きの声が漏れる。走も身を乗りだして表札に書かれた文字を読み取り、開いた口がふさがらないとはこういうことなんだな、と呆然《ぼうぜん》とした。

白木の板には、「竹青荘」と墨書きしてある。しかし、それだけではなかった。これ

まで汚れで判読できなかったのだが、そのうえには小さな字で二列に分けて、

「寛政大学
陸上競技部錬成所」

と、たしかに書かれてあったのだ。

「聞いてないぞ、そんなこと」

一番の古株であるニコチャンがうめいた。新入りのジョータとジョージは蒼白《そうはく》になって顔を見あわせる。ここに至って、清瀬が冗談でもなんでもなく、本気で箱根駅伝に挑もうとしていることがわかってきた。

「だいたい、うちの大学に陸上部なんてあったんですか？」

代官に年貢《ねんぐ》の引き下げを乞《こ》う農民さながらの哀れさで、神童が清瀬に問いただした。

「弱小部だが、あるんだ。俺も一年のときには大会に出た、と話したことがあっただろう」

個人で参加してるのかと思ってましたよ。陸上界の仕組みを知らない王子が、ぶつぶつ言った。清瀬はまったく動じることなく、表札を掲げたまままさらに爆弾発言をした。

「そういうきみたちだって、陸上部員だ」

「なんでだよ！」

今度の騒ぎは、箱根を目指すと言われたときの比ではなかった。ユキが立ちあがり、

清瀬に詰め寄る。

「いつのまにそんなことになったんだ！」

「ここに入居したときから」

清瀬はしれっと言ってのけた。「おかしいと思わなかったのか？ いまどき家賃三万円で、まかないまでついてるなんて、裏があって当然だろう」

騒然とする面々をよそに、走は静かに清瀬をにらみすえた。

「つまり、アオタケに入居した時点で、陸上部への入部届が出されるわけですね？」

「そうだ」

「そして当然、自動的に関東学生陸上競技連盟に登録される」

「そうだ」

「そうだ。って、あんたね……」

走はため息をついた。「本人の承諾も得ずに、汚いじゃないですか。陸上部は、全部で何人いるんです」

「短距離をやってるものは、十数人いるかな。むちゃくちゃ弱いけれど。長距離は、ここにいる十人だ」

「だからいつ、俺たちが陸上選手になったんだっての！」

キングが清瀬から表札を奪いとろうとする。ムサが慌《あわ》ててそれを押しとどめた。

「わけがわかりません。ちょっと話しあいましょう」

「そうだな。まあ落ち着こう。座ってくれ」

清瀬が平然と指示する。おまえのせいで混乱してるんだ、とだれもが思った。だが竹青荘において、清瀬の言葉はふだんから絶大な力を持っている。一同は憤《いきどお》りを無理やり鎮《しず》めて腰を下ろし、再び車座《くるまざ》になった。口を開くものはいない。あまりのことに、なにを言ったらいいのかわからないのだ。

走の脇腹《わきばら》を、ユキが肘《ひじ》で小突いた。その目は、「行け」と言っていた。走は困惑し、輪を作る住人たちを見まわした。双子が、救いを求める顔つきで走に目配せした。走が朝晩、一人でジョギングをすることは、すでに竹青荘じゅうに知れ渡っている。知らないのは、部屋に籠《こ》もって漫画ばかり読んでいた王子ぐらいだ。

縦社会で暮らしてきた走にしてみると、並み居る先住者を押しのけて口火を切ることには、ためらいがあった。だが、清瀬の突然の発案に説得力をもって対抗できるのは、陸上の世界に詳しい走をおいてほかにいない。どうやら、走が代表して清瀬に質問するしかないようだ。

走は居住まいを正した。

「念のため聞きますが、監督はだれなんですか？　こんな、自分が陸上部に所属していることも知らない幽霊部員を、どう思ってるんでしょう」

「それは心配ない。監督は大家の田崎源一郎《たざきげんいちろう》氏だ」

「無茶だよ！」

再び、輪のあちこちで悲痛な叫び声が上がった。

「あんなヨロヨロしたおじいさんが部の監督という時点で、無理があるでしょう！」

ジョージは驚きのあまり、酒を気管につまらせたらしい。盛大にむせながら訴えた。

「失礼な。大家さんは、日本陸上界の至宝と言われたひとだぞ」

清瀬がたしなめるように言う。

「それ、いつの話です？」

ジョージの背中をさすってやりながら、ジョータがおそるおそる聞いた。

「そうだなあ、円谷幸吉《つぶらやこうきち》が食べ物づくしの遺書を書いて死んだとき、大家さんはすでに寛政大の名コーチとして知られていた」

「さっぱりわかりません」

ムサが哀《かな》しそうに首をひねる。今回ばかりは神童も、雑学王のキングも、ムサの疑問に答えるだけの余裕がなかった。円谷幸吉は、東京オリンピックでマラソン銅メダルを取った偉大なランナーだが、それを説明していると話が先に進まないので、走もムサの嘆きを無視することにした。

「ハイジさんは箱根を目指すと言ったけれど、はっきり言ってそれは無理です」

きっぱりとした走の言葉に、清瀬を除いた全員がホッとした素振りを見せる。

「やってみもしないのに、そんなことわからないだろう」

「わかります。陸上の強豪校が、ハードな練習を毎日、何年もやって、それでも箱根に出場できるのは、ほんの一握りの大学だけなんですよ?」

「自慢じゃないけど、僕は走ったこともろくにないよ」

持ちこんだ漫画を、我関せずとばかりに読んでいた王子が、ひさしぶりに顔を上げた。

「そんな僕が箱根駅伝に出場するまでには、ゾウリムシが人間に進化するよりも長い時間がかかると思う」

「いくら王子でも、ゾウリムシよりは足は速いはずだぞ」

と、キングが下手な慰めを言った。

「ゾウリムシはゾウリムシだ。進化しても人間にはならない」

と、ユキは冷淡に切って捨てる。

外野の声には耳を貸さず、清瀬は真っ正面から走を見据えた。

「きみが、やってみもしないで尻尾《しっぽ》を巻くとは意外だな。練習は大切だが、ただ闇雲《やみくも》にハードなトレーニングをすればいいってものでもないだろう」

走も真っ向から受けて立つ。

「ハイジさんも走っていたならわかるでしょう。このひとたちは素人だ。そんな夢みたいな話に巻きこんで、わざわざ苦しい思いをさせてなんになるんです」

「挑戦してみなければ、たしかに夢みたいな話のままだ」

清瀬はめずらしく感情を露《あら》わにし、苛立《いらだ》たしげに言い募る。「だが、彼らには充分素質がある。ニコチャン先輩は陸上経験者だ。高校時代、双子とキングはサッカー部、ユキは剣道部だった。神童は毎日往復十キロの山道を歩いて学校まで通っていたやつだし、ムサの筋力に秘められた潜在能力は計り知れない」

「黒人は足が速いというのは偏見です」

ムサは力なく言った。「ヒップホップが嫌いでダンスの苦手な黒人もいるように、私も格別に足が速いというわけではありません」

「俺が陸上やってたのなんて、もう七年はまえの話だぞ」

ニコチャンも、新たな煙草《たばこ》に火をつけながら苦笑する。

「数に入れられていないみたいだけど、たしかに僕は運痴だよ」

王子は手持ちぶさたそうに漫画をめくりながら、いじけて言った。清瀬はあいかわらず走だけを視界に入れて、熱く語る。

「そして、走がアオタケに来た。十人そろったんだ。箱根は蜃気楼《しんきろう》の山なんかじゃない。これは夢物語じゃない。俺たちが襷《たすき》をつないで上っていける、現実の話だ！」

パチパチと気のない拍手がまばらに起こり、「茶化すな」と清瀬に一喝されて止《や》んだ。

走がなおも反論しようとするのをさえぎり、清瀬は駄目押しとばかりに「箱根駅伝参加資格」をそらんじた。

「『参加校所属の関東学生陸上競技連盟登録競技者で、本大会出場申込回数が四回を越えない者。予選会のみ出場の場合も回数に含まれる』。アオタケの住人は寛政大学陸上部の部員だし、部員は自動的に連盟に登録手続きされている。予選会も含めて、箱根駅伝に一回でも出場したことのあるものはここにはいない。ほら、出場のための資格のすべてを満たしているだろう」

「問題はその予選会ですよ」

走はようやく口を挟むことができた。「いきなりポッと箱根駅伝に出られるわけないんだから」

「そうなのかい？　知らなかった」

と、神童がつぶやいた。走は、「ほとんどのひとが、正月にやる本戦しか見ませんからね」とうなずく。

「箱根駅伝には二十校が参加できますが、そのなかでシード権を得られるのは、上位十校までです。残りの出場枠を獲得するために、毎年だいたい三十校が、十月に開かれる予選会に挑戦してるんですよ」

「関東にある大学のなかの三十校なら、そんなに多いってわけでもないじゃん」

ジョージの言葉を、「甘い！」と走は断じた。

「箱根は十区間を十人で走るけど、どの区間も二十キロ以上ある。当然、予選会もそれぞれの大学の選手が、いっせいに二十キロ走った合計タイムで決めるんだ。でも……、まずこの二十キロが大きな問題だ」

走の視線にうながされ、清瀬がしぶしぶと言葉を添えた。

「二十キロをそれなりのスピードで走れる人間を、十人も確保するのは大変なことだ。しかも最近はスピード化がどんどん進んでいる。予選会に出場するにも条件があって、五千メートルを十七分以内、もしくは一万メートルを三十五分以内の公認記録を持っていなければならない」

具体的なタイムを聞いて気圧《けお》されたのか、室内にしばし沈黙が下りた。今度は走がつづける。

「箱根駅伝に出場するようなトップレベルの大学は、だいたい選手が平均して、五千メートルを十四分台前半で走る。そしてこれは、全国から精鋭を集めまくった結果です。箱根は綺麗事《きれいごと》だけで手が届くような大会じゃない。スポーツ推薦もない大学の弱小陸上部が、出場できる隙《すき》はないですよ」

王子がおずおずと手をあげて発言した。

「ええと、その記録のすごさが、僕にはよくわからないんだけど」

「高校の体育で持久走をやりませんでしたか？」

ジョータがかすれがちな声で聞いても、王子は「全然」と首を振るばかりだった。

「僕の高校は進学校だったから、持久走なんて三キロだったよ」

「五千メートル十七分以内と言ったら、一キロあたり三分半より速いペースということになる」

ユキが冷静に暗算してみせた。

「三分半！　僕は三キロ走るのに十五分ぐらいかかりましたよ、たしか」

「それは……、絶望的に遅いな」

ニコチャンは絶え間なく煙草を吹かしながらぼやく。

「五千メートル十七分は、あくまで予選会出場のための条件だ。十四分台で走れる力が全員にないと、箱根に行くのは難しい」

と、清瀬はますます冷静に指摘した。

「明らかに不可能じゃない、俺たちじゃ」

ジョージはお役ご免とばかりにほがらかだった。だが清瀬は諦《あきら》めない。

「長距離に必要なのは、持久力と集中力だ。ただダラダラ練習すればいいってもんじゃない。箱根のみに目標を絞りこんで調整していけば、俺たちなら不可能を可能にできる」

「なにを根拠にすれば、そんな自信が持てるんです」

走はあきれた。

「根拠なら、さっきも言っただろう。アオタケの住人には、底力がある」

清瀬は堂々としたものだ。清瀬にこんな情熱があるとは、竹青荘で数年をともにしたものですら、これまで気がつかなかっただろう。

「具体的に数字を示すと、走は五千メートルを十三分台で走れる。これは箱根に出る選手のなかでも、少数の人間しか持っていないようなすごい記録だ。ちなみに俺は、故障する直前の記録会では十四分十秒台だった。最近は復調してきたから、箱根を走り終わったら脚が折れてもいい覚悟で、もっと記録を伸ばす」

「いや、折れるほどやってくれなくてけっこうだ」

熱血を好まないらしいユキが、ぼそりと言った。「ついでに、俺を巻きこむのもやめてほしい」

ユキの言いぶんを、清瀬は無視した。

「さらに、ムサだってたぶん、十四分弱で走れるはずだ。箱根に出場する外国人選手は、全員十三分台だからな」

「それはそのひとたちが、足が速いのを見込まれて留学しているからでしょう」

ムサは目で神童に助けを求めながら、必死に弁明した。「私は無理ですよ。理工学部しの国費留学生なんだから。もっと言えば、私は国では送迎の車で学校に通っていました」

「そんなお金持ちなのに、なんでアオタケなんかに来ちゃったんですか？」

ジョージがもっともな疑問を呈する。

「社会勉強のためです。こんなことになるとは……」

と、ムサはしおれた朝顔のようになってしまった。清瀬はかまわずにまとめに入る。

「とにかく、あとのものも麻雀《マージャン》やら夜遊びやらにかける情熱をちょっと走ることに向ければ、きっといい結果が出るはずだ。なんといっても、きみたちは体力だけは有り余ってるんだから」

清瀬の熱意に煽《あお》られ、だんだん乗り気になってきたものが何人かいる。それを走は空気で察した。そんなに簡単な話なものか。走は乱暴にコップに酒をつぎたした。

素人《しろうと》ばかりの集団が、箱根駅伝を目指す。しかも、十月の予選会まで半年しかない。真剣に陸上をやっている人間が聞いたら、「寝言か？」と笑うぐらいの無謀さだ。いったい清瀬は、走ることをなんだと思っているのだろう。

俺を竹青荘に誘ってくれたのも、こういう下心があってのことだったのか。高校時代に、俺のスピードだけをもてはやしたやつらと、ハイジさんも結局は同じじゃないか。

しかし、憤然と部屋から出ていくことはできなかった。こんなくだらない話につきあっていないで、さっさと自室に帰ればいい。そう考えても、なぜか体が動かなかった。心のどこかで、おもしろそうじゃないか、と囁《ささや》く声がする。このまま、陸上界から離れた場所で、いつまでも一人で走るつもりなのか。それぐらいなら、竹青荘の住人たちと一緒に、箱根駅伝に殴りこみをかけたほうがましだ。試してみるのも悪くない。

囁きは走を焚《た》きつける火種になる。

清瀬は言ってくれた。走の走りは自由で、楽しそうだった。だから声をかけたのだ、と。そんなことを言うひとは、これまで走のまわりにはいなかった。

走ることに楽しみなど必要ない。速さの向上のみを目指し、遊びや恋や友だちとのつきあいなど、あとまわしにするべきだ。監督から、コーチから、上級生から、そんな言葉を飽きるほど聞かされた。走は、機械のように走ることだけを求められてきたのだ。ストップウォッチに刻まれる数値だけが走の価値。そういう日々には、うんざりだったはずだ。

ほかの住人たちも、それぞれ黙ってなにか考えているようだ。走はもやもやする気持ちをもてあましながら、身じろぎするものもいない室内を眺めていた。

やがて、神童が顔を上げた。

「僕はやってみてもいいな」

驚きを含んだ視線が、神童に集中する。物静かで堅実な神童が、まさか一番最初に決断するとは、だれも思っていなかった。

「田舎では毎日、何キロも山道を歩いていたから、持久力には自信がある。それに、箱根駅伝に出られたら、テレビで放映されるでしょう？　親も喜ぶと思うんです」

「神童さんがやるなら、私も挑戦します」

ムサが言った。「でも断っておきますが、本当に足は速くありませんよ。それでもいいですか？」

「それはこれからの練習次第でなんとかなるよ」

清瀬が、ここが肝心とばかりに優しく言った。

おいおい、とニコチャンが顔をしかめ、ユキは窓の外を見やって、知らん顔を決めこむ。王子は少しずつドアのほうへ移動していった。

それ以外のノリのいい二階の住人たちは、神童とムサの参加表明に色めきたった。

「ねえねえ、ハイジさん。女の子にモテるんだね？」

「絶対だね？」

「これで就職も安泰ってホントだな？」

双子とキングが弾んだ調子で、矢継ぎ早に確認を取る。清瀬は「もちろん」と請けあってみせた。

だまされてるぞ！　と走は叫びたかった。しかし、なにを言っても無駄だということもわかる。双子もキングも、直面した厳しい現実から、ちょっと逃避したいだけなのだ。だから、目の前にぶらさげられた「箱根駅伝」という餌《えさ》に飛びつく。夢の結晶でできた甘い砂糖菓子を、鼻先にちらつかされた馬のように。

キングが調子よく、

「よっしゃ。ハイジの野望に協力してやろうじゃないか！」

と気勢を上げた。清瀬は「さて」と、まだ参加表明をしていないニコチャン、ユキ、王子、走を順繰りに視線で薙《な》いだ。

「多数決で言えば、もう箱根駅伝を目指すことは決定事項になった。だが、それではきみたちも納得がいかないだろう」

なにを言われるのかと、走は呼吸すらも控えめにして、清瀬の攻撃に備えた。清瀬は静かに恫喝《どうかつ》をつづける。

「そこで、強権を発動する。きみたちに拒否権はない」

「横暴だぞ！」

「法治国家でそんなことが許されていいのか」

ニコチャンとユキの必死の抗議を、清瀬は鼻先で笑い飛ばした。

「ニコチャン先輩。この試験は絶対に落とせない、と泣いて頼んだあなたを、母親のごとき優しさと厳しさをもって、時間にまにあうように叩《たた》き起こしたのはだれです。毎年、ヤニの付着した壁紙を貼《は》り替える手伝いをしてきたのはだれです。あなたが廊下の床板を踏み抜いたとき、大家に告げ口もせず修繕してあげたのはだれです」

ニコチャンは死刑執行の直前に改心した囚人みたいに、突然おとなしくなった。清瀬は矛先《ほこさき》をユキに変える。

「ユキも忘れてはいないよな、俺が作ったおせち料理の味を。去年一年間、司法試験のせいでバイトができず、金がないと言っては昼飯を俺にたかったことも、まさか忘れたなんてことは……」

ユキは壊れた人形のように、こくこくとうなずくばかりだった。清瀬はさらに返す刀で、ドアを開けて部屋から退散しようとしていた王子の背中に斬《き》りかかった。

「王子。きみの蔵書のせいで、竹青荘は崩壊寸前だ。漫画を捨てるか、ともに箱根駅伝を目指すか、どっちがいい？」

王子はへたりこんだが、果敢にも応戦の構えを見せた。

「どっちもいやです！　どっちも僕に死ねと言ってるようなもんだ」

王子の悲痛に満ちた嘆きが部屋に響く。清瀬は「ふうん」と腕を組み、走に向き直った。走は軽く両手をあげてみせた。

「わかってますよ。竹青荘を紹介したのはだれだと思ってる。いやなら出ていってもいい、って言うつもりでしょう？」

「無一文の走に、そんなことは言わないよ」

清瀬は腕組みを解いた。「いいだろう。走と王子には、何日か猶予《ゆうよ》を与える。気持ちが変わったら教えてくれ」

王子は嘆くのをやめ、部屋の真ん中にいる清瀬に少し近づいた。

「変わらなかったら？」

「今度は非常事態宣言でも出すか？」

と、ユキが皮肉っぽく口を出す。清瀬は穏やかに、「いいや」と微笑《ほほえ》んだ。

「根気強く、投降を呼びかけつづける」

走と王子は、そろって肩を落とした。

数日後、授業を終えた走は、大学の正門に向かって構内を走っていた。新学期がはじまったばかりなので、学生の姿が多い。たむろったり、並んでしゃべりながらゆっくりと歩いたりする人々の合間を、蛇行してすり抜ける。

ふいに、「走、走」とだれかに名を呼ばれ、走は足を止めた。あたりを見まわすと、正門へつづくヒマラヤ杉の並木道の隅に、王子がいた。教室から持ちだしたらしい長机を置き、小さな椅子《いす》に座って走を手招いている。

「サークルの勧誘ですか」

走が近づくと、王子はうれしそうに大学ノートを差しだした。

「ここに、名前と連絡先を書いていって」

「連絡先って……、同じアオタケなのに？」

走はノートを覗《のぞ》きこんだ。勧誘はうまくいっていないらしい。ノートにはお情けのように、ジョータとジョージの名のみが、竹青荘の住所とともに記されていた。

「……なんのサークルなんですか？」

おそるおそる聞く。返答は予想どおり、「漫画研究会！」だった。

「僕は今年、『同じ漫画家のいろんな作品のコマを継ぎあわせて、まったく別の作品を作る』という試みをしてみようと思っていてね」

王子は活動予定を楽しそうに語る。走は、王子の隣の椅子に座った。

「王子さん、どうするか決めましたか」

「い、いあのことかい？」

と、王子は含みのある言いかたをしたが、走はあっさりうなずいた。

「はい、箱根駅伝を目指すか目指さないか、です」

諜報員《ちょうほういん》ごっこができず、王子は不満そうだ。

「目指すよ。目指すしかないでしょう」

と、大学ノートを閉じる。「あの量の漫画を抱えて、いまさら引っ越しなんて無理だもん。そんな金もないし」

「『参加しないなら漫画を捨てろ』っていうのは、ハイジさんが脅しで言ってるだけでしょう？」

「そう思う？」

いや、どうかな。走は内心、自信がなかった。王子の大切な蔵書を、清瀬は本当にゴミに出してしまいそうな気もする。

清瀬の「投降への呼びかけ」は、走に対しても無言のうちにつづいていた。このところ毎日、夕食に酢の物が出るのだ。しかも走の小鉢にだけ、たくさん入っている。走は昨夜もいやいやながら、ワカメとキュウリの酸《す》っぱい和《あ》え物を飲み下した。清瀬の計画への参加を表明しないかぎり、酢の物攻撃はつづくのだろう。

「無理やり走らされるのは、納得がいかないです」

走がそう言うと、王子は「まあね」と肩をすくめた。

「でも、僕たちはアオタケで共同生活してるわけだしさ。ある程度の譲歩はしょうがないよ」

ある程度の譲歩で済む問題じゃない、と走は思った。運動に縁遠い王子は、わかっていないのだ。箱根駅伝を目指すとなったら、どれだけつらい練習をしなければならないか。清瀬は険しい道のりへ、竹青荘の住人たちを誘《いざな》おうとしている。目的地に本当にたどりつけるという保証もない、崖《がけ》っぷちの狭く危険な道へ。

物思いに沈む走に気づかず、王子は言葉をつづける。

「ハイジさんは、一年のころは陸上の大会に出ていたらしいよ。かなり真剣に、練習に取り組んでいたって」

「どうしてやめたんでしょう」

走は、清瀬の膝《ひざ》の傷のことは知らないふりをした。

「高校によっては、選手に無理をさせるところもあるんだってね。そのツケで故障するひとも多いって、ニコチャン先輩が言ってた」

スポーツをするものは、ニコチャンのように煙草《たばこ》を吸うことはないはずだ。

「ニコチャン先輩は、本当に陸上をやっていたんですか？」

「うん、高校まで陸上部だったって、聞いたことがある」

王子はノートを手に取った。白紙ばかりのページをぱらぱらとめくり、小さな風を起こす。

「僕はねえ、走。アオタケでの暮らしが嫌いじゃないよ。走りたいのに走れない状態になったひとの気持ちも、なんとなくわかるような気がする。もし僕が漫画を読めなくなったら、って想像してみるとね。だから、ハイジさんに協力してもいいかなと思いはじめた」

その夜、竹青荘の住人は再び双子の部屋に集結した。走と王子が箱根駅伝への参加を表明すると、双子は歓声を上げた。

「やった、これで十人そろったね」とジョージ。

「明日から練習開始だ」とジョータ。

ムサと神童がいそいそと、台所から清瀬が作った料理を運んできた。大皿に鶏《とり》の唐揚げが山盛りになっている。

「そうとなったら、スタミナをつけなければなりません」

「よく決心したね、二人とも」

メニューに酢の物はないようだ。走はちらっと清瀬を見た。清瀬はなにくわぬ顔をしているが、走と王子が今夜あたり結論を出すと、ちゃんと予期していたのだろう。動きをすべて見透かされていることが、走は少し気にくわなかった。

「はいはい、これを持って」

ジョージが室内をまわって、住人たちに缶ビールを配る。「乾杯しようよ」

ニコチャンとユキは、最後の砦《とりで》が陥落したことに落胆の色を隠せない。気のない様子でジョージからビールを受け取り、走を小声でなじる。

「なんで参加を拒否しねえんだ」

「もうちょっと気概があると思っていたんだが、案外、意気地がないんだな」

一同は手にした缶を掲げ、乾杯した。半ばは新しい目標に胸ふくらませ、半ばはヤケになって、

「箱根の山は天下の険！」

と叫びながら。

双子の部屋は、すぐに無法地帯になった。王子は板間に座り、「参加表明しただけで、もう義務は果たした」とばかりに、一人で黙々と漫画を読んでいる。「やりおさめだ」と持ちだした雀卓《ジャンたく》を、ニコチャンとユキとキングとジョータが囲み、その四辺をジョージがまわる。

「ユキ、おまえには情けってもんがねえのか」

「ニコチャン先輩が弱すぎるんですよ」

「おいジョータ、鳴いて上がるのはダメだって言っただろ。ルールわかってんのか？」

「うーん、あんまりよくわかってない」

「ジョージ、盗み見た牌《パイ》をジョータに教えるの禁止！」

神童とムサは、麻雀《マージャン》の順番を待ちがてら、一緒にテレビを眺めている。

『月曜深夜に放送！　お楽しみに！』と言っておきながら、日付的には火曜日の午前一時に放映する。神童さん、これは変ではないですか？」

「深夜零時をまわったとしても、眠りに就くまで『月曜日』はつづいている、という解釈なんだろうけど、たしかに混乱をきたす表現だね」

ビールはすぐに底をつき、芋焼酎《いもじょうちゅう》に切り替わった。室内には、新たにはじめると決めたことへの、意欲と希望が満ちている。口に出しはしないが、だれもが浮き立ち、しかし照れくさいから、そんな自分を必死に抑え、ふだんどおりの振る舞いを心がけていることが感じられる。

走は雀卓には近寄らず、窓辺に座っていた。

いまだけだ、と走は思った。いまは清瀬の言葉に乗せられている面々も、すぐに練習に飽き、「もうやめた」と言いだすはずだ。走るのは、走りつづけるのは、簡単なことではない。箱根駅伝は、勢いだけで出場できるような大会ではない。

住人の造反や脱落によって、ハイジさんの計画はどうせ失敗に終わる。走はそう考えた。それまで適当につきあっていればいい。俺は俺で、いままでどおりトレーニングに励むだけだ。

清瀬は走の隣で、落花生の殻を割っている。中身の豆をすべて皿に出した清瀬は、満足したらしい。一息ついて焼酎の入ったコップを手に取り、「食べていいぞ」と、皿を走のほうへすべらせる。走は清瀬に、静かに尋ねた。

「本気なんですか？」

「ああ。遠慮するな」

「いえ、落花生のことじゃなくて。ハイジさんならわかるでしょう。こんなのは馬鹿《ばか》げた賭《か》けだ」

清瀬はしばらく黙っていたが、やがて淡々と、そこに質問事項が書いてあるかのように、コップを明かりにかざして反問した。

「走、走るの好きか？」

はじめて会った夜にも聞かれたことだ。走は言葉に詰まった。

「俺は知りたいんだ。走るってどういうことなのか」

清瀬はじっとコップを見つめながら言った。走の質問に対する答えには、まるでなっていない。

だが走は、そのときの清瀬の真摯《しんし》な眼差《まなざ》しを、ずっとあとまで覚えていた。

三、練習始動

「起きてこないな」

「こないですね」

四月初旬の午前五時半は、どちらかというと夜の領域に近い。早起きの鳥が、音程をややはずして囀《さえず》りだす。新聞配達のバイクが、エンジンの音も軽やかに道を遠ざかる。

竹青荘《ちくせいそう》の庭先には、走《かける》と清瀬《きよせ》だけが立っていた。

「走、ゆうべの情熱は幻だったのか？　絶対に諦《あきら》めない、風になるまでこの身を捧《ささ》げる、捧げつくして箱根の山を目指す！　そう言ってくれたのに」

「俺は言ってないですよ。キングさんが勝手に盛りあがってただけで」

キングと一緒になって、ジョータとジョージも拳《こぶし》をつきあげていた気がするが、たぶん三人とも覚えていないだろう。かなり酒が入っていたもんな、と走は内心で思ったが、清瀬を刺激しないよう黙っていた。

酒の勢い、というものを斟酌《しんしゃく》しない清瀬は、しびれを切らしたらしい。「起こしてくる」と玄関に消えた。

東の空が薄桃色に明けていくのを、走はストレッチをしながら眺めた。竹青荘のなかからは、おたまかなにかで鍋《なべ》の底を叩《たた》く音が聞こえてくる。騒音にたまりかねたように、ニラが縁の下から出てきてのびをした。走はニラと、竹青荘の庭先で追いかけっこをして遊んだ。

走の体が完全にあたたまったころ、寝起きでむくんだ顔をした住人たちが、清瀬に連行されて玄関から出てきた。

「さて、まずは予選会の出場条件をクリアすべく、スピードとスタミナをつけていこう」

清瀬は力強く言ったが、反応ははかばかしくなかった。浜辺に打ちあげられた海藻みたいに、覇気なくふらついているものばかりだ。酒臭い息を撒《ま》き散らしながら揺れるジョータを、走はそっと支えてやった。

清瀬は気にせず、言葉をつづける。

「今朝はとりあえず、多摩川《たまがわ》の河原まで走ってみよう。各人のレベルを確認して、俺が練習計画を立てるから」

「ご飯は？　俺、おなかがすいちゃったよ」

ジョージが遠慮がちに訴えた。

「起きてすぐに食えるのか。若いな」

ニコチャンが盛大にあくびし、ぼさぼさの髪の毛を掻《か》く。その隣で、ユキは立ったまま眠っている。

渦巻く眠気と食い気と不満を、清瀬はものともしなかった。

「飯は走ってからだ。さ、行くぞ」

「河原までって、ここから五キロはあると思うんだけど」

王子《おうじ》が青ざめて言った。「往復十キロ走るわけ？　こんな朝っぱらから？」

「自分のペースで走っていい。楽なものだよ」

ぐずぐずしているものを、清瀬は竹青荘の敷地内から強引に追い立てる。羊の群を、つかず離れず監視する牧羊犬のようだ。ムサと神童《しんどう》は、率先して清瀬の指示に従った。キングはその二人に両腕を取られ、しかたなく走りだす。走は、「行こう」と双子《ふたご》に声をかけた。

「食った直後だと、腹が痛くなる。少し腹が減ってるぐらいが、一番楽に走れるから」

ジョージの背を軽く叩き、励ましながらまえに進ませる。

バス通りに出るころには、王子はすでに息も絶え絶えだった。

「二時間後ぐらいには、河原で合流できるかもね」

と、歩くのとたいして変わらない速度で進みながら言う。

「走、先に行ってくれ」

清瀬は王子を急《せ》かすことはせず、そばで静観の構えだ。「しんがりには俺がつく。きみは、みんなの到着タイムをとっておいて」

「シンガリってなんですか？」

とムサが神童に尋ねた。

「最後尾ってことだよ」

答えた神童は、いつもと変わらぬ風情《ふぜい》で軽快に脚を運んでいる。

ほぼ同時に竹青荘をスタートした一団は、実力差に応じて縦に長くのびはじめている。走はその列を抜けだし、自分のペースで走りはじめた。九人分の呼吸音も話し声も足音も、あっというまに後方へ流れ去る。

だれかと一緒に走るのは、ずいぶんひさしぶりだ。だけど結局、一人になってしまう。速度とリズムはだれとも共有できない、自分だけのものだからだ。

走るうちに、空はどんどん明るくなっていった。河原までの道のりは、ほとんどが住宅街だ。仙川《せんがわ》と野川《のがわ》という多摩川の支流を二つ渡り、大きな原っぱを突っ切って、小高い丘のうえにある高級住宅地を抜ける。アップダウンに富んだコースだった。

家々の屋根の向こうに、多摩川の堤防が見えてきた。空気が澄んでいると、遠くに丹《たん》沢《ざわ》の山並みと富士山《ふじさん》が視認できるのだが、その朝は霞《かすみ》がかっていた。

堤防を駆けあがった走は、水面を見下ろす。流れに沿って靄《もや》がたなびいていた。河原には、体操をする老人や犬の散歩をするひとが、まばらにいるばかりだ。鉄橋を小田急線が渡っていく。車内は早くも、会社や学校へ向かう人々で混みあいはじめているようだった。

土手の緑が、露《つゆ》を宿して朝日に輝く。急に走りやめるのはよくないので、走は堤防のうえをゆっくりと往復した。走は河原まで、一キロあたり三分半で走ってきた。走にとっては、五キロだけを走るにしては格段に遅いペースだ。だが竹青荘の住人たちは、まだだれも来ない。クールダウンしながら、走は道と腕時計とを見比べた。

双子、神童、ムサ、ユキ、キングが、ようやく河原に到着したのは、竹青荘を出発してから二十五分経《た》ったときだった。キングは呼吸が荒く、つらそうだったが、ほかの五人は余裕の表情だ。

「まだ走れそうだね」

と走が声をかけると、ジョータは走の腕時計の機能に興味を示しながら、

「よくわかんない」

と言った。「五キロとか、意識して走ったことなかったからさあ。自分がどれぐらいの速さで、どの程度の距離を走れるのかつかめなくて、なんとなくみんなでのんびり来ちゃったよ」

「腹へった」

と、ジョージは朝露の美しさにはおかまいなく、手近に生えている草をちぎる。ユキは中断された睡眠のつづきをむさぼろうと、湿った土手に寝そべって目を閉じる。神童とムサはけろりとした表情で、キングの背中をさすってやっていた。

もしかしたらこのひとたち、走ることに向いているのかもしれない、と走は思った。いまはまだ、経験もなくコツをつかめずにいるが、少なくとも走るのが嫌いではなさそうだ。

清瀬は、これを見越していたのだろうか。神童とムサは、基礎体力が充分にあるようだし、双子とキングは、サッカーをやっていたらしい。サッカーならば、練習にロードワークも組みこまれていただろうし、走ることに慣れているはずだ。ユキがしていたという剣道でも、走りこみはするし、重い筋肉がつかないから長距離に応用が利《き》く。

すぐに音《ね》を上げると思っていたけれど、案外いいところまで行くかもしれない。走り終えた面々を見て、走は少し考えを改めた。もちろん、すべてはこれからの練習次第だが、清瀬が言うとおり、可能性を秘めていることはたしかだ。「適当に合わせておけばいい」などと嘯《うそぶ》いて、放っておくことはできない気分になってきた。

「走り終わったら、体をほぐすようにしないといけません」

走はユキを揺すり起こした。「土手をゆっくりと往復して走ってください。呼吸が整ったらストレッチして、座って休憩するのはそれからです」

じっとしているのは苦手だし、今朝はまだ走りたりない気がする。走はストレッチのやりかたを教え、ジョータに腕時計を預けると、まだ河原にたどりつかないニコチャンと王子と清瀬を迎えにいくことにした。

堤防を下りて道に出たところで、早速ニコチャンと行きあった。

「おう、走」

ニコチャンは、ぜえぜえ喘《あえ》ぎながら必死に走っていた。「体は重いし、肺は苦しいしで、どうにもだめだ」

陸上競技から長く離れているあいだに、ニコチャンの体は走りを忘れてしまったようだった。

「まずは禁煙とダイエットだなあ」

と、河原を目指しながらニコチャンは言う。ニコチャンと別れ、走は来た道をさらに戻った。

丘の住宅街の裾野《すその》あたりで、王子が行き倒れていた。清瀬がスポーツドリンクのペットボトルを持ってかたわらにしゃがみ、王子を介抱してやっている。

「みんなはもう着いたか？」

清瀬に問われ、走はうなずく。

「ニコチャン先輩とは、さっきすれ違いました」

「遅いな」

「禁煙とダイエットをするらしいです」

「いい心がけだ。あとのやつらは？」

「一キロを五分弱ってところでしたね」

「彼らの走りをどう思った？」

「まだ余裕がありそうです。本格的に走ったことがないわりには、フォームのバランスもいいし」

うん、と清瀬は満足そうだ。しかし懸案もある。いま、道端でぐったりしている王子の存在だ。

「あの、王子さんは大丈夫なんですか」

「大丈夫なもんか」

と王子本人が答えた。「もう、立つのもいやだ。走、アオタケまで背負っていってよ」

長い距離を走ることならいくらでもできるが、重いものを持つのは自信がない。走が困っていると、清瀬が「駄目だ」と首を振った。

「歩いてもいいから、河原まで行こう。自分の足で、五キロという距離を体感するのが大切なんだ」

清瀬の我慢強さを、走は意外に感じた。走りはじめるまでは、強権を発動したり、夕飯のメニューで圧力をかけてきたりと、竹青荘の独裁者ぶりを発揮していたのに。走りだしてからは、清瀬は各自のペースを尊重する方針のようだ。自分の力で最後まで走り抜くさまを、黙ってそばで見守ろうとしている。

ハイジさんは、俺がいままで知りあった監督やコーチとは、ちょっとちがう。走はふいに、落ち着かない気分になった。それが胸に芽生えた期待のためなのだとは、そのときには気づかなかった。走は「気の合う指導者」というものに会ったことがなかったので、無意識のうちに期待を押し殺すようになっていた。

「せめて、帰りは電車でもいいことにしない？」

王子の提案を、清瀬は無言で却下した。

「歩いていれば、そのうち走りだしたくなりますよ」

自分のなかに起こった揺らぎをすぐに忘れ、走は王子に言った。走自身は、ちんたら歩くのが子どものころから苦手だった。足を動かすうちに、いつのまにか走ってしまっている。そのほうが目的地に早くたどりつけるし、肌に感じる風と高まる鼓動が心地いいからだ。

「運動が嫌いな人間だっているんだよ」

やれやれというように、王子は立ちあがった。「あ、ちょうちょ」

王子の視線を追って振り返ると、白い花びらのような蝶《ちょう》が、走と清瀬の背後をふわふわと横切るところだった。朝の太陽がちょうど、薄くなめらかな日差しを角の家の軒先から投げかけた。

三人はしばらく、光の帯を渡る蝶を眺めた。

「あせらず歩こう。そうすればきっと、走れるようになるから」

清瀬が言った。王子に対してであると同時に、自分自身に言いきかせているような口調でもあった。

蝶が風に乗って舞うように、ひとは地面を蹴《け》って走る。走にしてみれば、呼吸するよりも自然で当たり前の流れだが、そうではないひともいるのだ。不思議だな、と走は思った。

これまでほとんど、陸上を志している人間としか、走はつきあいがなかった。生活の大部分が練習で占められ、友人も教師も陸上関係者が多かった。

だから知らなかった。滅多に走ることがなく、少し走っただけでも苦痛を訴えるひとがいることを。走りたいと願っても、なんらかの事情によって思う存分走れずにいるひとがいることを。

俺はいままで、なにも考えず、なにも感じずにいたんだ、と走は思った。「速く長く走れる」という同じ特性を持った人々が、ひとつの目標のもとに集う部活動。その狭い人間関係のなかで生きることに必死だったからだ。

素人《しろうと》が箱根駅伝を目指す。途方もなく無謀な挑戦の、練習第一日目の朝から、すでにして走は驚きに打たれていた。走れる力がありそうなのに、走ることにまったく興味を示さずに生きてきた、双子をはじめとする人々。故障やブランクによって、思うように走れずにいる清瀬とニコチャン。脚のある動物にとっての基本行為とも言えるのに、走ることがいやでいやでたまらないらしい王子。

俺が考えていたより、世界はずっと複雑なものだったんだ。でも、俺を混乱させるような、いやな感じの複雑さじゃない。

走はそんなことを思いながら、水辺を目指し飛んでいく蝶を目で追った。


その日の夕方、走が大学から戻ると、竹青荘の庭に住人たちが並んで立っていた。帰宅したところを、待ち受けていた清瀬に次々と捕獲されたらしい。

全員がそろったところで、清瀬は口を開いた。

「だいたいの練習計画を作った。レベル分けしたいから、五千メートルを本気で走ってタイムをとる」

仕事が速いな、と走は感心したが、双子はもちろん文句を言った。

「朝も走ったのに、また走るの？」

「もう疲れちゃったよ。なんか脚のつけ根が痛いし」

股関節痛《こかんせつつう》を訴えたジョージのセリフを、清瀬は聞き逃さなかった。

「ひどく痛むのか」

「ううん、それほどじゃないけど」

「走ることにまだ慣れていないだけか、フォームが悪いか、もとから関節が弱いか。どれだろう」

清瀬は心配そうにジョージのまえにかがみ、脚のつけ根を親指でそっと揉《も》んだ。

「ちょっとちょっと、ハイジさん。そんなとこ触るのやめてよ」

ジョージがくすぐったそうに身をよじる。

「シューズのせいじゃないかと思うんですけど」

と、走は指摘した。「それ、バッシュでしょ？」

清瀬は、「ほんとだ」と言って立ち、全員の足もとを確認した。

「どうしてきみたちは、バスケット用やら、ただのスニーカーやらを履いてるんだ。走る気あるのか？」

「だって、これしかないんだもん」

と、ジョージとおそろいのバッシュを履いたジョータが、王子の背後に隠れながら言う。王子はというと、安売り量販店で買ったらしき、「運動靴」としか形容しようのないシューズを履いている。

「ランニング用のシューズを買え」

清瀬は厳命を下した。

「買いました」

と、ムサと神童がスポーツ用品店の袋を掲げてみせる。少し遅れて、ユキも後ろ手に隠し持っていた新しいシューズを出した。

「今朝走ってみたら、けっこうおもしろかったから」

「渋ってたわりに、やる気になってるじゃねえか」

と、ニコチャンが茶々を入れた。

「よし」

と清瀬はうなずく。「あとのものも、近いうちに足に合ったシューズを買うように。できれば、タイムを計る機能のついた時計も」

「走と同じのがいいな」

ジョータが走の手首を覗《のぞ》きこんだ。「かっこいいよね、これ。ナイキかあ」

走の腕時計は、プラスチック素材の丸みのある流線型で、機能も充実しているし、とても軽い。ランナーのための時計だ。走はこれまで使ってきたもののなかで、一番気に入っていた。

「色違いもある。ストップウォッチ機能のほかに、測定したタイムをどんどん合計していく機能もあって……」

走の説明を、ジョータとジョージがふんふんと聞く。

「バイトを増やさないと」

と神童が言ったとたん、

「麻雀《マージャン》同様、アオタケの住人は今後、バイトも禁止だ」

と清瀬は重々しく告げた。「働いてる場合か？　練習に専念しろ」

「じゃあ、どうやってシューズや時計を買うんだよ」

と、キングが抗議する。

「ついでに、ウェアも買っておけ」

清瀬は平然としたものだ。「高校時代のジャージやらスウェットやら、王子に至ってはジーンズじゃないか。そんなのを着てたら、汗の乾きが悪くて体を冷やす。練習のときは必ずタオルと着替えを用意して、汗をかいたらすぐに替えるようにすること」

「だから、バイトもせずにどうやって買えばいいんだっつうの」

キングが再び嚙《か》みついた。

「なに、練習に明け暮れていれば、遊ぶ時間はなくなるからね。仕送りだけでも、金なんてすぐに貯《た》まる」

「えぇー！」

と、またもや抗議の声が上がった。

「庭先でなにをごちゃごちゃやってるんだ」

母屋《おもや》の玄関が開き、名目上は監督ということになっている大家が出てきた。飼い主の登場に、それまで寝そべって目をつむっていたニラが、うれしそうに尻尾《しっぽ》を振る。

「金の心配ならいらん」

大家は一同を見まわした。「ハイジから聞いたぞ。本気で箱根を目指すなら、後援会に頼んで、必要なものはそろえてやる」

「後援会？　うちの大学に、そんなものがあるんですか」

ユキがいぶかしげに問うと、

「これから作る」

と大家は言った。だめだこりゃ、とニコチャンがつぶやく。

「さあ、トラックに行くぞ」

清瀬にうながされ、普段着のまま場所を移すことになった。散歩だと思ったのか、ニラも一緒についてくる。

大学のグラウンドでタイムを計るのだろう。走はそう考えていたのだが、清瀬は反対方向へどんどん歩いていった。目的地はどうやら、仙川を越えたところにある区営グラウンドのようだった。

「ハイジさん、どうして大学のグラウンドを使わないんです」

走は不審に思って尋ねた。「大学のほうがアオタケから近いし、整備されてるのに」

「グラウンドは、いろんな運動部やサークルが使ってるんだ。俺たちの番がまわってくるまで、百万年ぐらいかかる」

「だって、陸上部なのに？　グラウンドを使う優先権がないんですか」

「なにごとにも、序列というものがあってね」

清瀬はひんやりした口調で言った。つまり、だれからも存在を認識されていないほどの弱小部だということだ。いたずらに清瀬を刺激しないよう、走はおとなしく黙ることにした。

コースのところどころから草が顔を覗かせてはいたが、区営グラウンドには一周四百メートルのれっきとしたトラックがあった。

清瀬は、練習の段取りを簡単に説明した。毎回、本格的な練習の前後に、一時間ぐらいかけて流して走ること。ストレッチをすること。協力してマッサージをしあうこと、などだ。

「流して走るというのは、ゆっくり走るという意味ですか？」

とムサが質問した。

「うん、体にあまり負担をかけない程度に走る、という意味だ。いきなり走りはじめたり、走りやめたりするのは、故障の原因になるからね」

「練習をはじめるまえに一時間も走ったら、それだけでもうへとへとだよ」

と、王子は絶望的な表情になった。

「王子は今朝、なんとか五キロを走ったじゃないか。そのうち慣れるから大丈夫だ」

清瀬は力強く請けあった。「ちゃんと練習すれば、きっとモノになる」

清瀬の言葉は、ハッタリというわけでもない。長距離を走り抜くためには、短距離選手とは違う筋肉が必要とされる。一瞬のうちに爆発的な筋力を発揮するのではなく、一定の推進力を長時間持続させなければならない。短距離は、選手の先天的な筋肉の質によってほぼ実力が決まるのに対し、長距離の場合は、日々の練習によって少しずつ実力をつけていくことが可能だ。

逆に言えば、毎日じっくりと自分の体と向きあい、練習を積み重ねていかないかぎり、長距離では大成できない。あらゆるスポーツで天分が必要とされるが、およそ長距離ほど、天分と努力の天秤《てんびん》が、努力のほうに傾いている種目もないだろう。

ひとけのない区営グラウンドで、一同は二つのグループに分かれてタイムを計測することにした。「タイムを計るまえに、一時間も流すことはできない」と訴える人々、つまり走と清瀬以外の面々は、初回なので、とりあえずいきなり全力で五千メートルを走ってみることになった。走と清瀬は、同じトラック上を一緒に流して走りながら、みんなのタイムをとる。二人の体がほぐれるころに、たぶん王子も走り終わるだろうということで、そのあとに走と清瀬が全力で五千メートルに挑む段取りだ。

流して走りつつ、全力で走っている一団を常に確認するのには神経を要した。気を抜くと、何周目に差しかかっているのかがわからなくなってしまう。

「ニラがストップウォッチを押せたらいいんだけどな」

グラウンドの隅で地面のにおいを嗅《か》ぐニラを、清瀬は恨めしげに見やった。走は清瀬と並んで、ゆっくり走った。

「ねえ、ハイジさん。王子さんが予選会出場レベルにまでなるのは、いくらなんでもちょっと難しいんじゃないですか」

いまも王子は、ほかのものよりも大幅に遅れを取っていた。「周回遅れどころじゃないですよ、あれ」

「大丈夫だ」

と清瀬はまた言った。

「その根拠は？」

「走、長距離に向いている性格って、どんなだと思う？」

「さあ……。いろいろでしょうけど、我慢強いとか？」

「俺は、粘着質であることだと思う。王子の蔵書を見ただろ？　あんなに漫画のことばっかり考えてるのは、尋常じゃない。王子は夜遊びも無駄遣いもせず、金と時間のすべてを漫画に捧《ささ》げている。あの情熱の持続力はすばらしいよ。ひとつのことをコツコツ極めるのが苦にならないというのは、絶対に長距離向きの性格だ」

走は、隣を行く清瀬をちらりと見る。清瀬は真剣な顔つきをしていた。どうやら本気で褒《ほ》めているらしかった。

全員が五千メートルを走り終えたところで、走は計測したタイムを紙に記入した。

走　　　　十四分三十八秒三七
ハイジ　　十四分五十八秒五四
ムサ　　　十五分〇一秒三六
ジョージ　十六分三十八秒〇八
ジョータ　十六分三十九秒一〇
神童　　　十七分三十秒二三
ユキ　　　十七分四十五秒一一
キング　　十八分十五秒〇三
ニコチャン　十八分五十五秒〇六

王子　　三十三分十三秒一三

住人たちは、輪になって用紙を覗きこむ。

「走、手抜きしただろう」

「してないですよ。そうそういつも、自己ベストで走れないです。ハイジさんこそ、本調子じゃないんじゃないですか？」

「復調中なんだ。それにしても、ムサはさすがだな。やっぱり十三分台まで行けるよ」

「いえ、すでに限界を迎えています。心臓が壊れるかと思いました」

「とにかく、はじめてにしてはまずまずの結果が出た」

清瀬は集まったものの顔を見渡した。「やはり、きみたちはすごく素質がある。いまの段階でこれぐらい走れれば、練習次第でまだまだのびるよ」

清瀬のお墨付きをもらい、双子と神童は喜んでハイタッチをかわした。しかしユキは、自分のタイムに納得がいかないらしい。

「十七分台とは……、フォームにまだ無駄があるんだな」

と、その明晰《めいせき》な頭脳で早速解析をはじめたようだった。

「どうせ俺は十八分台だよ」

とキングが拗《す》ねる。

「あんた、汗がニコチンくさいですよ」

とユキに指摘されたニコチャンは、

「そうか？」

と腕をくんくん嗅いだ。

「キングとニコチャン先輩は、走るのに体が慣れていないだけだ。フォームには問題ないから、これからどんどんタイムを縮められる」

清瀬はぬかりなくフォローした。「さあ、アオタケに帰って夕飯にしよう」

ジョージが、清瀬のウェアの裾《すそ》を指先で引っ張った。

「ハイジさんハイジさん、一人忘れてる」

トラックの片隅で、王子が倒れ伏していた。ニラが心配そうに鼻先でつついても、ぴくりともしない。

「王子のタイムは」

「三十三分十三秒一三です」

と、走が清瀬に教える。

「さすがにコメントが難しいな」

清瀬はこめかみを揉《も》んだ。「しかしまあ、あの漫画オタクが走りとおしただけでも立派だ。希望は捨てないようにしよう」

やっぱりあんた、王子さんのことをただのオタクだと思ってるんじゃないか、と走は思ったが、黙っておいた。

「明日から、本格的な練習に入る。いまは五キロ走るのが精一杯だろうけれど、これから絶対に、距離がのびてタイムは縮んでいくから、安心してついてきてほしい。以上、解散！ あ、もちろんアオタケまで走って帰ること」

ニコチャンは自室で悶《もだ》えていた。アルバイトで請け負っているソフト制作が、遅々として進まない。練習で体は疲労の極にあったが、納期が迫っている。学費と生活費を自分でまかなうニコチャンは、疲れたからといってバイトを疎《おろそ》かにするわけにはいかなかった。

パソコンに向かって苦吟していたら、ドアがノックされた。このクソ忙しいときに、またキングがパソコンを借りにきたのか？ ニコチャンはちょっと苛立《いらだ》ったが、気分転換も必要だと思い直し、「入れや」と返事した。

ドアを開けて顔を覗《のぞ》かせたのは、双子と王子だった。ジョージは戸口から入ってきたとたんに、「すごーい！」と歓声を上げた。

「先輩の部屋が、白く煙ってないなんて」

「ホントに禁煙中なんだね」

と、ジョータも澄んだ空気を吸いこむ。

「おかげで、作業がちっともはかどらねえよ」

うめいたニコチャンは、指ほどの長さの針金人形をまた一体完成させた。煙草《たばこ》を吸いたくなるたびに、手遊びしては気を紛らわせている。畳のうえには、小さな針金人形がいっぱい散らばっていた。

「なんか呪《のろ》いがこもってそうでこわい」

王子は人形を脇《わき》によけ、座りこんだ。「ちょっとパソコン貸してくれませんか」

「すぐ済むなら、かまわねえけど。どうした？」

「王子さんは、ネットオークションでルームランナーを買いたいんだってさ」

と、ジョータが答えた。王子はすでに、目当てのサイトを開くのに夢中だ。

「なんでまた」

ニコチャンは無意識のうちに煙草を探している自分に気づき、再び針金をいじりだした。

「漫画を読みながら部屋で走れて、いいかなと……って、ニコチャン先輩、なんですかこれ！」

王子が叫んだ。マウスの横に置いてあった物体に、気がついたのだ。

「なにって、煙草だよ」

煙草の箱が、針金でぐるぐる巻きにされていた。王子は熱くなった目頭をぬぐった。

「力石《りきいし》だ、力石ですよニコチャン先輩は！」

しかし残念ながら、『あしたのジョー』を読んだことのあるものがいなかったので、王子の発言にはだれも反応しなかった。

「本気なんですね、ニコチャン先輩」

王子の潤《うる》んだ瞳《ひとみ》に見つめられ、ニコチャンはたじろいだ。

「おまえらだって本気なんだろ？　ルームランナーを買おうってぐらいだし」

針金人形を一個ずつ見分しながら、ハイジさんが本気なんだもん」

「しょうがないよ、ハイジさんが本気なんだもん」

ジョージがため息をついた。ジョータもうなずく。

「俺たちはアオタケでの暮らしが気に入ってるし、ハイジさんが箱根を目指すって言うなら、できるかぎりのことをするしかないよ」

けなげな後輩を持ってよかったな、ハイジ。ニコチャンは心のなかでそう語りかけた。

「だけどどうして、箱根駅伝なんだろう」

王子がマウスを操作する手を止め、首をかしげる。「僕なんかをわざわざ巻きこまなくても、走るだけならいくらでも一人でできるはずでしょう」

「一人じゃ襷《たすき》はつなげねえからなあ」

煙草を吸いたい、とニコチャンは切実に思った。

「走とハイジさんが速いのはわかるよ」

とジョータが言う。「でも、俺たちより速いメンバーを、ほかから集めないのはなんでだろう」

「アオタケに十人いるから、それでちょうどいいと思ったんじゃねえか」

ニコチャンの答えを聞いて、王子はマウスを操作しながらむくれた。

「手近で済まそうとしないでほしい」

「まあ、ハイジさんの本心はわかんないけど」

とジョージは明るくのんびり言った。「俺は、走るのはけっこう楽しいなあ」

ジョータとジョージは、互いの腰や脚をマッサージしはじめる。

「俺もだ」

ニコチャンも、パソコンに向かう王子の肩を揉んでやりつつ笑った。走が竹青荘に来たときから、なんとなくわかっていた。清瀬の待ち望んでいたものが訪れたのだと、ニコチャンは陸上経験者だからこそわかったのだ。

走るために生まれてきたような走と、走りたくても走れない苦しみを知る清瀬。走りへの底なしの情熱を抱える二人は、きっとお互いに影響しあい、大多数の人間には垣間《かいま》見《み》ることすらかなわぬある高みへと、上っていくことができるだろう。

竹青荘の残りの住人たちで、それを手助けしなければならない。俺たちが、半年後の予選会までにどれだけ進化するか。箱根駅伝に出場できるかどうかで、走とハイジの今後も大きく変わってくるんだ。煙草にのびそうな手を、ニコチャンはぐっと握りしめた。

部屋のドアが再びノックされ、今度は神童が顔を出した。

「王子、やっと見つけた」

「なあに？ クイズ大会なら、いまは参加できないってキングさんに言っておいてください」

「キングさんとムサは、疲れて寝ちゃったよ」

神童はいつもどおり静かな動作で、ニコチャンの部屋の隅に正座した。「きみ、ルームランナーが欲しいって言ってたでしょう。さっき実家に電話したら、納屋《なや》にあるって。まだ動くだろうから、必要なら送ってもらうけど、どうする？」

「いるいる！」

王子は、オークションのページをすぐに閉じた。

「なんでルームランナーなんて持ってたの」

ジョージが聞くと、

「田舎の家では、マッサージチェアとルームランナーとぶらさがり健康器が、たいてい埃《ほこり》をかぶっているものなんだよ」

と神童は答えた。ニコチャンは、「嘘《うそ》つけ。俺の実家にはそんなもんはなかったぞ」

と思ったが、双子は素直に、「すごいねえ」「家が広いんだな」と感心している。王子は、「着払いですぐにお願いします。じゃ、僕、明日も早いしもう寝るね」と、さっさと部屋を出ていった。あいかわらず、協調性にやや欠ける。

王子につきあってニコチャンの部屋に来たのに、置いてきぼりにされた双子は、それでも気を悪くするふうでもない。入念に揉みあっていた手を止め、

「俺たちも帰ろうぜ」

「おやすみなさーい」

と、ドアを開けた。そのとき、ユキが向かいの部屋から猛然と出てきて、

「さっきからうるさいよ、おまえら。眠れないだろ」

と怒った。

「クラブ禁止令が出たからって、いらつくなよ」

ニコチャンは軽く受け流す。

「ひとのこと言えるんですか。ニコチン禁断症状に喘《あえ》いでるくせに」

「まあまあ、明日も六時から朝練だから。喧嘩《けんか》もほどほどに」

温厚な神童が割って入った。「ところでニコチャン先輩。この針金のオブジェ、もらってもいいですか？」

「いいけど、どうすんだ？」

「ちょっと思いついたことがあって」

神童は針金人形を一摑《ひとつか》みし、ジャージのポケットに入れた。二階の住人たちが階段を上っていく。足音とドアの閉まる音がやんで、竹青荘に静けさが戻った。

「本当にハイジに協力するつもりですか」

戸口に立っていたユキが、小声でニコチャンに話しかけた。

「悪いか。おまえだって、やる気まんまんだろ」

「俺はいいんですよ。単位だって取れてるし、司法試験にも受かった。でもあんたは、ちゃんと進級しないと、もうあとがない」

ニコチャンは大学に入るまでも入ってからも、まわり道ばかりしてきた。そのあいだに、興味のあることにはたいてい手を出してきたおかげで、金を稼ぐ手段はいろいろあった。大学を卒業できなくても、会社に就職できなくても、自分一人で生きていくことは充分可能だ。だが、ユキが心配してくれていることはわかったので、

「ありがとよ」

と言った。ユキは照れくさそうに、ちょっと肩をすくめた。

「なあ、ユキ」

自分の部屋へ戻ろうと背を向けたユキに、ニコチャンは声をかけた。「いい一年にしようぜ」

竹青荘でともに過ごす、最後の年を。

ユキは黙って扉の向こうに消え、ニコチャンは喫煙への激しい欲求を抱えながら、またパソコン画面をにらみはじめた。

ソフト制作はやっぱり進まず、針金人形だけがいたずらに生産されていった。


清瀬が作った四月の練習メニューは、レベルによって三つに分けられていた。走《かける》と清瀬は、ハードなメニュー。王子はゆるやかなメニュー。ほかのメンバーはその中間、という位置づけだ。

メニューはどのレベルにおいても、まずは走ることに体を馴染《なじ》ませ、スピードと持久力を同時に少しずつアップさせることに、重点が置かれていた。飽きがこないよう、走る場所にも変化がつけてある。ランナーの心理を把握し、それぞれの実力差を考えつくした内容だ。走は改めて、ハイジさんはただものじゃない、と思った。

これだけの練習メニューを組みたてられるのだから、きっと清瀬は、相当実力のある選手のはずだ。膝《ひざ》を故障するまえの清瀬が、どんな走りを見せていたのかを知りたかった。スピードランナーの存在に、無関心ではいられない。走ははじめて、清瀬とちゃんと陸上の話をしてみたいと感じた。

だが、竹青荘の住人たちは、ほとんどが陸上の素人《しろうと》だ。練習メニューから清瀬の実力を推測することなど、もちろんできない。配られた練習表を、困惑したように眺めるばかりだ。

口火を切ったのは、好奇心旺盛《おうせい》なジョージだった。

「ねえ、ハイジさん。『C.C』ってなに？」

「クロカン、クロスカントリーの略だ。トラックでもロードでもなく、自然のなかを走ることだよ。俺たちは原っぱを使う」

「原っぱって、アオタケから二キロは離れてるよ。わざわざあそこまで行くの？」

「アスファルトよりも土のほうが、脚に負担がかからない。起伏にも富んでいるし、気分転換にもなって、ちょうどいいだろう」

「じゃ、『C.C　2・5k×6』ってもしかして……」

と、今度はジョータがおそるおそる尋ねる。

「原っぱで距離を測って、一周二・五キロになるようなルートを考えた。どういうルートかは、あとで教える。そこを六周しろってことだ」

「全部で十五キロも走るの？」

王子がげんなりした顔になった。

「まだまだ少ないぐらいだが、最初だからね」

清瀬は無慈悲である。「走なんて、八周だぞ」

ムサが挙手した。

「『ペース走』というのは、なんですか？」

「設定されたペースどおりに走ることだ。体調や走力を見て、そのつど指示する」

清瀬は練習表から顔を上げ、住人たちに説明がちゃんと浸透しているかどうかを確認した。ムサが、「大丈夫です。いままでのところ、わからないところはありません」と笑顔で請けあう。

「これらは主に持久力、つまりスタミナをつけることが目的の練習だ。あまり無理せず、着実に距離を走りきることを考えてくれ。練習前後のジョッグも、苦しくなるほどのペースで走っちゃいけない。何度も言うようだけど、体をほぐし、とにかく長く走りつづけて、走距離をのばしていくことが重要なんだ」

「ジョッグっていうのは、ジョギングのことですよね」

神童は生真面目《きまじめ》に、清瀬の用語解説をメモしていく。

「ただ、ダラダラと走っていても速さは身につかないから、ビルドアップ走とインターバル走もする。ビルドアップ走は、徐々にペースを上げてダッシュをかける。インターバル走は、速いペースと遅いペースを組みあわせて走る」

「ダッシュはわかるぜ」

とキングが言う。「五十メートル走とか百メートル走とか、徒競走みたいなもんだろ」

「ああ。でも長距離走者は、そこまで短距離でのダッシュ練習は基本的にしない。使う筋肉が違ってきてしまうからね」

清瀬は練習表に視線を落とした。「四月後半の走の欄に、『B up《ビルドアップ》 10000』と書いてあるだろう？　これは、『一万メートルを走るうちに、徐々にペースを上げていけ』という意味だ。具体的には、一キロあたり最初は三分〇五秒だったものを、最後の一キロでは二分五十秒ぐらいまで上げていくと、走には効果的じゃないかと思う」

「それって、すっごく苦しいんじゃない？」

ジョージが心配そうに走を見る。

「苦しいだろうな」

と、走は平然と答えた。

「心肺機能に負荷をかけることが目的だから、苦しくなければ意味がない」

清瀬は微笑《ほほえ》んだ。「十キロをある程度のスピードで走れるということは、それ以上の距離にも対応できるということなんだ。速度と持久力のバランスをうまく取っていくには、心肺能力を高めることが必須《ひっす》だ。そのためのスピード練習だよ」

「でも、やりすぎてはいけない、だろ？」

自分なりに理論を調べているらしいユキが、眼鏡を押しあげた。「スピード練習は疲労度が高いし、脚に負担もかかる」

「そう、故障しては元も子もない」

清瀬はうなずいた。「初心者には、ビルドアップはまだ早いだろう。まずはスタミナ重視でいくけれど、それでもスピード練習は不可欠だ。そこで、インターバル走を取り入れる」

どれがインターバル走だ、と練習表を見て戸惑うジョータに、走は教えてやった。

「『200（200）×15』とか、括弧《かっこ》つきのものがあるだろ？ それのことだよ」

「つまり」

と清瀬がつづけて補足する。「二百メートルを速いペースで走り、そのままゆっくりしたペースで走る二百メートルに突入する。それを十五回繰り返す、ということだ。これだと、合間の二百メートルを走りながら、一息つくことができるというわけ」

「一息つくのも走りながら、か。壮絶だ」

ユキは表情を引き締め、清瀬に向き直った。「速いペースって、具体的には」

「三十秒から三十二秒ぐらいで二百メートルを走ってほしいけど、いきなりは無理だろうから、様子を見て指示する」

「走のインターバル走の予定、すごいね」

ジョージが感嘆しているのかあきれているのかわからない声を上げた。「『400（200）×20』っていうのもある！」

「四月だから、まだ軽い練習だよ」

と走は言った。「夏になったら、もっと走りこまないと」

「これ以上!?」

一同は先行きに不安を覚えずにはいられなかった。王子は最前から、一言もしゃべらない。一人だけまったく別の練習メニューであることに傷ついたのかと、走は気を揉《も》んだ。しかし王子はもちろん、なんとか走らずにすむ方法はないものかと考えこんでいたせいで、無口になっていただけだった。

「あの……」

王子は清瀬とのあいだに、妥協点を見いだそうと試みた。「僕は自主練だけに集中しようかと思うんだけど、どうかな」

「自主練。どんな」

「神童さんから、ルームランナーをもらったんですよ。あれなら漫画を読みながら使えるし、僕は一日中ほとんど漫画を読んでるわけで、けっこう効果が期待できるんじゃないかと」

「ルームランナーの速度設定は?」

「ゆっくり歩く……ぐらい?」

清瀬は片眉《かたまゆ》を吊《つ》りあげ、それから一同を見渡した。

「クロカン以外は区営グラウンドのトラックでやる。練習表をよくたしかめて、集合場所をまちがえないように」

王子の言葉は、完璧《かんぺき》に無視されて終わった。

清瀬は慎重を期すタイプなので、住人たちには練習日誌の記入が課せられた。練習表に基づく本練習でのタイムのほかに、毎日自主的にどんな練習をしたか、そのタイムや走距離を記録して提出するのだ。

「嘘《うそ》を申告しても、本練習での動きを見れば、だいたいわかるから」

と、清瀬は釘《くぎ》を刺した。「大切なのは、不満や体の不調を書くってことだ。口では俺に言いにくいようなことがあったら、遠慮なく練習日誌にぶつけてほしい」

「すでに不満をいっぱい言ってるつもりなのに」

王子はぼやく。「全然聞き入れてくれないじゃないですか」

「王子の限界が来たと感じたときには、ちゃんと受け止めるよ」

さらに清瀬は、朝晩のジョッグも、希望者があったら一団となって走ろう、と呼びかけた。

「起きられるか不安だ、とか、距離のノルマをこなせるか自信がない、というものは、俺が面倒を見る」

走は自分のペースで練習したかったので、朝晩はいままでどおり一人で走ることにした。個人主義のユキと、禁煙とダイエットを敢行し、勘を取り戻そうとしているニコチャンも、ジョッグは一人でやりたいと申し出た。そのほかのものは、しばらくは清瀬の号令のもとに、いっせいに自主練に取り組むことになった。

走は本練習と自主練を精力的にこなしながら、住人の動向をじっとうかがっていた。だれがいつ脱落してもおかしくないほど、箱根に向けた練習の日々は、惨憺《さんたん》たる様相を呈した。

なにしろ、時間だけはある大学生活をいいことに、好き勝手な暮らしを送ってきた面々だ。走ること以前に、生活リズムを作るのが、多くの住人にとって一苦労だった。早起きしてジョッグ。急いで朝食を摂《と》ってから、大学に行って講義を受ける。終わったら全員が集まって、原っぱか区営グラウンドでその日の本練習のメニューをこなす。あとは寝るまでの時間をやりくりしつつ、晩のジョッグをしなければならない。

朝は清瀬が打ち鳴らす鍋《なべ》の音が響き、夜には疲れはてて、風呂《ふろ》にも入らず気絶するように眠ってしまうものが続出した。

「最近、アオタケは変な臭《にお》いがしているような気がします」

母屋《おもや》の風呂で、ムサは走にそう言った。脱衣所でかちあった二人は、時間を節約するため、狭い湯船に一緒に浸《つ》かっていた。ムサの流儀にのっとり、風呂場の電気は消してある。

「むさい男が十人もいて、しかも運動してるのに風呂に入ってないやつがいますからね」

「だれとは言いませんが、双子とキングさんと王子です」

「言っちゃってますよ、ムサさん」

ふふふ、とムサは笑った。

「キングさんと王子は、本当にお疲れです。でも双子は、面倒くさがって入らないだけです」

「それはいけませんね」

ムサと話していると、なんだか走まで堅苦しいしゃべりかたになってしまう。

「私は心配しています。風呂に入らないと、女の子にモテません。走は双子の同輩でしょう。今度それとなく注意してあげたほうがいいです」

同輩という単語を日常会話ではじめて聞いたな、と思いながら、走は「はい」と言った。

「このごろ、晩のジョッグでちょっとおもしろいことが起こっています」

「なんですか？」

ムサは答えず、またもや「ふふふ」と笑った。

「商店街を走っているときです。走も今度、見にくるといいですよ」

暗闇《くらやみ》のなかで膝《ひざ》を抱え、湯船で向きあう二人のあいだに、白く丸い光が揺れた。

「ああ、走。外灯かと思っていたら、お月さまですよ」

開け放した窓の向こう。春の夜空に、たしかに朧月《おぼろづき》が浮かんでいる。

「ほら」

ムサは両掌《りょうて》をそっと水面に差し入れ、微笑んだ。「すくえました」

「本当だ」

楽しくなって、走も笑った。ムサの手のなかで、小さな月が白玉のように柔らかくにじんでいる。

練習がはじまって一週間が経《た》ったが、「やめる」と言いだすものは、だれもいない。それが走には意外だった。風呂に入るのも億劫《おっくう》になるほど、疲れはてているのに。

どうしてだろう、と走は考える。最初に脱落するのはいやだ、という意地だろうか。それとも、走ることになんらかの手応《てごた》えを得はじめているのだろうか。

一緒に住んでいるのに、和を乱すようなことはしたくない、という遠慮だろうか。それとも、走ることになんらかの手応《てごた》えを得はじめているのだろうか。

このまま、だれもやめることなく、練習をつづけていったら。走は湯船のなかで夢想する。竹青荘の住人たちと、本当に箱根駅伝に出られることになったら。

そんなふうに考える自分の変化が、走は一番意外だった。

一人で走ってきたのに。いまだって、一人で走っているのに。

俺はなにかを期待してるらしい。そっと息を吐くと、水面の月がわずかに揺れた。期待は、裏切られるときを思う心細さと、これまでに感じたことのない熱とを、走の胸のうちに生じさせた。

走はムサとともに風呂から上がり、竹青荘に戻った。玄関で健康サンダルを脱いでいると、頭上からじゃらじゃらと音が降ってくる。一〇一号室のドアが開き、清瀬が目の前を憤然と横切って階段を上っていった。すぐに、双子の部屋から清瀬の怒声が聞こえてきた。

「麻雀《マージャン》は禁止だと言っただろう。没収！」

やっぱり、箱根駅伝は夢かもしれないな。走はそう思い、ため息をついた。天井の穴から、点数表がひらりと落ちてきた。ジョージの囁《ささや》き声も、一緒に落ちてくる。

「あとで計算するから、ハイジさんに見つからないように取っておいて」

「はいはい」

と笑って、ムサが点数表を拾いあげた。

本気で長距離に取り組む学生は、最低でも一カ月に六百キロは走る。追いこみの時期になると、月間千キロ以上走るものもざらにいる。そのレベルを目指して、走は走りこんだ。竹青荘の住人たちの健闘を願ってはいるが、だからといって自分の練習を、できたてほやほやのチームのレベルに合わせるつもりはなかった。

「走は少し走りすぎだ」

練習日誌をチェックした清瀬は、本練習のあとにそう言った。原っぱの草のうえで、着替えたりストレッチをしたりしながら、全員でのんびりとクールダウンに努めているときのことだった。

最初の二週間は、筋肉痛になった血豆ができた靴擦れがひどいと、だれもが悲惨な状況で必死にメニューをこなした。だが、もとから素質はあったメンバーだ。いまはわずかずつだが体が順応し、走ることが少しおもしろくなってきたようだ。練習表に書かれたメニューを、なんとか消化できるまでになっていた。

住人たちの順応力の高さに、走は内心驚いていたが、それはあくまでも初心者向けの練習においてのことだ。走は段違いのレベルで走りを追求している。だれかが止めないかぎり、いつまでも、いくらでも、走ってしまう傾向にあった。

「年齢的にいっても、まだ体ができあがりきっていないんだから、無理をしちゃいけない。いま体を酷使しすぎて、故障でもしたらどうする」

このごろ走は、自分の体がとても軽く感じられていた。走れば走るほど力がつき、ますます速度に磨きがかかっていく感触があった。だから実のところ、清瀬の忠告がピンと来なかったが、それでも従順に「はい」と答えておいた。

「反対に、王子は走らなすぎだ」

王子の練習日誌には、二日にいっぺんは、晩のジョッグのかわりに「ルームランナー」と書いてあった。

「正直なのはきみの美徳のひとつだと思うが……。これは結局、『ジョッグをさぼって漫画を読んでいた』ということだろう？」

王子は清瀬が晩のジョッグに誘いにきても、漫画でバリケードを築き、頑として部屋のドアを開けないことがあるのだ。

清瀬に追及され、王子は必死に弁明した。

「そうだけど、本当にルームランナーを使いながら漫画を読んでるんですよ。近ごろは、脚に少し筋肉がついてきた気がするし」

「どれ」

清瀬は王子のふくらはぎを触って確認する。それを見ていたユキが、

「ハイジ。おまえすぐにひとの脚に触る癖、やめたほうがいい」

と忠告した。清瀬は「ふむ」と身を起こす。

「朝のジョッグでも、本練習でも、たしかに王子はちょっと進歩が見られる。だが、漫画を読みながらルームランナーというのは、よくない。フォームが崩れるし、ロードを走る感覚も養われないからね。晩のジョッグにも、毎日きちんと参加するように」

有無を言わせぬ清瀬の静かな迫力のまえに、王子は「参加します」と誓うほかなかった。走としては、ホッとした。王子にはなるべく外を走ってほしい。ただでさえ重量のかかっている王子の部屋に、ルームランナーまで導入された。王子が室内でトレーニングするたびに、走の部屋の天井は張り裂けそうな軋《きし》みを立てる。

「正直な王子とちがって、虚偽と粉飾に満ちた日誌を提出する王様がいる」

清瀬の言葉に、みんなはキングを見て笑った。キングは「ばれたか」と、困ったようにシューズの爪先《つまさき》で土をほじった。

「だってよう、全然走れなくて、タイムも上がらないし。こりゃまずいんじゃないかと思って、ちょっと見栄《みえ》張って報告したんだ」

「まだ練習をはじめて二週間だ。そうすぐには成果はあらわれない」

清瀬はキングに優しく言いきかせる。「クイズ王になるには、着実に知識を身につけることと、早押しの技術が必要なんだろう？　陸上もそれと同じだ。小手先の細工なんて通用しない。毎日の練習によって身についた体力と技術。それから、実力をしっかり見据える勇気が、本番で最後に自分を救うんだ。きみがちゃんと練習しているのは知ってる。だから、ありのままを書いていいんだよ」

「そうする」

と、キングはうなずいた。

「ほかのものは、いまのところ特に問題ない。ただ、ニコチャン先輩」

「おう」

清瀬に呼ばれたニコチャンは、シューズの紐《ひも》を直していた手を止め、顔を上げた。

「最近、あまり食ってませんね」

「そんなことねえよ」

「嘘《うそ》をついちゃいけない。だれが飯を炊《た》いてると思ってるんです？」

清瀬である。練習計画ばかりでなく、住人の食事も作っている竹青荘の支配者に、隠しごとはできない。

ニコチャンは頬を掻《か》きながら言い訳した。

「ほら、俺は骨格ががっちりしてるだろ？　ちょっと体重を減らさないと」

「必要ありません」

清瀬はぴしゃりとさえぎる。「練習で体を動かしているんだから、いままでどおりに食べていたって痩《や》せる。無理なダイエットは体を壊す原因です。バランスよくちゃんと食事を摂ってください」

「わかった。だが、練習でうまく体を絞れなかったら、俺はダイエットするからな」

「夏には確実に絞れるはずだと計算していますが」

清瀬は譲歩した。「駄目そうだったら、そのとき考えましょう。絶対に一人で無茶しないでください」

やりとりを聞いていた神童が、

「体重が軽いほうが有利なんですか？」

と首をかしげた。「痩せたら、そのぶん体力も減っちゃうでしょう？」

神童の疑問には、理論派のユキが答えた。

「もちろん、無理なダイエットは厳禁だ。貧血になるし、そうすると心臓に負担がかかって危険だから。でも基本的には、体は絞るべきだね。余計な脂《あぶら》は削《そ》ぎ落とし、心肺機能を高める。レーシングカーだって、車体はなるべく軽く、エンジンを強力にするだろう。それと同じことだ」

「なるほど」

と、神童は納得して引き下がった。

「ユキの言うとおりだ」

清瀬が全員を見渡した。「レーシングカーが、試走を繰り返して車体のバランスをたしかめ、エンジンの性能を高めていくように、ランナーも毎日走ることによって、体を作っていく。急激な変化を求めると反動も大きいから、気をつけてほしい」

練習後に少しでも筋肉が熱を持っているようだったら、すぐに氷で冷やすアイシングをすること。ストレッチとマッサージを欠かさないこと。サプリメントを飲んで、不足しがちな鉄分などを摂取すること。

故障を防ぎ、体調を維持するための方法をあれこれ教えると、「じゃあ解散」と清瀬は言った。

竹青荘へ帰る道すがら、走はたまたまニコチャンと並んで走る形になった。ニコチャンは体重のことが気がかりなうえに禁煙中で、うまくストレスを発散できないようだ。なんとなく沈んだ様子だった。

こういうとき、楽しい話題を提供できたらいいのだが。走はあれこれ考えてみたが、なにも思い浮かばない。

「走、今日の夕飯はなんだろな」

しまいには、ニコチャンのほうから話しかけられてしまった。俺って本当に、走る以外はなにも芸がないな、と、走はさすがにがっくりした。

「たぶん、カレーです。ハイジさんに言われて、本練習のまえに商店街へルーを買いにいきましたから」

走の脳裏に、またたくものがあった。そうだ、商店街。晩のジョッグを見にくるように、ムサから誘われていたではないか。もしかしたら、ニコチャンの気晴らしになるかもしれない。

「ニコチャン先輩、今夜俺と一緒に走りませんか?」

「なんだおまえ、急にナンパの文句みたいなこと言いだしやがって」

少しまえを走っていたユキが振り返り、

「どこにつれてってくれるの、ダーリン」

と、鋼鉄の仮面をつけたような無表情のまま、からかって話に割りこんできた。

「商店街です」

走は生真面目《きまじめ》に答えた。この三人は、ジョッグを一人でやっているメンバーだ。ちょうどいいので、集団ジョッグ組に起こっているという「おもしろいこと」を、つれだって見物しにいくことにした。

夕飯はやはりカレーだった。清瀬の手抜きをしない性格は、炊事においても発揮されていた。本練習前にとろとろになるまでタマネギを煮込んでおき、走が買ってきた数種類の市販のルーを独自にブレンドして味を調えてある。

しかし、ルーの味の深みに気づくものはいなかった。カレーに豚バラ肉がたくさん入っていることのほうに、だれもが喜びを表明してみせる。彩《いろど》りよく盛りつけられたサラダも、目で味わう暇もなく一瞬でたいらげた。

「作り甲斐《がい》がない」

清瀬は憤《いきどお》りと哀《かな》しみの中間ぐらいの表情で、空いた皿を流しに下げる。きちんと食べることにしたらしいニコチャンが、

「ちょっとだけおかわり」

と炊飯器のまえに立った。「味よりなにより、こいつらには肉を食わせておけばいいんだよ、肉を」

台所には、全員が食事できるような大きなテーブルは入らない。食卓がいっぱいになると、あとからご飯を食べに来たものは、小さな卓袱台《ちゃぶだい》を出して、台所のまえの廊下に座る決まりだ。

走がまだカレーを食べているところへ、神童とムサがやってきた。食卓はすべて埋まっていた。双子はデザートに差しかかっているというのに、席を空けようともしない。イチゴにかけるのは練乳か、牛乳と砂糖かで、激しく喧嘩《けんか》中だ。

どうしても上下関係が気になる走は、スプーンをくわえ、カレーの入った皿を抱えて、食卓を譲ろうとした。神童が急いで、

「いいんだよ、走」

と押しとどめる。

「アオタケでは、先輩後輩は関係ありません」

とムサも言った。「だから居心地いいです。ね？」

「はい」

走はもとどおり食卓につき、カレーのつづきを食べた。陸上部の寮で高校三年間を過

ごした走にとって、先輩が廊下で、後輩が食卓でご飯を食べるなんて、信じられなかった。

走の経験からすると、下級生のころには先輩の身のまわりの世話をしなければならないものだった。シューズを洗ったり、洗濯したり。風呂《ふろ》の順番ももちろんあとだ。その程度のことで、先輩にやっかまれることなく練習に打ちこめるなら、べつにかまわないと思っていた。

逆に上級生になると、走は自分のシューズを下級生に洗わせるのをいやだと感じた。走るときに必要な、大切なものだ。かつての先輩たちが、どうしてシューズを簡単に他人の手に預けることができたのか、走にはわからなかった。

同じ学年のチームメイトからは、「規律が乱れる」「かっこつけるな」と陰口を叩《たた》かれた。走はすべて無視した。走の速さにはだれも追いつけなかったし、上級生になって気兼ねなく走れれば、それだけで満足だったからだ。言わせておけと思っていた。

走は部内で、孤高の存在として遠巻きにされるようになった。言いかたを変えれば、やや孤立していた。

だが竹青荘では、呼吸がしやすい。生まれた年の数年の違いを、気にするものはだれもいない。お互いに言いたいことを言いあっている。いまも双子の喧嘩を、ニコチャンがおさめたところだった。両者のイチゴの器に、練乳と牛乳と砂糖を等しく投入する、という強引なやりかたで。

「ひどいよ、ニコチャン先輩！　俺は牛乳と砂糖で食べたかったのに」

「入ってるだろ」

「俺は断然、練乳がよかった」

「だから、入ってるだろ」

平行線をたどる双子とニコチャンのやりとりは放っておいて、走は後かたづけをする清瀬を手伝った。並んで流しに立ち、食器を洗う。

「ハイジさん。何時ごろに商店街のあたりを走ってますか？」

「八時ぐらいかな。どうして？」

「いえ、ちょっと」

皿を下げにきたムサが、走に目配せしてみせた。

走はニコチャンとユキと一緒に、商店街の入り口にある児童公園へ行った。砂場やブランコやすべり台のあいだを、ぐるぐる走りつづけるのは単調だったが、ジョッグをしながら商店街を見張る手段はほかになかった。

薄暗い外灯の下で公園内を三十周ほどし、いいかげん目がまわってきたなと思っているところへ、清瀬たち竹青荘の一団が現れた。角を曲がって、駅前までつづく大きな商店街へ入っていく。走力にばらつきがあるので、列は縦に長くのびていたが、王子もなんとかついていっている。

「来ましたね」

「こっそりあとをつけてみよう」

走たちも公園から出て、商店街に入った。

細い通りの両側に、たくさんの個人商店が並ぶ。一日の仕事を終え、シャッターを下ろしているパン屋。閉店時間前に品物を売りつくそうと、威勢のいい声を張りあげる魚屋。夜を迎えて客が入りはじめたスナック。

ぼんぼりを模した街灯が、橙色《だいだいいろ》の光を投げかける。駅から歩いてくる帰宅途中の人々や、タイムサービス目当ての買い物客で、商店街はにぎわっていた。

「いくらなんでも、王子は遅い」

ユキがぼやく。「追い抜かずに走るのが困難だ」

走たちは通行人の陰に隠れるようにして、王子のかたわらをすり抜けた。つづいて背中が見えたキングのことも、気づかれずにうまく追い越す。

「ハイジだ」

ユキが顎《あご》で前方を指した。清瀬がこちらに向かって走ってきている。

「なんで戻ってくるんだ、あいつは」

「駅で折り返したにしては、早すぎますね」

三人はうつむきがちになってやりすごそうとしたが、もちろん清瀬が気づかないわけがない。

「なにをこそこそしてるんだ、きみたちは」

駅のほうへ走っていた走たちの横で、清瀬はくるりと向きを変え、伴走する形になった。

「ハイジさんこそ、どうしたんです」

走が尋ねると、

「後ろを走ってるやつらの様子を見にきた」

と清瀬は答えた。いつもながら、万全の管理能力だ。いったいこのひと、みんなに目を配るために、どれだけの距離を走っているんだろう。走は少し心配になった。脚だって完璧《かんぺき》に復調したわけではないようなのに。

そのあいだにも、清瀬はユキと会話を進めていた。

「ハイジたちのほうで、なにかおもしろいことが起こってるって、走が言うから。見にきたんだ」

「ああ、あれじゃないか？」

清瀬がすっと指さした先に、並んで走る神童とムサの姿が見えてきた。

「なにやってんだ、あいつら」

ニコチャンが首をかしげたのも無理はない。神童とムサは白いTシャツを着ていたが、その背にマジックで黒々と、なにか文字が書いてあった。走は目をこらし、商店街のまんなかを走り抜けていく、二人の背中の文字を読み取った。

箱根駅伝を目指しています!!
寛政《かんせい》大学陸上競技部　後援者募集中

「……ちゃんとレタリングしてあるな」

とユキがコメントした。

「神童が手作りしたらしい」

清瀬は乱れのない呼吸のまま、淡々と説明する。「恥ずかしいからやめろと言ったんだが、資金を募るために必要だと押し切られた。本当は人数分作ってあるらしいぞ」

絶対に着たくない、と走は思った。神童はいつも物静かで、俗世とは関係ないところで超然としている雰囲気があるのだが、けっこう実務に向いていたようだ。

「意外ですね。神童さんが、積極的に金集めに動くなんて」

「走りを通して、人間の思わぬ側面が見えてくるものだよ」

清瀬はそう言って笑い、「神童、ムサ」と、まえを行く二人に声をかけた。

「この三人が、営業活動に協力したいそうだ」

言ってない言ってない、と走たちはそろって首を振った。合流した走に向かって、ムサはちょっと手をあげてみせた。

「神童さんお手製のTシャツ、走にもあげますね。そして走、あれを見てください」

商店街の人混みを縫うように走る、一台の自転車があった。乗っているのは同年代ぐらいの女の子だ。髪の毛をひとつに束ねたその子は、なにかを見据えながら一生懸命に自転車を漕《こ》いでいる。たまに見える横顔がすっきりと整って美しいことが、距離を置いていてもわかった。

「あれは八百勝《やおかつ》の娘さんだな」

と清瀬が言った。

「どうして知ってるんです？」

女の子の横顔に気を取られていた走は、隣を走る清瀬に視線を移した。

「アオタケの住人の飯を作るために、俺はずっと、この商店街で食材の買いつけをしてるんだ。顔見知りにもなるだろう」

「じゃあ、あの子としゃべったこともあるんですか？」

「『立派な葉がついた大根ですね』『二百円のお釣りです』ぐらいはな」

清瀬は口端で笑った。「気になるのか、走」

「いえ、べつに」

視線を前方に戻した。自転車は人混みに見え隠れしつつ、まだ駅のほうを指して走っている。

「これのおかげで、僕たちはちょっとした有名人だよ」

神童は、Tシャツの裾《すそ》を引っ張ってみせた。「毎日、列を作ってこの通りを走ってるしね。ハイジさんと顔見知りだった商店主たちが、声をかけてくれるんだ。『あのボロアパートに住んでる学生さんだろ。おもしろいことをはじめたんだなあ』って」

「大家さんは、この商店街にある碁会所《ごかいしょ》の常連だしな」

と清瀬も言った。「『アオタケの住人が、箱根駅伝を目指している』と吹聴《ふいちょう》しまくってるそうだ」

やめる、と気軽に言いだせないよう、計画に地域住民をも巻きこむ作戦だろう。着々と外堀を埋める清瀬と大家の手腕に、走は感心してしまった。一番に参加を表明しただけあって、神童も率先して広報活動に励むつもりらしい。箱根駅伝へ向かう流れに、のんきでお気楽な住人たちは、どんどん乗せられていっている。大丈夫なのかな、と走は不安を感じた。だが、竹青荘の外の人々が、箱根駅伝を目指す走たちに興味を示していることは、やはりうれしく心強かった。

「ここのところずっと、私たちがジョッグをしていると、彼女が現れるんです」

ムサが指でちょいちょいと、自転車に乗った八百勝の娘を示した。「彼女のお目当ては……」

つられて、走とニコチャンとユキは自転車のさらに前方に視線をやった。そこを走っていたのは……。

「双子!?」

走は驚きの声を上げた。

「の、どっちだ!?」

と、ニコチャンもうなる。ムサは肩をすくめた。

「さあ、それはわかりません」

「どっちもなにも、見た目は同じだし」

とユキが冷静に指摘する。

恋の予感だ、と走は思った。並んで走るジョータとジョージは、まったく気づいていないようだが。早速、ちゃんと風呂に入るように忠告してあげないといけない。

とりあえず、朝晩ジョッグに励む竹青荘の住人たちが、商店街の人々のおなじみになりつつあるのは、たしかなことのようだった。

四、記録会

春から初夏にかけては、大会の季節だ。毎週のように、大学主催の記録会や、企業も協賛する競技会が開催される。

記録会という目先の目標があると、練習にも張りあいが出てくる。清瀬《きよせ》とともに朝晩のジョッグをしているのは、いまや王子《おうじ》とキングだけだ。ほかのものは、清瀬に叩《たた》き起こされることもほとんどなく、積極的に練習メニューをこなすようになった。

清瀬はそれぞれの性格にあわせ、さりげなく指導する。着実にノルマをこなすことに喜びを見いだす神童《しんどう》には、より詳細な練習メニューを作ってやっていたし、学究肌のユキが納得するまで、トレーニング法についての議論に応じた。ジョータは褒められるとやる気を出すので、練習中も頻繁に声をかけ、放っておいても走るジョージには、あえて走りに関する話題は振らない。

清瀬は基本的には、住人たちの好きなように走らせていた。練習の方針を丁寧に伝え、必要とするものに少しアドバイスするだけだ。そうやって巧みに、住人たちのやる気を引きだす。走《かける》は魔法を見るような気持ちがした。強要せず、罰則を設けず、走る気になるまで執念深いほどじっと待つ。そんなやりかたがあることを、走はこれまで知らなかった。

俺が陸上をはじめたころに、もしハイジさんが監督だったら、俺はいまごろもっと速いランナーになれていたかもしれない。走はそう思った。現に竹青荘《ちくせいそう》の住人たちは、少しずつだが確実に、タイムを縮めつつあった。

その一方で、清瀬の態度をなまぬるいとも感じた。相手は素人《しろうと》同然の、にわかランナーだ。もっと厳しく練習させないと、予選会にまにあわない。本気で箱根駅伝を目指す気があるのか、と苛立《いらだ》った。

「だいたいのものは、五千メートルを確実に十七分以内で走れる力がついてきた」

双子《ふたご》の部屋での酒盛りの最中、清瀬は集まった住人たちに向かって言った。どんなに練習でへばっても、十日にいっぺんは全員で酒を飲んでいる。竹青荘の住人に下戸《げこ》はいない。酒好きの集団なので、みんなで飲めばそれだけでいいストレス発散になる。

「ただ、初心者が多いからね。はじめてのレースで緊張することもあるだろう。いくつかの記録会に出場登録しておいたから、いつかは十七分以内のタイムが出ればいい、という程度の気楽さで臨んでくれ」

走の隣で漫画を読んでいた王子が、こそっと尋ねてきた。

「なんでハイジさんは、十七分にこだわってるのかな」

「箱根駅伝の予選会に出場するには、『五千メートルを十七分以内』の公認記録が必要だからですよ」

ルールがさっぱり頭に入っていないらしい王子に、走も囁《ささや》きかえす。「公認記録を持つために、公式の大会や記録会に出るんです」

「まえにも説明されたのに、忘れたのか」

ユキの眼鏡の縁が光った。漫画のタイトルはよく覚えてるくせに、と言いたそうだ。

「どうもハイジは、予選会出場だけに照準を絞る作戦みたいだな」

ユキの言葉に、「そうですね」と走はうなずく。

「まあ、俺もそれが順当だとは思うが」

ユキは物憂《ものう》げに眼鏡をはずし、皺《しわ》ひとつないハンカチでレンズを拭《ふ》いた。「走はインカレに出なくていいのか？」

走は黙っていた。かわりに王子が、「インカレってなに？」と聞く。ユキはさっさと、部屋の隅で針金人形を作っているニコチャンのほうへ行ってしまった。王子は漫画を開いたまま、まだ答えを待っている。

「インターカレッジ。大学対校の、陸上競技の選手権です」と走は言った。「五月に関東インカレ、七月に全日本インカレがあります」

「僕たちも参加すればいいじゃない」

「トップレベルの学生ランナーのための大会ですから、参加の基準になるタイム設定が、箱根の予選会よりも厳しいんですよ」

「ふうん」

王子は怪訝《けげん》そうにうなり、膝《ひざ》のうえに置いた漫画に視線を戻した。「でも走は、そのタイムもクリアできるんだろう？」

もちろんだ。だが走は、曖昧《あいまい》に笑ってみせただけで話を終わらせた。

思い思いの場所に座る住人たちに、清瀬がプリントを配った。大学主催の、いろいろな記録会の日程が書かれている。走はその紙を、ひどく重いものであるかのように、すぐに畳に置いてしまった。インカレどころか、記録会に出ることにもためらいがあった。強豪校が集うその場所には、高校時代に陸上部で一緒だったものの姿がきっとある。かつてのチームメイトと、走はまだ顔を合わせたくなかった。

清瀬はプリントを手に説明をつづけている。

「まずは東京体育《とうきょうたいいく》大学記録会。五月のはじめに動地堂《どうちどう》大学記録会。二週間おいて、喜久井《きくい》大学記録会だ。それでも駄目なら、六月末にもう一度、東体大《とうたいだい》記録会がある。あせらずに、十七分の壁を突破してほしい」

ジョータとジョージは、

「ゴールデンウィークなのに記録会に出るの？」

「六月末って、梅雨だよ。雨のなかを走るのはいやだなあ」

と不満を述べたが、口先だけのことだ。練習でそれなりに自信がついてきたところだから、「絶対に早い段階で十七分以内のタイムを出す！」と、目に闘志が満ちている。

「ただ、インカレに挑戦したいんだったら、一回目の東体大記録会からフルスロットルでいく必要がある。インカレの参加標準記録を作る有効期限は、この記録会までだからな」

と清瀬は言った。「インカレポイントにはならないが、陸上選手としてはやはり、インカレに参加するのも大事だ。どうする、走？」

清瀬に話しかけられたのに、走はぼんやりしていた。「走、どうかしたのか」と重ねて言われ、はっとしてプリントから視線を上げる。

「いえ、なんでもないです」

「ねえねえ、インカレポイントってなに？」

とジョージが言ったので、探るような清瀬の眼差《まなざ》しから、走は逃れることができた。

「いままで黙っていたが」

清瀬は背筋をのばし、ジョージだけではなく全員に伝わるように、声を張りあげた。

「箱根駅伝の予選会は、十人が二十キロを走った純粋な合計タイムだけで競うわけじゃないんだ」

それぞれ好き勝手にしゃべっていた住人たちが、口をつぐむ。室内が静かになり、疑問と困惑を含んだ視線が清瀬に集中した。

「予選から本戦へ進める枠は十だが、実はそのうちのひとつは『選抜チーム』だ。本戦には進めなかった大学のなかにも、予選会のタイムがよかった選手はいるからね。彼らに対する救済措置だ。言葉は悪いが、寄せ集めのチームを作るわけだ」

「じゃあ実質的には、予選会から箱根駅伝に出場できるのは九校だけなんですね？」

と神童。

「そう。そのなかでも七位以下の大学は、予選会の合計タイムにインカレポイントを加味したタイムで、最終的な順位を決定されるんだ。説明が非常にめんどくさいから、ひらたく言うが、インカレでいい成績を出した大学は、そのぶんがポイントとなって、合計タイムからどんどん秒数を引いてもらえる仕組みだ。インカレポイントのおかげで、実際の合計タイムより五分以上も少ないタイムになった例もある」

「じゃあ、予選会だけの成績でいったら上位だったのに、インカレポイントのせいで逆転されて、本戦に出場できなかった、っていうこともあるの？」

とジョータが聞いた。

「ああ。箱根駅伝は正月にテレビ中継されるから、大学のいい宣伝になる。それで大学側は、いい選手を集めまくって、効率よく箱根駅伝に出られさえすればいい、と考えがちだ。インカレポイント制には、そういう大学への牽制《けんせい》の意味があるんだ。競技会にきちんと参加して、駅伝だけじゃなく、陸上の本筋であるトラックにも対応できる人材を育てろ、ということだろう」

「生臭い話じゃねえか」

ニコチャンが苦笑し、

「どんな世界にも、お金の問題は絡《から》んでくるということですね」

神童は広報活動の重要さを思ったのか、やるせなさそうに息を吐いた。

室内に流れる、やや鼻白んだ空気をものともせず、キングが言った。

「よっしゃ。ハイジ、走。インカレに出場してポイント稼げ」

「それは無理だね」

とユキが冷たく切り捨てた。「うちは弱小陸上部だ。ポイントは、インカレでの大学ごとの順位と出場人数に応じてつく。ハイジと走の二人が、いくらインカレで頑張ったところでどうしようもない」

「困りましたね。お金もないし、インカレで活躍できそうもない。いったい私たちは、どうすればいいんでしょう」

肩を落とすムサを、「大丈夫だよ」と、気を取り直した神童が励ました。

「予選会で、上位六校以内に入ればいい。そうすれば、インカレポイントは関係ない。弱小校は弱小校らしく、堂々と合計タイムだけで勝負しよう」

「よく言った、神童」

清瀬がうれしそうにうなずく。

「俺たちにとっては、そのタイムが当面の大問題だと思うが」

と、ユキがひっそり指摘した。

「まあ、俺らは記録会に出て、段階を追ってタイムを上げていくとして」

ニコチャンは針金人形を生産しながら言った。「走とハイジはインカレで、他大のやつらの度肝を抜いてやれよ」

「よっしゃ。走、ハイジ。とにかくポイント稼げ」

とキングがまた言った。

「だから、二人だけでポイントを稼ぐのは無理なんだってば」

「ひとの話を聞いてないんだもん、キングさんは」

ジョータとジョージは、口々にキングを非難する。走は無言を通した。インカレ出場を勧めてくるキングに、かまっている余裕がなかった。「東体大」の字を見るうちに、思い出したことがあった。

たしか、榊《さかき》は東体大に入ったんじゃなかったっけ。走の脳裏に、高校時代のチームメイトの顔が浮かぶ。一足早く梅雨に突入したみたいに、陰鬱《いんうつ》な気分になった。

東体大記録会に出たら、確実に榊と顔を合わせることになる。そのとき榊は、どうするだろう。陸上の強豪校に入学した榊に、いまの俺は勝てるのか？

トイレに行くふりで双子の部屋を出た走は、そのまま階段を下り、玄関の引き戸を開けた。庭の砂利が星明かりに照り映えていた。誘われているようだ。白く光る道へ。走自身の心の奥深いところへ。

思わず走りだそうとして、健康サンダルであることに気づき、足を止めた。ニラが縁の下から出てくる気配がした。走はひとつ息を吐いてから、母屋《おもや》のほうへゆっくりと歩いた。ニラの濡《ぬ》れた鼻先が、足の指に押し当てられる。走はしゃがんで、あたたかい毛皮をなでた。

ニラがふいに、勢いよく尻尾《しっぽ》を振った。背後で砂利を踏む音がする。振り返らなくてもわかった。清瀬だ。

走の隣にしゃがんだ清瀬は、ニラの耳のあいだをくすぐった。ニラが喜んで鼻を鳴らす。しばらく待ったが清瀬が無言のままなので、走は自分から切りだした。

「本当に、俺を記録会やインカレに出場させる気なんですか」

「当たり前だ。最終的には箱根駅伝に出るんだから」

「きっといやな思いをしますよ。いろいろ言われて」

「なぜ？」

清瀬が穏やかな口調で尋ねた。走は、ニラの首まわりの肉を揉《も》んでいる清瀬の横顔を見た。

「ハイジさん、知ってるんですよね？　聞いたことあるでしょう、俺の高校時代の評判を」

「きみの走りがとても速いってことか」

「それはいいほうの評判。俺が言ってるのは……」

「走」

清瀬は走の言葉をさえぎった。「いいか、過去や評判が走るんじゃない。いまのきみ自身が走るんだ。惑わされるな。振り向くな。もっと強くなれ」

いてて、と言いながら、清瀬は膝をのばして立ちあがった。走とニラは、清瀬を見上げた。清瀬の頭上で、春の星座が貴い王冠のように輝いていた。

「強く……？」

と走は尋ねた。

「きみを信じる」

と清瀬は微笑《ほほえ》み、また砂利を踏んで竹青荘に戻っていった。

ニラの背を掌《てのひら》でさすってやりながら、走はしばらく考えた。いままで走に、もっと速くなれと言ったひとは大勢いた。だが、強くなれと言われたのははじめてだ。強くなるとは、どういうことだろう。

よくわからない。でも清瀬は、走を信じると言った。

ずっと凍りついたままだった胸に、小さな火が灯《とも》ったのを感じる。それは走のなかでいつも渦巻いている暴力の奔流《ほんりゅう》をせき止め、走を暗い場所へ駆り立てる誘惑の声を遠ざける。清瀬の言葉は、静かな力に満ちていた。走のなかの怖《おそ》れと怯《おび》えを吹き払うかのように。

「よし」

つぶやいて、走も立った。どうせ、細かいことを考えるのは苦手なのだ。だったら、ただ走ればいい。いやなやつに会おうとも、いやな思いをしようとも、気にせずに走るだけだ。走にできることはそれしかない。

走はニラに、おやすみを言った。

記録会に出ることへの、恐怖やためらいは薄らいでいた。逆に、自分がどれだけ走れるのか、楽しみになってきたほどだ。

東体大記録会が近づくにつれ、走の気持ちはどんどん高ぶっていった。

ひさしぶりの実戦だ。ここまでの練習は万全だと確信していたが、それでも毎晩寝るまえに、さまざまな思いが脳裏をよぎった。昔の知りあいと会ったら動揺して、レースへの集中力が途切れるのではないか。競技に対する勘が鈍っていて、レースで仕掛けどころをまちがうのではないか。高校陸上界では注目されるタイムを出せたが、はたして大学レベルでも通用するのか。

目を閉じると悪い考えが次々浮かび、布団《ふとん》をはねのけて身を起こす。いますぐジョッグをしたい気持ちを必死で抑え、真夜中の暗い部屋で一人、「あせるな、あせるな」と呼吸を整える。

なにも考えちゃいけない。イメージしろ。走は自分に言いきかせる。走ればいいだけだ。全身の筋肉の動きを感じながら、ひたすらまえに進むんだ。

そのときの熱を思い起こすと、迷いは途端に遠のき、散歩につれていってもらうときのニラみたいに、今度は心が逸《はや》ってしかたがなくなってくるのだった。

走は練習のかたわら、講義にもちゃんと出席していた。単位も取れない人間が、走りで結果を出せるわけがない、というのが清瀬の持論なのだ。だが練習があるので、コンパや飲み会の誘いは断ってばかりだ。竹青荘のほかの住人も、記録会に向けて張りきっているから、寄り道せずにきちんと帰ってきては、すぐに練習に取り組んだ。

そのため、商店街だけではなく、大学内部の人々にも、「ボロアパートに住んでるやつらが、なんだか熱心に走っているらしい」ということが知られはじめていた。

東体大記録会の前日、走は語学クラスが同じ友人に、翌日の講義の代返をいくつか頼んだ。

「なんだよ蔵原《くらはら》。明日、休むの?」

「記録会に出るんだ」

「あー。そういえばおまえ、マラソン目指してるんだって?」

「いや、マラソンじゃなく……」

目指しているのは箱根駅伝で、明日あるのはトラック競技の五千メートルだ、と走は思ったが、説明は省《はぶ》いた。

大学に入ってはじめて、走は知った。陸上と縁のないひとからすると、マラソンと駅伝のちがいなんてよくわからないものなんだ、と。トラック競技に至っては、「五キロも走るの? トラックをぐるぐるまわって?」と、あきれたように笑われたぐらいだ。なぜそんなことをするのかわからない、由来の不確かな儀式のように思えるらしい。

俺にとってはすごく大事なものなのに、陸上って世間一般では案外地味な扱いなんだなと、走としては衝撃の事実を知ってしまった思いだった。同時に、なんだか愉快な気もした。ほとんどのひとがどうでもいいと思っていることを、俺たちは毎日必死になって追求しているわけか、と。

だからこのときも結局、笑って言葉を濁すことにした。

「うんまあ、マラソンの短縮版みたいな競技会だ。頼むな」

「任せろ。頑張れよ」

友人は真剣な表情で言った。よくわかっていないながらも、心から応援してくれていることは伝わってきた。

その夜、走は浅い眠りのなかでじっと身を横たえていた。薄く鋭く張りつめた眠りだ。いいぞ。夢と覚醒《かくせい》の狭間《はざま》で走は思う。最後まで残っていた無駄なものが削《そ》ぎ落とされ、一晩のうちに、走るための体と心に変身していく気がするこの感覚。

それは、ずっと忘れたふりをしていた、試合前の闘志だった。

竹青荘の住人たちは、東京体育大学に向かうべく、白いバンに乗りこんだ。

「忘れ物はないか？　ユニフォーム、シューズ、着替え、時計を持ったか？」

「はーい！」

バンにぎゅうぎゅう詰めになりながら、住人たちはバッグを掲げてみせる。

「ところで、だれが運転するんだ？」

とニコチャンが聞いた。

「俺ですよ」

清瀬は運転席に座って、シートベルトを締めた。助手席ではユキが地図を広げ、東体大までの道のりを最終確認している。

「あの、監督は？」

と、走は質問した。ふだんの練習時はもとより、記録会にも同行しない監督など、聞いたことがない。

「碁会所に行った」

「監督なのに？」「監督なのに！」「つうか監督じゃねえだろ、それ」と、不信と不満が表明された。ムサが神童に、「先日から気になっていたのですが、ゴカイショってなんですか」と尋ねる。

碁会所の説明をはじめた神童をよそに、キングが言った。

「大家さんに、そんな趣味があったとはなあ」

「いままで知らなかったの？　ずっとアオタケに住んでるのに」

ジョージがほがらかに疑問を呈する。

「走ることになるまで、特に大家さんと交流はなかったな」

とニコチャンが答えた。「隣に住んでるじいさん、ぐらいの認識だった」

「大家さんは、べつにいなくても問題ない」

清瀬が慎重にギアをドライブに入れ、アクセルを踏んだ。「監督が走るわけじゃないんだから」

竹青荘の庭から勢いよく飛びだすバンを、ニラが尻尾を振って見送った。

走はすぐに、大家が記録会に行こうとしなかった理由を悟った。清瀬の運転には、問題が大ありだったのだ。走っているうちにふらふらとセンターラインに近づいていくし、信号で止まるたびに車体がぎこちなく揺れる。

「もしかしてハイジさん、今日までペーパードライバーだったんですか」

走はカーブで、車の窓ガラスに側頭部を思いきりぶつけた。

「キープレフト走行！　キープレフト走行！」

とジョータが悲鳴を上げる。

「黙っててくれ」

と、助手席で命の危険に一番さらされているユキが、顔面蒼白《そうはく》で言った。

「運転が下手な男って、あっちも下手だって言わねえか？」

ニコチャンの爆弾発言に、ジョージとジョータが、「俗説でしょ？」「いや、一理あると思う」と勝手なことをしゃべりだす。「あっちって、どっちですか？」とムサが神童にまた尋ねる。

「いいから黙ってろ！」

と、やっぱりユキが怒鳴った。清瀬はというと、後部座席の会話など耳に入っていない様子で、ハンドルにしがみつくようにして運転に専念している。

走は、隣に座っていた王子が肩にもたれかかってきたのに気づいた。

「王子さん？　どうしたんですか？」

「酔った。吐く」

「ちょっと待ってください！」

車内は混乱状態に陥《おちい》った。ジョータがコンビニの袋を王子の口もとに当て、ジョージが王子を掌で必死にあおぐ。試合前だというのに、集中もなにもあったものではない。走はため息をつき、王子のために窓を開けてやった。

一行はやっとのことで、東体大に到着した。東京郊外の広々とした敷地には、整備の行き届いた立派なグラウンドがあった。さすが体育大学はちがうなあと、感心しながら受付をすませ、ゼッケンをもらう。

手にしたゼッケンを眺めたジョージが、

「ねえ、走」

と言った。「裏にチップみたいなもんがついてるんだけど、これなに？」

「それでタイムを計測するんだ。ゴールを通過したタイムが、自動的に記録される」

「すごい！　ストップウォッチで計るのかと思ってた」

「大きな記録会や大会では、いまはほとんど自動計測だと思う。参加人数も多いから」

ゲートをくぐって観覧席に上がると、眼下のトラックでは女子の短距離が、トラックの内側では走り幅跳びが行われているところだった。東体大の応援部が、観覧席からエールを送る。

「意外だな。開会式や閉会式にきちんと出なきゃならないものかと思っていたのに」

とユキが言った。「適当に現地集合すればいいのか？」

「これは運動会じゃなくて、試合だからな」

と清瀬は笑った。「自分をベストの状態に持っていけるように、出場する競技の時間に合わせて行動すればいいんだ」

階段状の観覧席の一角に場所取りし、ゼッケンをつけたユニフォームに着替えた。寛《かん》政《せい》大学陸上競技部のユニフォームは、黒いシャツとパンツで、体側《たいそく》にだけ銀のラインが入っている。胸の部分には、やはり銀色の文字で「寛政大学」とある。

「かっこいいな」

はじめて着ることになるユニフォームを手に取り、ジョータは満足そうに言った。

「どうしよう、兄ちゃん。俺たち、モテちゃうかもね」

ジョージは観覧席で堂々と裸になり、ユニフォームのシャツをかぶった。

「他大の女の子がたくさん応援に来てるし、今日は走るぞ、ジョージ！」

八百勝《やおかつ》の娘のことを、こいつらに教えてやるのはしばらくやめておこう、と走は思った。

「着替えたら、各自ウォーミングアップ。レースは二時半からだ。二時にはここに戻ってること」

清瀬の一声で、住人たちはちりぢりになって走りはじめた。

走は清瀬と一緒に、グラウンドの周囲をジョッグした。体育館らしき建物が、見える範囲だけで三つもある。設備が充実した、スポーツをするための環境だ。

高校時代に陸上部にいつづけていたら、俺も推薦でこういう大学に入れていたのかもしれない。走は考えた。でも、どっちがよかったのかは、俺が自分の走りで答えを出すしかないんだ。

「ちょっとトイレ」

と清瀬が言い、グラウンド脇《わき》の男子便所へ入っていった。レース前はどうしても緊張して、頻繁にトイレに通ったりしてしまう。走も先ほどから何度かトイレへ行っていたので、気にせずに先に走りつづけた。

双子ははじめてのレースだというのに、ふだんどおりのバカ話をしていたな。まだ実感がなく、レースの怖さも知らないからだろうか。

そんなことを思っていたら、「蔵原」と呼び止められた。振り向くと、ユニフォーム姿の東体大の一年生が、道端の芝生のうえに座っていた。ストレッチをしていたところらしい。仙台城西《せんだいじようせい》高校時代に、走と同学年で陸上部だった榊浩介《さかきこうすけ》だ。

ああやっぱり、と走は思った。会いたくなかったが、ここに来れば会うだろうということはわかっていた。走は大きくUターンして、かつてのチームメイトのまえに立った。

「こんなところで会うとはな」

榊は芝生から腰を上げ、走をじろじろ見た。「まさか陸上をつづけてるとは思わなかった」

「それしかできることないから」

と走は答えた。榊のこめかみに、ひくりと血管が浮いた。

「あいかわらずだな、おまえ。あれだけ俺たちに迷惑かけといて」

走は、小柄な榊の頭頂部を眺めた。あ、つむじが二個ある、と発見したが、じっと黙っていた。走のユニフォームの大学名を見て、榊はふんと鼻で笑った。

「寛政って陸上部あったっけ？」

あるからここに来てるんだろ。走の頭に血がのぼった。自分よりもタイムが遅かったやつに、ばかにされるのは我慢できない。

「ある。俺が陸上部だ」

走は傲慢《ごうまん》に言い放った。静かな迫力に榊が思わずひるんだそのとき、

「走、なにしてる」

と、トイレから出た清瀬が声をかけてきた。「ウォーミングアップをさぼるな」

「すみません」

走も竹青荘の一員だから、ご多分に漏れず清瀬に胃袋と首ねっこを押さえられている。途端に気弱な犬のようになって、急いで清瀬に謝った。榊はするりと走から離れた。

「弱いやつらと、せいぜい仲良くかけっこしてろよ。おまえにはお似合いだ」

という囁《ささや》きを残して。

「おい、ちょっと待てよ！」

走はダッシュで榊を追おうとしたが、ユニフォームの裾《すそ》を清瀬にしっかりつかまれていたせいで果たせなかった。

「きみは案外、喧嘩《けんか》っぱやいな」

走はのびたユニフォームを整え、「すみません」とまた謝った。

「いいかい、走」

清瀬は邪悪なまでににっこりと笑った。「江戸《えど》の仇《かたき》を長崎《ながさき》で、かけっこの侮辱はトラックで、と言ってね」

「なんですか、それ」

「受けた屈辱はいつまでもいつまでも忘れずに、レースでおかえししてやるってことさ」

もしかしてハイジさん、すげえ怒ってる？　走は震えた。武者震いだと思おうとした。ウォーミングアップを終えて観覧席に戻った清瀬は、集まった面々を見渡して力強く告げた。

「さあ、行くぞ。思いきり走れ！」

「おう！」

と、めずらしく全員が声を合わせて叫んだ。

「大学陸上界に挨拶《あいさつ》してやろう。俺たちが寛政大学陸上部だ！　とな」

さっき俺が言ってたこと、やっぱり聞いてたんだ。走はみたび、「すみません」と謝った。「わかればいい」と清瀬は言った。

「きみは一人じゃないってことがな」

その記録会で、寛政大はあらゆる意味において派手な挨拶をする結果となった。

走《かける》は高校のときの自己ベストに近い、十四分〇九秒九五というタイムを出した。出場した一年生のなかで一番だったのはもちろんのこと、五千メートルの部で三位の好成績だった。

記録会の運営を担当する学生が、簡素な表彰台を運んできて、トラックの片隅に置いた。表彰台に上がって、自分のタイムが記載された賞状をもらうと、うれしさがこみあげた。高校の陸上部を退部したときから、走は一人で走ってきた。その時間は無駄ではなかったし、まちがってもいなかったんだと、たしかな形で答えが出たと思った。

「仙台城西高にいた蔵原走だな」

振り仰ぐと、表彰台の一番高いところから、六道《りくどう》大学の選手が走を見下ろしていた。つるつるに丸めた頭は、仏教系の大学だからなのか？と走は思う。無精髭《ぶしょうひげ》を生やした削《そ》げた頬と、しなやかに研《と》ぎ澄まされた体は、厳しい修行に励む僧侶《そうりょ》のようだった。

「速いやつがいると聞いてはいたが、寛政に入ったのか。頑張れよ」

あんたに言われなくても頑張る、と走は思ったが、相手が明らかに上級生らしかったので、「はい」とうなずいておいた。

「清瀬も復調してきたみたいじゃないか」

六道大の男は、観覧席に目をやった。そこでは清瀬が、表彰台にいる走を見守ってくれていた。かたわらでは双子が、携帯電話についたカメラで、走の姿を撮ろうとしている。この距離じゃ、撮ってもなにがなんだかわかんないだろ、と走は思った。

「ハイジさんを知ってるんですか？」

「よく知ってる。清瀬がベストの状態で走ったら、こんなものではないということも」

と、男は言った。「ちょっと気をつけてやれ。一緒に箱根を目指すつもりなんだろう？」

表彰台から下り、男は背筋をのばして去っていく。ゲートのところで、紫のユニフォームを着た六道大の集団が男を待ち受けていて、「おつかれさまッス。おめでとうございます！」と、いっせいに頭を下げた。

「出所祝いかよ」

走は小声で悪態をつく。「だれだか知らないけど、言いたいこと言いやがって」

清瀬のタイムは、十四分二十一秒五一だった。練習初日に計ったタイムよりも、格段に速くなってはいる。だが男が言ったように、まだ完全に膝《ひざ》が治ったわけでもなさそうだと、走も感じていた。疲れがたまっているのかもしれない。清瀬は、走りこみすぎるなと走には言うくせに、自分ではすごく無理をするのだ。

観覧席に戻ると、竹青荘の住人たちが口々に祝福してくれた。はじめての記録会だったにもかかわらず、住人たちも強心臓ぶりを見せつけ、ほとんどが目標だった十七分以内のタイムを出すことに成功していた。特にムサは、十四分台に食いこむ健闘を見せた。双子とユキは十五分台中盤、神童とニコチャンも十六分台前半のタイムだ。

これでメンバーのうちの八人が、箱根駅伝予選会に出場する資格を得たことになる。キングは、惜しいところで十七分を超えてしまった。プレッシャーに弱いキングは、この結果に、心理的に追いこまれたのか少し無口だったが、順当に行けば次の記録会では十七分以内で走れるだろう。

問題は王子だ。王子は、脱水症状でも起こしたのかと審判員に勘違いされるほど、ものすごい周回遅れになってしまい、走るのを止められそうになって、あやうく棄権になるところだった。

体調不良でもなんでもなく、一生懸命走っているのにその速度なのか。観客も他大の選手も、あまりの遅さに驚いたようだった。

「本当に陸上選手なのかよ。どこの大学だ？」

「寛政大だってさ」

そんな会話があちこちで交わされ、スタートから二十二分後に王子がぶっちぎりのビリでゴールしたときには、グラウンドに盛大な拍手が響いたほどだ。

「悪目立ちという意味でも、派手な挨拶ができたな」

と、ユキは肩をすくめた。

王子はゴールと同時に力つき、神童とムサによって観覧席に運ばれた。表彰式が終わったいまも、ベンチにぐったりと横たわっている。

「走、よくやったな」

帰り仕度《じたく》をすませた清瀬が、走の背中をぽんと叩《たた》いた。「東体大のあの一年坊主《ぼうず》が、ここそとグラウンドを出ていったぞ。ざまあみろだ」

走は走るのに夢中で、榊のことなどとっくに脳裏から消し去っていたから、「ハイジさんって執念深いな」と、ちょっとたじろいだ。

「さっき、一位になった六道大のひとに話しかけられました。ハイジさんのこと、知ってるみたいだった」

「ああ」

と清瀬はうなずいた。「あいつとは、高校でチームメイトだったんだ。箱根の王者・六道大のキャプテン、四年生の藤岡一真《ふじおかかずま》。六道大の箱根駅伝三連覇の立役者だ。今回も、四年連続優勝という大きな記録に向けて、盤石《ばんじゃく》の態勢みたいだな」

「そんなに有名で、すごいひとなんですか」

「陸上をやっていて、藤岡を知らないのは走ぐらいだよ」

と清瀬は笑った。「きみはいつも、自分の走りに集中していて、まわりのことを気にしないからな。それがストイックでいいところでもあるが、いい走りをするやつを観察するのも大切だぞ」

走もレース中に、もちろん藤岡の走りを見てはいた。無駄のないキレのいいフォーム。レース展開を的確に読むクレバーな頭脳。藤岡は、「駅伝帝国」と称される強豪・房総《ぼうそう》大学の黒人留学生マナスを、残り二周からどんどん追いあげ、ゴール前の直線でついに抜き去って一位になった。タイムは十三分五十一秒六七。そのスタミナとスピードは、驚嘆すべきものだった。

藤岡とマナスの最後の競《せ》りあいについていく力が、悔しいことにいまの走にはなかった。実力と経験が、あまりにもたりなかった。

まだまだ、と走は思った。もっと走りこまなければ。この体を極限まで絞って、しなやかで強いバネをつけ、風に乗るぐらい速く軽やかに走りたい。あいつのまわりだけ酸素が濃いんじゃないかと思われるほど、疲れを知らずに。

表彰台で感じた喜びは一瞬のうちに消え、走の心はあせりにとらわれた。もっと速く。だれも感じたことのない高みへ、行きたかった。

帰りのバンのなかで、やっとしゃべるだけの体力を回復した王子が言った。

「スポーツマンって、さわやかそうでいて汚いよね。スタート直後にいい位置を取ろうとして、みんなが肘《ひじ》でこづいたり背中を押したりしてくるし」

「最後はおまえ、まわりをだれも走ってない状態だったんだから、よかったじゃねえか」

とニコチャンがからかう。

「そうだけどさあ」

王子は口をとがらせた。「僕、追い抜かれざまに東体大のやつに、『どんくせえんだよ、どけ』って言われたんですよ？　あー、むかつく！　スポーツマンシップなんて幻だ」

どんくさいのは真実なんだから、しかたがないだろ。のんきなやりとりを、走はいつものようには楽しめなかった。六道大の藤岡のすごさを知ったあとでは、竹青荘の住人たちの態度が、悠長すぎるように感じられてならない。

このままでは、十人のメンバー全員が十七分以内のタイムを出すことも難しい。予選会出場もままならないというのに、笑ってる場合か。

榊の言った「かけっこ」という言葉が、走のなかをぐるぐるまわった。素人《しろうと》が十人ぽっきりで箱根駅伝を目指すなんて、やっぱり無理だったんだ。どうして俺は高校時代に、怒りを自制できなかったんだろう。おとなしくしておいて、陸上が強い大学の推薦をもらえばよかった。そうすれば、レベルの高い選手と一緒に練習できる、恵まれた環境にいられたはずだ。

竹青荘の住人たちに合わせて夢物語を追っているうちに、自分がどんどん速度の世界から取り残されてしまうのではないかと、走は怖くなった。

はじめての記録会を終え、リラックスしてしゃべる竹青荘の面々をよそに、走は車内で一人、黙りこくっていた。そんな走の様子を、運転席の清瀬がバックミラーでちゃんと見ていたことにも気づかずに。

一度崩れだした調子を、走はなかなか立て直すことができなかった。

あせりで目が曇り、自分の状態を冷静に見極められない。どれだけ練習に打ちこんでも、まだたりない気がする。走っても走っても、スピードが上がっていく実感を得られなかった。タイムは思うように縮まない。サプリメントで栄養もきちんと補っているし、こんなに走っているのになぜ、とまたあせる。それでも走ることをやめられなかった。もっと悪い状況に陥ってしまいそうで、怖くて止まれなかった。

走は本練習のあとも、空がすっかり暗くなるまで走った。泳ぎやめたら窒息してしまう魚のように。羽ばたかなかったら海に落ちてしまう渡り鳥のように。

なにかに取り憑《つ》かれたみたいに、走はハードな走りこみをつづけた。最初は感嘆とともに眺めていた住人たちも、そのうち走の練習ぶりに、尋常ならざるものを感じだしたのだろう。

「走、もう上がろう」

と声をかけてくるようになった。

「今日の夕飯はトンカツだってさ。揚げたてを食わせてやるって、ハイジさんは先に戻ったよ。俺たちも帰ろう」

「もう少ししたら行く」

心配するジョージに言葉少なに答え、夕闇《ゆうやみ》迫る原っぱの奥へ去っていく走は、まるで目ばかり光らせて走る幽鬼だ。

そんな走に対して、清瀬は特になにも言ってこなかった。たまに、「走、走りすぎだぞ。気をつけろ」と注意はするが、あとは静観の構えだ。走にとってはそれも気に入らない。練習を控えろと言うなんて、ハイジさんは真剣さがたりないんじゃないか、と思えたし、ではなぜ走ってはいけないのか、走らずになにをすれば速くなるのかを、具体的に教えてくれないことも不満だった。

走自身はがむしゃらに練習しているつもりなのに、皮肉なことにタイムは縮むどころか、じりじりと後退していった。関東インカレでも、故障中の清瀬と同じぐらいしか走れなかった。飛び抜けて悪いわけではないが、インカレに出場する選手としては、凡庸と言わざるをえないタイムだった。

すでに雨の季節に入っていた。

ある晩、ジョッグから戻った走は、台所にいた清瀬に呼び止められた。清瀬は食卓に向かい、練習計画を練っていたらしい。ほかの住人は、みんなもう自分の部屋に引きあげているようで、竹青荘のなかは静かだ。走は雨に濡《ぬ》れた頭をタオルで拭《ふ》きながら、おとなしく清瀬の向かいの椅子《いす》に座った。

「全日本インカレへの出場は、見合わせよう。きみも俺も」

と清瀬は言った。驚いた走はもちろん、猛然と反発した。

「どうしてですか。俺は走りたい」

「不調なのは自分でもわかってるだろう。ハードトレーニングのせいで、少し貧血気味なんじゃないか。そういうときは無理をしないほうがいい」

「俺はハイジさんとちがって、故障してるわけじゃない。走っていれば、すぐに調子も戻ります」

「そうかな」

と清瀬は、練習日誌に目を落としたまま首をかしげた。「いまの状態でいくら走っても、無駄だと俺は思う。きみは、自分自身をちゃんと見ていない。ほかの選手と比べてどうだとか、そんなことばかり考えているだろう。そういうときにインカレに出たって、逆効果だ」

「話にならない」

走は食卓に拳《こぶし》を叩きつけた。「十七分の壁だって、まだ越えてないひとがいるような状況なんですよ？　箱根の予選会に出られるかどうかもたしかじゃないのに、俺にインカレに出るなだって？　じゃあ俺は、どこで記録を残せばいいんです。あんたたちにつきあって、この一年を無駄にさせるつもりか」

「きみは記録のためだけに走るのか」

清瀬も、手にしていた紙を荒っぽく食卓に放りなげた。走を正面から見据えてくる目に、わずかな苛立《いらだ》ちと怒りが宿っていた。

「それじゃあ、選手を管理してひたすらスピードを追求させる指導者とおんなじだ。かつて、きみが嫌って反抗したやつらと同じ考えだ！」

「ちがう！」

走は叫んだ。高校時代の監督と、ひとくくりになどされたくなかった。だが、どこがどうちがうのか、確信を持って清瀬に説明することもできなかった。走はたしかに、いつまでたっても遅いタイムでしか走れない竹青荘の面々を厄介に感じていたし、「なんて駄目なやつらだ」と馬鹿《ばか》にする気持ちもあった。

走は必死に言葉を探し、清瀬に訴えた。

「なあなあで走ってたって、速くなんてなれっこない。大学の陸上部で走って、箱根駅伝を目指すってことは、趣味で走るっていうレベルじゃないでしょう。俺たちがやってるのは、競技でしょう！」

「もちろんだ。なあなあで走ってるものなど、アオタケにはいない。俺は趣味や思いつきで箱根を目指してるつもりはない」

清瀬はもういつもどおり、冷静に答えた。「走、なにをあせってる」

「あせってなんか……」

「どうしたの？」

台所の入り口から、王子がひょこりと顔を出した。緊迫した気配を漂わせる二人を見比べ、

「喧嘩《けんか》？」

と尋ねる。

「なんでもないです」

と走は席を立ち、

「まだ寝てなかったのか。なにか飲むかい？」

と清瀬は微笑《ほほえ》んだ。

「ええ、喉《のど》が渇いちゃって」

まだ心配そうに走と清瀬をうかがいながら、王子が冷蔵庫を開ける。

台所から出ていく走の背に、

「インカレのこと、わかったね。これは先輩命令だ」

と清瀬が駄目押しした。

「はい」

と答えて廊下を横切った走は、自室のドアを乱暴に閉めた。

布団《ふとん》に横たわっても、眠りはなかなか訪れない。薄い窓ガラスの向こうから、その夜もひそやかな水のにおいが香っていた。

三度目の記録会で、キングも十七分以内のタイムを出すことができた。一人だけ残った王子も、プレッシャーのなかで一生懸命に練習してはいる。しかしそれも走に言わせれば、まだまだ甘いとしか思えないレベルのものだ。

だいたいどうして、王子さんはこんなに夜遅くまで起きてるんだ。暗い天井を見上げながら、走はいらいらと考える。だれよりも規則正しい生活をして、明日も朝早くから走りこむべき立場のくせに、どうせまた漫画を読んでいたにちがいない。

王子と清瀬は、台所でなにか話していたようだったが、やがてそれぞれの足音が自室に戻っていった。走の部屋の真上で、王子が歩く気配がする。

安普請《やすぶしん》の古い家屋なので、お互いの生活音は丸聞こえだ。目当ての漫画を探して、王子は自分の宝の山を掘り返しているらしい。ばさばさと本が畳のうえになだれ落ちる音がした。漫画読んでないで、早く寝ろ。走はタオルケットをかぶり、手足を縮めて念じた。

やがて二階から、手入れの悪い風車がまわるような音が響きはじめた。王子が漫画を読みながら、今夜もルームランナーでトレーニングしはじめたのだ。うるさくて眠れない。走はタオルケットをはぎ、布団のそばに転がっていたボールペンを部屋の天井に投げつけた。

そんな些細《ささい》な音に気づくことなく、王子は走の真上の部屋で、いつまでもいつまでもルームランナーを使って走りつづけていた。

王子だって頑張っている。最初はあんなに走るのをいやがって、すぐに音を上げていたのに、いまはだれに言われなくとも、深夜に一人で練習している。箱根駅伝に、その予選会に、竹青荘のみんなで出場するために。

だが走はどうしても、王子の努力を素直に認めることができなかった。結果のともなわない努力など、無意味としか思えない。

自分が怒りたいのか泣きたいのか笑いたいのかわからず、走は再びタオルケットをかぶって、じっと目を閉じた。両手で耳をふさいでも、軋《きし》みながらまわるルームランナーの音は、容赦なく階上の部屋から降りそそいだ。

六月末の二回目の東体大記録会で、王子はとうとう、十六分五十八秒一四というタイムを出した。十七分の壁を破ったのだ。竹青荘のメンバーはついに全員、箱根駅伝の予選会に出場する権利を得た。

レースが終わったあと、住人たちはグラウンドの隅で手を取りあって喜んだ。喜びが高じて、手をつないだまま円を描いてぐるぐる踊る。UFOを呼ぶ儀式のような円陣は、疲労困憊《こんぱい》した王子がへたりこむまで、まわりつづけた。

走は円には加わらず、少し離れたところで住人の姿を眺めていた。予選会に出場できることになって、うれしいし安心したのはたしかだが、喜ぶには早すぎると思った。

盛りあがる竹青荘のメンバーを見て、ほかの大学の選手たちが囁《ささや》いている。

「予選会に出られることになったんだって。なかなかやるね」

「どう考えても予選会止まりだけど」

「いい記念になるだろうから、まあいいんじゃない」

そう言って小さく笑っている。いろんな意味がこめられた笑いであることを、走は敏感に察した。

輪からはずれたところにいる走を見つけ、東体大の榊が近づいてきた。

「おまえら、箱根を目指してるんだってな。予選会で恥をかかないようにしろよ」

走は榊をにらみつけた。悔しかったが、なにも言い返せない。

「走」

と清瀬に手招きされ、走は榊を放って円陣のほうへ歩いていった。

「みんな、よく頑張ったな」

清瀬は淡々とねぎらった。「箱根に一歩近づいた。これからは、距離ものばしていけるように練習していこう。だがとりあえず今夜は、盛大に宴会だ。晩のジョッグを終えたら、双子の部屋に集合」

「やった！」

双子が歓声を上げた。走は笑顔の下に、冷めた気持ちを隠した。宴会なんて、しょっちゅうやってるじゃないか。

この時点での、メンバーのベスト公認記録を走は思い浮かべる。

走　十四分〇九秒九五
ハイジ　十四分二十秒二四
ムサ　十四分四十九秒四六
ジョージ　十五分〇三秒〇八
ジョータ　十五分〇四秒五八
ユキ　十五分三十六秒四五
神童　十五分三十九秒二三
ニコチャン　十五分五十九秒四九
キング　十六分〇三秒八三
王子　十六分五十八秒一四

メンバーのほとんどは、一線で戦えるほどの力がまだついていない。予選会を突破できるタイムからは、程遠いレベルにある。それが現実だった。

予選会出場を決めて、あせりから解放されるどころか、走の心はますます焦燥にかられた。だから双子の部屋での宴会でも、酒がちっともおいしくない。沸き立つ雰囲気に同調できず、走は窓辺に座っていた。

清瀬の手料理をあらかたたいらげ、一息ついたところで、住人たちは口々に王子を称《たた》えはじめた。

「どうなるかと思ったけど、王子は頑張ったよなあ」

　とキング。

「今日のラストスパートも、すごかったよ。十七分ぎりぎりで、ちゃんとゴールしたもんね」

　と神童。

「はい。王子さんの勇姿に、私は少し涙しました」

　とムサ。

　双子は王子へのご褒美《ほうび》として、商店街まで買いにいった早売りの週刊漫画雑誌を贈呈した。王子は酒もそっちのけで、早速読みふけりはじめる。ニコチャンとユキが、そんな王子を笑いながら見ている。

　走はむしゃくしゃして、

「そんなにすごいことですか」

　とつぶやいた。びっくりしたような視線が、走に集まる。もうあとには引けず、走は言った。

「王子さんのタイムは、誇れるようなもんじゃない」

「そりゃまあ、そうだね」

と王子は雑誌から目を離さずにうなずき、

「どういう意味だよ、走」

とジョータが息巻いた。いつもほがらかなジョージも、さすがに語気を強めて走に抗議した。

「王子さんは、三カ月でものすごくタイムを縮めたんだよ？　この調子で行けば、予選会のころには五千メートルを一瞬で走り抜けられる計算なんだから！」

「そんなわけはないな」

とユキがつっこむ。走は無視して、王子に向き直った。

「わかってるんですか、王子さん。漫画読んでる場合じゃないでしょう」

王子は「まったくだねえ」と聞き流したが、双子が怒って立ちあがった。

「やめろよ、走！　おまえ、最近変だ。なんだかこわいよ」

「そうだ。王子さんを責めるのはよせよな。言いたいことがあんなら、俺たち全員に向かって言えばいいだろ！」

「言ってやるよ！」

走もコップを置いて立った。「いまみたいにチンタラ走ってたって、箱根に行くことなんかできない！　絶対に！　それなのに、なんであんたたちがのんきに酒盛りしてられるのかが、俺には理解できないね！」

「走、走。きみだって飲んでるじゃないか」

神童が必死に、走の足首をつかんだ。「酔ってるんだよ。ね？　とにかく座って」

双子のほうは、ムサが抱えるようにしてなだめている。しかし竹青荘の一年生三人は、先輩たちの制止を振りきって、取っ組みあいをはじめようとした。

「ちょっと速く走れるからって、えらそうに言うな！」

「おまえが『言え』って言ったから言ったんだ！」

「言っていいことと悪いことがあるだろ！　みんなが走みたいにホイホイ走れるわけじゃない！」

「そういうことは、もっと練習してから言えよ！　いくら練習しても無駄かもしれないけどな！」

「走、それはさすがに言いすぎだ」とニコチャンが腰を浮かせようとし、「いい気になんなよ、このやろう！」とキングが双子より早く走に飛びかかろうとしたが、はたせなかった。

それまで黙っていた清瀬が、豹《ひょう》のような俊敏さと獰猛《どうもう》さで走に走り寄って胸ぐらをつかみあげ、

「この、ばかちんが！」

と怒鳴りつけたからだ。

「いいかげんに目を覚ませ！　王子が、みんなが、精一杯努力していることをなぜきみは認めようとしない！　彼らの真摯《しんし》な走りを、なぜ否定する！　きみよりタイムが遅いからか。きみの価値基準はスピードだけなのか。だったら走る意味はない。新幹線に乗れ！　飛行機に乗れ！　そのほうが速いぞ！」

「ハイジさん……」

清瀬のあまりの剣幕に、走のみならず部屋中の人間が驚いて動きを止めた。

「気づけよ、走。速さを求めるばかりじゃ駄目なんだ。そんなのはむなしい。俺を見ればわかるだろ？　いつか無理がくる……」

清瀬の言葉がふいに途切れた。走のシャツをつかんでいた手から力が抜け、清瀬はふらふらとよろめいた。

「ハイジさん！」

走はあわてて、清瀬の体を支えた。「ハイジさん、どうしたんですか！」

清瀬は青ざめ、ぐったりと目を閉じている。

「ちょっと、ハイジさん！　しっかり！」

走が頬をはたいても反応しない。「どうしよう、意識がないですよ！」

「えー！」

部屋のなかはパニックに陥った。ユキがすぐに清瀬の手首を取って脈を見る。

「双子、布団《ふとん》を敷け！　だれか、救急車。いや、医者を呼んだほうが早いな。大家さんに言って、すぐに往診頼め！」

ジョータとジョージは押入から布団を出しながら、「ハイジさん、死んじゃやだー」としゃくりあげ、神童とムサは窓から母屋《おもや》に向かって、「大家さーん！　助けてくださーい！」と叫び、王子はあわてふためいて一階に水を取りにいき、度を失ったキングはただうろうろした。

走はニコチャンとともに、清瀬を布団に横たえた。「そう心配するな」とユキに言われても、走は清瀬の枕元《まくらもと》から離れようとしなかった。大家が呼んだ近所のかかりつけ医が来るまで、走はうつむいて清瀬のそばに座っていた。

診療時間はとっくに過ぎていたが、顔なじみの老内科医は、すぐに駆けつけてきてくれた。医者は、布団を取り囲む住人たちをかきわけて清瀬に近づき、まぶたをめくったり聴診器を押し当てたり掌《てのひら》で熱の有無を確認したりした。そしてみんなを見まわし一言、

「過労」

と言った。「貧血を起こしたようだが、いまは気絶してるというより、寝てる」

「寝てる……んですか」

住人たちはいっせいに、医者から清瀬に視線を移した。たしかに、規則正しい呼吸とともに、清瀬の胸が静かに上下している。悪い病気ではなくてよかったが、大騒ぎして

医者を呼んだのはなんだったんだと、気が抜けた。

「睡眠不足で疲れがたまったんだろう」

医者は黒い鞄《かばん》を探り、手早く注射器の用意をした。「栄養剤を打っておこう。今夜はこのまま休ませなさい。なにかあったら、また電話してきていいから。じゃ、お大事に。あまり無理をさせちゃいかんよ」

「ありがとうございました」

一同は礼を言い、ユキと神童が玄関まで医者を送っていった。注射針が肌に刺さっても、双子がタオルケットをかけなおしても、清瀬は眠りつづけていた。

「俺のせいです。俺がハイジさんに心配かけたから……」

走はうなだれ、清瀬の寝顔を見守った。悔しくて情けなかった。六道大の藤岡ですら、清瀬の体調がよくないのを見抜いていたのに、走はなにも気づけなかった。走りに集中しすぎるあまり、一緒に暮らしているひとのことすら、目に入らなかったのだ。

布団を挟んで走の向かいに座った王子が、力なく首を振った。

「そうじゃない。僕がいつまでたっても速く走れないのがいけないんだよ」

釈迦《シャカ》の入滅を知った森の動物たちのように、走たちはしんみりと布団のまわりに集まっていた。見送りから戻ってきたユキと神童は、通夜《つや》のような雰囲気にたじろぎつつ、畳に腰を下ろした。

「考えてみれば、私たちはすべてをハイジさんに任せっきりでした」

とムサが言った。

「そうだよなあ」

キングが腕を組む。「記録会へのエントリーとか、事務的なこともそうだし、飯を作るのだって全部ハイジがやってくれてた」

「監督兼コーチ兼マネージャー兼寮監みたいな働きぶりだった」

とジョータ。

「練習だけでいっぱいいっぱいだったせいもあるけど、それにしても僕たち、ハイジさんに負担をかけすぎていたね」

神童は苦い思いを嚙《か》みしめているようだ。ジョージがあえて明るい口調で提案した。

「これからはさ、せめてご飯を作るのぐらいは当番制にして、みんなで協力していこうよ」

そこここで同意の声が上がった。

「そうとなったら、仲直りだな」

ニコチャンは言って、走と王子を交互に見た。

「はい」

王子はあっさりと、走はおとなげなかった態度が気まずくておずおずと、うなずいた。

「双子も、走を許してやれ」

　とユキが言うと、ジョータとジョージは照れくさそうにちらっと走を見、「もちろん」と声をそろえた。

「さあ、手打ちだ」

　とニコチャンが音頭《おんど》を取った。「ハイジの遺志を無駄にするな。一丸となって箱根に行こう」

「おう！」

　清瀬の眠る布団越しに、竹青荘の住人たちは固く手を握りあった。

「俺は死んだ覚えはないぞ。縁起でもない」

　と声がして、走ははっと枕のほうを見た。清瀬が目を開けていた。

「まったく、なんの騒ぎだこれは」

　腹のうえで複雑に絡《から》みあった住人たちの腕をどかし、清瀬は身を起こそうとした。

「寝ててください」

　走は急いで清瀬の肩を押し、再び布団に横たわらせる。「ハイジさん、倒れたんですよ。過労で貧血を起こした、ってお医者さんが言ってました」

「そうか。迷惑をかけた」

　自分を覗《のぞ》きこんでいる走の顔を、清瀬は見上げた。「でも、喧嘩《けんか》は終わったみたいだな。よかった」

走は改めて正座をし、「すみませんでした」と頭を下げた。

「俺、ずっといらいらして、あせっていました」

「ユキの部屋からの音漏れがうるさいせいだろ？」

ニコチャンが「わかるぜ」と共感を含んだ目で言った。

「それを言うなら、天井の軋《きし》みのせいじゃないか」

ユキの言葉に、やましいところのある王子がびくつく。走は急いで、「いえ」と言った。

「アオタケに来るまえからです。ただ走るだけで、あんまりまわりが見えてなかった」

どうすればいいのか、いまも本当のところよくわかっていない。速さ以外の、なにを指標にして走っていくべきなのか、走はまだ見いだせなかった。でも、と走は顔を上げる。

「これからは、俺も本気で箱根駅伝を目指します」

「ええー!?」

双子の部屋は驚愕《きようがく》で揺れた。

「これからは、って、じゃあいままではなんだったの？」

ジョージは嚙みつきそうな勢いだ。

「いや、なんとなく話を合わせておこうかな、っていうぐらいだった」

走は正直に言った。「どうせすぐに、みんな飽きてやめるだろうと思ってたし。ごめん」

「その程度のモチベーションなのに、よくあれだけ練習できるね」

と、神童は感心しきりだった。

「俺、走る以外に得意なことがないですから」

走は真面目《まじめ》に言ったのだが、ユキは「やれやれ」と首を振り、キングは「おまえ変態だな、走」とあきれかえった。

「走ってすごいよねえ。すごすぎておかしいよ」

ジョージが笑いを押し殺す。おかしいってなんだ、と走はちょっと憤然としたが、清瀬までもがうなずいているのを見て、抗議はしないでおいた。

「漫画を読むのはやめられないけど、僕ももっと頑張ることにする」

と、王子が顔を上げて宣言する。

わだかまりがまったくなくなったわけではないが、同じものを目指していこうという気持ちが、はじめて全員の胸に、等しく芽吹いた。

その様子を眺めていた清瀬が、

「走」

と呼んだ。走は正座したまま、枕に頭を載せている清瀬に少し近づいた。

「長距離選手に対する、一番の褒《ほ》め言葉がなにかわかるか」

「速い、ですか？」

「いいや。『強い』だよ」

と清瀬は言った。「速さだけでは、長い距離を戦いぬくことはできない。天候、コース、レース展開、体調、自分の精神状態。そういういろんな要素を、冷静に分析し、苦しい局面でも粘って体をまえに運びつづける。長距離選手に必要なのは、本当の意味での強さだ。俺たちは、『強い』と称《しょう》されることを誉《ほま》れにして、毎日走るんだ」

走も、ほかの住人たちも、清瀬が語ることにじっと耳を傾けた。

「この三カ月、きみの走りを見て、俺はますます確信した」

と清瀬はつづけた。「きみには才能と適性がある。だからね、走。もっと自分を信じろ。あせらなくていい。強くなるには時間がかかる。終わりはないと言ってもいい。老人になってもジョギングやマラソンをするひとがいるように、長距離は一生をかけて取り組むに値する競技なんだ」

走ることへの走の情熱は、常に曖昧《あいまい》な情動にも似て、走の心を不安定に揺らがせている。だが清瀬の言葉は、もやもやと暗くたゆたうばかりの走の内面に、なんて鮮やかに切りこんでくるのだろう。それは胸を一閃《いっせん》し、なだれをうって走を照らす光だ。

しかし面映《おもはゆ》さも手伝って、走は反論してしまった。

「でも、老人に世界記録の更新はできません」

「大きく出たじゃねえか」

とニコチャンがからかい、しょうがないなというように、清瀬も微笑《ほほえ》んだ。

「俺もそう思っていた。故障するまでは」

清瀬は穏やかに言った。「だがお年寄りのランナーのほうが、走よりも『強い』ということはありうる。長距離の奥深いところは、そこなんだよ」

清瀬の言葉は、走だけではなく居合わせたもの全員に向けられたものだった。疲れたのか、清瀬は話しやめてまぶたを下ろした。ジョータとジョージが、

「ハイジさん、ここで寝ちゃやだー」

と清瀬を揺すった。

「うるさい。解散」

と清瀬がもごもご言う。

一同は静かに双子の部屋を辞した。

走が最後に廊下に出た。ドアを閉めるときに振り返ると、押入から出したもう一組の布団に、双子がぎゅうぎゅうともぐりこんでいるのが見えた。

ハイジさんの言った、強い走りとはなんだろう。走は考える。腕力や脚力の強さでは

ないのはわかる。でも、精神力だけを指しているのでもなさそうだ。

走はふと、子どものころに見た雪野原を思い出した。早起きして近所の野原に行くと、夜のあいだに積もった雪が、見慣れた景色を一変させていたのだ。だれの足跡もついていない白い野原を、走は走った。きれいな模様を描くために、心のおもむくまま走った。走ることを楽しいと思った、一番最初の記憶だ。

強さとはもしかしたら、微妙なバランスのうえに成り立つ、とてもうつくしいものなのかもしれない。あのとき雪のうえに描いた模様みたいに。

そう思いながら、走は音を立てないようにそっと階段を下りた。

翌日は、ひさしぶりに晴れた空が広がっていた。走が早朝のジョッグを終えて戻ってくると、竹青荘の庭先で清瀬がニラに餌《えさ》をやっていた。

走の姿を認めた清瀬は、「おかえり」と言った。「ただいま」と走は返す。

澄んで輝く朝の光。いつもどおりの、新しい一日のはじまりだった。

五、夏の雲

「こう暑くっちゃ、練習にならないなあ」

「でも練習しないと、住むとこなくなっちゃうよ……」

走《かける》が台所で昼食の素麺《そうめん》を湯がいていると、そんな会話が背後から聞こえてきた。ジョータとジョージが、玄関先の廊下に寝そべって涼んでいるのだ。

清瀬《きよせ》が倒れて以来、竹青荘《ちくせいそう》の住人たちは体調管理にいっそう気をつけるようになった。往診してくれた近所の内科医のところで、月に一度は全員で貧血検査を受けることにした。サプリメントは何種類も台所に常備されているし、寝るまえにはあちこちの部屋で、マッサージ合戦が繰り広げられる。

それでも、暑さだけはどうしようもない。

大学の前期試験も終わり、夏休みに突入したいま、気温は暴力的なまでに煮立ったものになっていた。竹青荘にはもちろんエアコンがついていないから、玄関も各部屋のドアも開けっ放しだ。住人たちは少しでも過ごしやすい場所を求めて、廊下をなめくじのように這《は》いまわっていた。

大鍋《おおなべ》から上る熱気と湯気が、そのまま皮膚に貼《は》りついて汗に変わる。走は素麵を手早くザルに移して流水にさらし、麵つゆとミネラルウォーターと氷を食卓に置いた。

「できたよ」

Tシャツの肩口で汗をぬぐいながら声をかけると、双子《ふたご》はむっくりと起きあがった。

ジョータは食卓を見て、

「貧しいなあ。せめて薬味はないのかよ、薬味は」

と文句を言う。

「いま、ハイジさんが庭にシソを摘みにいってくれてる」

ザルに山盛りの素麵を食卓の真ん中に据え、走は空いた大鍋の底をおたまで叩《たた》いた。

竹青荘のそこかしこから、瀕死《ひんし》の蛇みたいな住人が出てきて、台所に集まった。

「ハイジはどこまでシソを取りにいったんだ」

「神童《しんどう》さんもいないです。どうしたんでしょう」

「それにしても、大家さんはひどいよ。あんなに怒ることないじゃない」

「当然だと思うけど」

住人たちは、素麵をすすりながらため息をつくという、器用な芸当を見せた。

清瀬が倒れた夜、心配した大家は、竹青荘に入ってこようとした。神童とムサは必死に大家を押しとどめ、敷居をまたがせなかった。

不審に思った大家は翌日、住人たちが大学に行っている隙《すき》に、竹青荘に上がりこんだ。そして玄関先で早速、頭上の双子の部屋にあいた穴を発見してしまったのだ。

我が子のように大事にしているボロアパートに、穴をあけられた大家の哀《かな》しみは深かった。住人たちを集め、大家は通告した。

「竹青荘の修繕費が必要だ。積み立てのため、家賃を引きあげる」

「えー！」

「えーじゃない！『箱根駅伝で活躍して、合宿所を新築してくれる強力なスポンサーをつかんできます』ぐらい言わんかい！」

「そこまでしてくれるスポンサーなんていないよ」

と、穴をあけた張本人であるジョータがぼやいたが、大家のひとにらみで黙った。

「まだまだエネルギーが有り余っとるようだし、箱根ぐらい楽勝だろう。家賃引きあげがいやなら、なにがなんでも箱根に出ることだ」

これ以上刺激すると、高齢の大家は怒りのあまりぽっくりいってしまうかもしれない。

一同はおとなしく、「わかりました」と言うしかなかった。

「引っ越しなんて、とても無理だし。家賃据え置きのためにも、練習したいけど……」

と、部屋に漫画をためこんでいる王子《おうじ》が言う。「夏に走るのって、はっきり言って自殺行為じゃない？　ほかの陸上部は、どうしてるんだろ」

「たいてい、涼しいところで合宿しますね。北海道《ほっかいどう》とか」

と走は答えた。

「北海道！」

ジョージはその言葉だけでうっとりした。カニとかウニとかラーメンとか、考えていることが麵つゆに映りそうなほどわかりやすい。早いうちに現実に引き戻したほうが傷も浅いだろうと判断し、走は咳払《せきばら》いした。

「俺たちは無理だよ。金がないから」

がっかりしたジョージが、溶けかけた氷とともに素麵を飲み下したそのとき、清瀬と神童が台所に駆けこんできた。

「遅えぞ、ハイジ。食い終わっちまった」

そう言ったニコチャンに、清瀬は手に持っていたシソの葉を押しつけた。

「灼熱《しゃくねつ》地獄の東京を脱出しよう。合宿に行くぞ」

「北海道⁉」

双子が立ちあがる。

「いや、白樺湖《しらかばこ》だ」

北海道ほどのインパクトには欠けるが、蓼科《たてしな》高原にある白樺湖も、有名な避暑地だ。

「でも、合宿費用はどうするんですか」

走が尋ねると、

「商店街の有志が、協力してくれるそうだ」

と清瀬は言った。「泊まるのは、『バッティングセンター岡井《おかい》』のオーナーが、白樺湖に持っている別荘。合宿中の食材は、八百勝《やおかつ》さんほかが提供。往復の交通手段はアオタケのバンだし、金はそんなにかからない」

「資金繰りについては、安心していいよ」

と神童が請けあう。「商店街にも大学関係者にも、僕たちが箱根を目指していることを宣伝中だ。後援者はきっと増えてくる。それに、ニコチャン先輩の針金人形が、予想以上の売れ行きを示してますからね」

「なに？」

ニコチャンが呆然《ぼうぜん》として言った。シソをちぎっては、素麺を食べ終えていないものの器に分配していた手の動きが止まる。

「あれを売ってんのか。いったいどこで、だれがなんのために買っていくんだ、あんなもの」

「雑貨屋に置いてもらったら、女の子たちに好評なんですよ。魔よけの人形、キモカワイイー！って」

神童は微笑《ほほえ》んだ。「これからもどんどん作ってくださいね」

「やったー！　がっしゅく、がっしゅく！」

ジョータとジョージが手を取りあって喜ぶ。王子の姿はすでに台所から消えていた。それぞれに、楽しい合宿になんの漫画を持っていくか、自室で検討をはじめたらしい。

夏合宿への夢想は広がる。

湖畔を吹き抜けるさわやかな風。白いワンピースを着た美少女と、焼きトウモロコシをかじりながら一緒に白鳥ボートに乗る俺。やがて秋が訪れても、俺たちの愛は終わらない。東京での再会を約し、白樺林のなかで、しばしの別れに涙するのだった……。

「と、思ってたのに」

ジョージはふくれっつらになった。「なんで現実はこうなわけ」

バッティングセンターのオーナーから借り受けた別荘は、長く使われていなかったらしく、半ば朽ち果てかけていた。

清瀬の運転する白いバンに乗って、白樺湖畔の針葉樹林のなかにある別荘に到着した一行は、室内の掃除で合宿一日目を終えた。床をぞうきんがけし、風呂《ふろ》を磨き、暖炉の煤《すす》を払ったことで、ログハウスはようやく少し息を吹きかえしたようだ。

木立のあいだに建つ別荘は、最初に見たときは熊《くま》が作った丸太のねぐらみたいだった。手入れを終えたいまは、なんとか人間の住処《すみか》に見える。走は安堵《あんど》し、拾ってきた枝きれを暖炉にくべた。

「ジョージの想像は、陳腐すぎるんだよ」

と、埃《ほこり》で顔を真っ黒にしたジョータが言った。「俺は、こういうオチだと思ってた」

昼に見たかぎりでは、白樺湖に避暑に来るのは、家族連れや老夫婦が多そうだ。白鳥ボートは、湖畔の小さな遊園地から流れる音楽に合わせ、わびしくさざなみに揺れていた。

「涼しいのはいいことですが」

ムサがTシャツのうえにパーカーを羽織った。「日が暮れたら、寒いくらいですね」

走が暖炉に火を入れると、なんとなくそのまわりにひとが集まった。窓の外は真っ暗で、梢《こずえ》のこすれる音しかしない。

「夕飯の下ごしらえは終わった。あとはルーを入れるだけだ」

と、しばらく炎を眺めていた清瀬が言った。「そのまえに、ひとっ走りしてこよう」

「またカレーかよ！」

「やだ！　掃除で体力使いはたした！」

「こんなに暗いのに、車にはねられたらどうすんだ！」

清瀬はもちろん、抗議を聞き入れない。追い立てられるようにシューズを履いて、全員で未舗装の林道へ出た。

「まだ道もよくわかんねえのに」

ニコチャンがぼりぼりと頭を掻《か》いた。「湖はどっちだ」

「坂を下れば、いずれは湖畔に出るでしょう」

ユキの先導のもと、縦一列になって走りはじめる。最後尾についた清瀬が、指示を出した。

「湖は一周、三・八キロだ。各自ジョッグで三周したら、別荘に戻って夕食」

「はーい」

舗装された湖畔の道へ出ると、それぞれのペースで走りはじめる。土産物屋も小さな美術館も、すでにシャッターを下ろしている。二つほどある大きなホテル以外は、明かりを灯《とも》す建物もない。景色を楽しむこともなく、探るようにはじめてのルートを進む。走は清瀬と並んで、ゆるやかなカーブを描く夜の道を走った。岸に寄せる水の気配だけがたよりだ。

いつもとちがう空気のなかで、いつもとちがう道を走ることに、走はあまり不安を感じなかった。距離感は体に叩きこまれている。一周が三・八キロとあらかじめ聞いておけば、では自分がいまどのあたりを走っているのか、速度と体感によって自動的に把握することができた。

見知らぬ土地を走る、高揚と楽しさだけが走のなかに満ちる。

「監督は？」

隣を走る清瀬に、走は尋ねた。「また碁会所ですか？」

「さあ。そのうち合流するだろう」

清瀬はちょっと首をかしげる。「どうしてだか、大家さんは俺の運転する車に乗りたがらないんだ」

朝、竹青荘を出発するとき、大家は庭で一行を見送った。大家は、商店街からもらった食料が、バンの後ろに積みこまれるのを満足げに眺めていたが、ついに自身は乗りこもうとしなかったのだ。

「ハイジさん、すごく運転がうまくなったのに」

言ってから走は、「やべ、フォローになってない」と思った。しかし、清瀬がものすごい勢いで運転技術を上達させているのは事実だった。白樺湖までの道中、車内で眠っているものもいたぐらいだ。一回目の東体大《とうたいだい》記録会のころは、曲芸飛行をするスペースシャトルに乗ったみたいで、座席で硬直したり気絶しそうになったりすることはあっても、清瀬の運転に身を委《ゆだ》ねて眠るなど考えられなかった。

「俺は、なにごとに関しても習得が速いんだ」

ハイジは淡々と言った。「凝り性だから、研究と練習を熱心にしてしまう」

走は例の俗説を思い出し、「えー、じゃあ、あっちのほうも……」ともやもやしたが、清瀬に尋ねる勇気はない。

「そうですか。そうですね」

と、うなずいておいた。

遅れて走るメンバーを追い越し、走と清瀬は一番に別荘に戻った。湖を三周するうちに、高原のひんやりと湿っぽい夜気など気にならなくなる。体をほぐし、走は風呂に湯を張った。清瀬は氷の入ったビニール袋を押し当て、右のふくらはぎをアイシングする。負荷のかかった筋肉が、炎症を起こさないようにするためだ。

「調子、どうですか」

「問題ないよ」

清瀬は微笑んだ。「先に風呂に入ってくれ」

走が風呂から上がり、清瀬と交替して台所でカレーの鍋《なべ》をかきまわしていると、ジョッグを終えたものたちが帰ってきた。汗に濡《ぬ》れたTシャツを脱ぎ、どやどやと風呂場に入っていく。

シャワーを取りあう声や、音程のはずれた鼻歌が、台所まで響いた。清瀬は風呂から弾《はじ》きだされたらしい。まだ髪の毛を濡らしたままで、炊飯器の蓋《ふた》を開ける。走は清瀬と協力して、大きな一枚板のテーブルに夕飯を並べた。

山盛りのカレーライスとサラダ。プロテインの粉末を混ぜた牛乳。デザートは桃だ。すべて、商店街から寄せられた食材だった。

風呂でさっぱりした面々が食卓につく。さて食べようとスプーンを持ったところで、

「ちょっと待て」

と清瀬が言った。「人数がたりないようだが？」

顔を見合わせる。ムサと神童がいなかった。

「おかしいですね。王子さんも帰ってきてるのに」

「僕が最後の一周を走ってるときには、まえにも後ろにも、もうだれもいなかったと思うけど」

と王子が首をかしげる。

「まさか、遭難じゃないだろなあ」

キングが立って、ダイニングの窓から表を眺めた。清瀬が、

「ここに帰ってくるあいだに、ムサと神童を見かけたものは？」

と聞く。だれも手をあげない。ニコチャンが階段を上がっていった。林のなかで目印になるよう、二階の電気をつけてまわる音がする。

「どこ行っちゃったんだろう」

「探しにいったほうがいいんじゃない」

双子が不安そうに提案した。

「いや、これ以上迷子を増やしてもまずい。もうしばらく待ってみよう」

そう言いながらも清瀬は、心配でたまらないのだろう。玄関のドアを開け、闇《やみ》に沈んだ林道を見つめた。耳を澄ませても、ムサと神童の足音は聞こえない。カレーが冷めていくが、夕飯どころではなくなった。

走も清瀬とともに、戸口にたたずんだ。二階から降りてきたニコチャンが、「なあに、たとえ一晩ぐらい野宿したって、平気だよ」と清瀬の肩を叩《たた》く。

そのとき、背後の勝手口が勢いよく開いた。驚いて振り向くと、ダイニングの奥、台所の横手から、ムサと神童が入ってくるところだった。

台所の裏は、道もない急斜面だ。まさかそんなところからムサと神童が登場するとは思っておらず、走は呆気《あっけ》にとられた。

「大変、大変！」

「東体大も白樺湖に来てるんですよ！」

と、ムサと神童は叫んだ。

気を取り直し、全員でテーブルを囲む。カレーライスを食べながら、ムサと神童が語ったところによると、別荘よりもさらに山を登ったところに、東体大のクラブハウスがあったのだそうだ。

「まだ新しい建物ですよ。明かりがついてるから、てっきりこの別荘だと思って近づいたら、東体大のやつらが飯を食ってるのが窓越しに見えたんです」

と神童は言った。

「ちなみにメニューは焼き肉でした。あれは最高級の和牛だと思われます」

とムサが補足する。キングが黙然と、豚挽肉《ひきにく》入りカレーをかきこんだ。

「どうして、山を登ったりしたんだ」

と清瀬が尋ねた。

「登りたかったわけではないです」

「暗くて道に迷ったんですよ」

ムサと神童はあっさりと答える。

「神童。きみは、山には慣れてるんじゃなかったか」

「慣れてるけど、方向音痴でもあるんですよねえ」

「私もです。友人に誘われても、決してサバンナには行くなと、本国でも親にきつく言われていたほどで」

こめかみを揉《も》む清瀬に、走は小声で話しかける。

「どうするんです、ハイジさん。神童さんを、箱根の山上り区間にエントリーするつもりだったんでしょう?」

「ああ」

清瀬はうめいた。「駅伝テレビ中継史上初の、リアルタイム箱根遭難劇が見られるかもな」

「先導車もいるし、それはないと思うが」

ユキは冷笑する。「いざとなったら、神童の野生の嗅覚《きゅうかく》に託すしかない。箱根の山の道なき道をかきわけて、芦ノ湖《あしのこ》へ先まわりしてもらおう」

「え、そういうのってアリなの？」

会話を聞きつけたジョージが、ほがらかに疑問を呈した。

「アリなわけがないだろう。ルートをはずれたら失格だ」

と清瀬がたしなめ、

「昔はあったらしいぜ」

と、キングが雑学を披露した。クイズマニアだけあって、箱根駅伝についての豆知識も調べたらしい。

「参加校が四校ぐらいだった、大正時代の話だけどさ。どの大学も、一番熱心に取り組んだのは練習じゃなく、箱根の山でいかに近道を発見するか、ってことだったんだって。まあ箱根駅伝にも、ラジオの中継も入ってないような、牧歌的な時代があったってことだな」

「そんなの、ズルじゃないの？」

王子は桃の皮を剝《む》きながら言った。ニコチャンがご飯をおかわりしながら笑う。

「大学生が考えそうなことだなあ」

箱根の獣道を行く大正時代の学生たちを、走は思い浮かべた。ライバルと必死に張りあって、でもちょっと楽をしたいなあと算段したりもする。いまとあんまり変わらない、おバカで明るい学生たちの姿だ。

「近道は、予選会を突破したら探すとして」

「だめだってば」

「問題は東体大だ。どうする？」

とユキが言った。

「明日から、湖沿いの道で確実にかちあいますね」

と神童もつぶやく。走は無言で闘志をみなぎらせた。ジョッグといえど、東体大の選手には絶対に抜かれるものか。

「喧嘩《けんか》するなよ」

と清瀬が注意した。「湖はひとつしかないんだ。譲りあって仲良く走ろう」

竹青荘の面々は、別荘の二階で毛布をかぶって雑魚《ざこ》寝《ね》し、小鳥のさえずりとともに起床した。ストレッチをし、清浄な空気のなかで、まずは朝食前のジョッグを。そう思ってみんなで湖畔の道に出たとたん、東体大の選手たちと行きあった。

そろいのジャージを着た東体大の陸上部員は、開店前の土産物屋の駐車場で、朝のミーティングを終えたところだった。五十人ほどが、レベル別に隊列を組んで、ジョッグをはじめようとしている。

監督と、数人いるコーチらしき人物が車に分乗し、それぞれの隊について伴走するようだ。統率の取れた東体大のメンバーが、上級生から順に走りだす。ジョージは「すごいなあ」と、素直に感嘆してみせた。

寛政《かんせい》大学の長距離部員は、竹青荘の十人しかいない。練習前のミーティングをしたこともないし、監督はあいかわらず不在のまま。着ているものもばらばらだった。双子など、白樺湖の景観を著しく損なう、ハワイ土産の極彩色のTシャツだ。

東体大一年の榊《さかき》が、こちらに気づいたようだった。一緒に走っていたチームメイトに、なにか耳打ちする。ざわめきがすみやかに東体大の一団に広がり、特に一年生のなかには、振り返って走たちを見るものが続出した。

「なんだか、やりにくいですね」

とムサが気弱になる。緊張しがちなキングは、別荘に帰りたそうだ。

「行きましょう」

走はどこまでも強気だった。走ることで遅れをとったりしない。だれにも。

「朝からなんなの、その元気は」

ぶつぶつ言いながらも、竹青荘の面々も走に引きずられるように走りだす。清瀬は言った。

「走のことは放っておいていい。自分のペースを守れ」

走はそれを聞き、少し笑う。放っておけと言ったのに、案の定、清瀬はすぐに走に追いついてきた。二人の前方では、榊がちらちらと振り向いては、後ろ手に手招きしてみせている。

「挑発に乗るなよ」

「乗って、追い越すこともできますけど」

「リズムを崩すな。今朝のジョッグは、五キロ二十分のペースで流す」

走は清瀬を見た。清瀬は静かな表情で、まえを向いて走っている。自分の体の声に、じっと耳を傾けるような顔つきだ。東体大の集団も、たまに通りすぎる自動車も、走りに集中しはじめた清瀬にとっては、存在しないも同然らしい。湖と針葉樹林の狭間《はざま》で、ただ黙々と体を運ぶ。

「はい」

と走は言った。清瀬に倣《なら》い、もう榊を気にするのはやめた。五キロを二十分。その速度で走るときの、筋肉と心肺の働きだけを意識する。苦しくはないペースだ。余裕をもって、心身に血がめぐっていくのを確認できる。

勢いよく昇りはじめた太陽に向けて、鳥が澄んだ声で鳴いている。山の高いところから吹いてきた風が、湖面に小さな波を立てる。

強さってなんだろう。走はふと、また思いを馳《は》せた。たとえば、ハイジさんのこの静けさ。揺らがず、冷静に、自分だけの世界を走っている。俺はハイジさんよりいいタイムで走れるけれど、ハイジさんより強い自信はない。すぐにカッとしてしまうし、負けたくないと、そればかりを思ってしまう。

走は、知りたいと思った。強さを、自分に欠けているものを、知りたいと。そんなふうに思うのは、はじめてだった。これまでの走はいつも、なにかに急《せ》き立てられるように、体の要求するままに走っていた。

個性的なメンバーを、清瀬は縛ることも強制することもなく、しなやかに導こうとしている。走は振り返ってみた。湖畔の道を、竹青荘の住人たちが走っている。まだ実力にはばらつきがあるが、それでもしっかりしたフォームで、ジョッグに励んでいる。春にはあんなに文句を言っていたのに、三カ月のあいだ努力したことで、なんとか陸上部員らしく見えるところまで来た。

走は顔を正面に戻し、少し目を伏せた。地を蹴《け》る足の指から、振り抜く腕の指先の流れにまで、意識を張り巡らせる。

ハイジさんについていけば、きっとなにかを見ることができる。ずっと見たいと願ってきた、とてもきらきらしたなにかを。

東体大の一年生たちは、榊を中心に、寛政大に対してこまごまとちょっかいをかけてきた。

湖畔の道を走っているときに、横一列に広がって進路妨害をする。集団で走を取り囲むように走り、プレッシャーをかける。監督や上級生の目を盗んで、あれこれとからかってくる。

走は、さして気にもしなかった。高校時代までの部活動や試合で、そんないやがらせには慣れっこになっていた。囲まれたら振りきってまえに出ればいいのだし、行く手を阻《はば》まれたら対向車線にはみでるようにして追い越せばいい。

だが、竹青荘の住人のほとんどは、初心者に毛が生えたようなものだ。走るときの駆け引きを知らない。東体大の一年生たちのいやがらせに、すっかり萎縮《いしゅく》し、ペースを乱されがちになってしまった。

「おとなげないことをする」

最初は様子を見ていた清瀬も、ついに黙っていられなくなったらしい。夕方のジョッグを終えた時点で、抗議をしにいった。

東体大の一年生ばかりが二十人ほど、土産物屋の駐車場でたむろしている。そこへ清瀬は、ひるむ素振りもなく近づく。清瀬だけを危ない目に遭わせるわけにはいかない。清走たちも急いであとを追った。

ひぐらしの声が、湖畔の空気にわびしく響く。「一人あたり、二人ぶちのめせばいい勘定だな」とニコチャンが指の骨を鳴らし、ムサが足首をまわしてほぐした。東体大の一年生たちが、会話をやめて振り向く。駐車場の真ん中で、両校の選手は対峙《たいじ》した。

「練習の邪魔をするのは、やめてもらいたい」

と清瀬が静かに切りだした。東体大の一団のなかから、榊が割って出てきた。

「そちらこそ、言いがかりはやめてください。俺たちが邪魔をしたっていう証拠でもあるんですか」

「ある」

とユキが言い、ポケットから携帯電話を出して突きつけた。待ち受け画面には、歩道いっぱいに広がって走る東体大生と、その後ろで窮屈そうにしている走の姿が、しっかりと映しだされていた。

「あとでフォームの確認ができるように、と思ってね。そうしたら、おもしろいものが撮れたってわけだ」

「気持ちはわかるが、携帯は置いてこい」

と、清瀬はユキに注意した。「余計なものをポケットに入れて走ると、それこそフォームのバランスが崩れるぞ」

問題とすべきなのは、そこなのかなあ、と走は思った。ユキの行為も研究熱心すぎていやだし、それに動じず、あくまで走ることしか考えていない清瀬も怖い。榊も、あきれたようでも居心地が悪そうでもある表情になった。

清瀬が再び、東体大の一年生たちに向き直る。

「話はそれだけだ。このピンぼけ写真を、きみたちの監督やキャプテンに見せにいくようなことは、俺もできるならしたくない。わかってもらえるとうれしいんだが」

「もちろん、わかります」

と榊は薄く笑った。「東体大は真剣に練習して、箱根を目指してるんですよ。思いつきで走ってるひとたちのことなんか、かまっていられません」

「気が合うな」

清瀬のこめかみに青筋が浮いたのを、走は見た。「ガキくさいいやがらせで、真剣な練習の邪魔をされるのは、本当に迷惑なものだ」

清瀬と榊は正面から激しくにらみあう。ハイジさん、と走は囁《ささや》き、なだめるようにそっと腕に手をかけた。

「真剣の定義がちがうんじゃないかな」

榊は厳しい口調で言った。「勝負してみませんか。そちらの十人と、こっちの一年生十人で湖畔を走って、タイムを競うんです」

あからさまな挑発に、走の脳は沸騰《ふっとう》した。榊に向かい、

「やってやろうじゃないか」

と怒鳴る。榊が走りに打ちこんでいるのはわかるが、だからといって竹青荘の住人たちを侮《あなど》るのは許せない。榊の態度は、このあいだまでの自分自身の姿を見るようで、不快でたまらなかった。走を押しとどめようと、今度は清瀬が走の腕をつかんだが、それを振り払ってなおも言う。

「おまえは俺に、言いたいことがあるんだろ。だったら俺とおまえで勝負すればいい。俺に勝てないからって、このひとたちを巻きこむのはよせよ！」

「あいっかわらず、蔵原《くらはら》は自信過剰だな」

榊もひるまずに応戦した。いまにも殴りあいがはじまりそうな二人のあいだに、さすがに両校のものが割って入った。ニコチャンに羽交い締めされた走は、まだ息も荒く榊をにらむ。榊もチームメイトに両腕を取られたまま、走を蹴ろうと脚をばたつかせていた。

「勝負なんかしてる場合か？」

走と榊に言いきかせるように、清瀬は静かに告げた。「練習に専念しろ」

榊はチームメイトから腕を取りかえし、乱れたジャージを整えた。順繰りに、走と竹青荘の面々を見る。

「楽しいか？」

と、榊は低く尋ねた。「やっとできた仲間と一緒に走るのは、楽しいか蔵原」

「もういい」

清瀬はさえぎり、榊に背を向けた。「帰ろう」

清瀬にうながされたが、走は動かなかった。仲間なんて言葉を、おまえが使うな。怒りと悔しさで、頭の芯《しん》が痛むほどだ。走はニコチャンの羽交い締めから逃れ、榊をにらんだまま、じっと立っていた。榊は言葉をつづける。

「おまえをもてはやしてくれるやつらと、仲良くかけっこできて満足か？」

「ちがう！」

おまえらこそ、俺の速さをもてはやすばっかりだったじゃないか。そのくせ、裏には嫉妬《しっと》とライバル意識が渦巻いていて、俺はあの高校の陸上部が大嫌いだった。表面上は仲のいいふりをして、陰で足を引っ張りあうような真似《まね》をするおまえらが、ヘドが出るほど嫌いだったよ。

走はそう言いたかったが、憤《いきどお》りのあまり、うまく言葉にならなかった。頭の片隅に、榊になにを言われてもしかたがない、という思いもあった。

俺のしたことが、榊は許せないんだ。耐えろ、と自分に念じ、走は拳《こぶし》を握りしめた。俺のせいで、榊は高校最後の大会に出場できなかったんだから、怒るのは当たり前だ。ニラが吠《ほ》えてるなあと思って、耐えるんだ。

「いま、仲良くかけっこできてるのに、どうしてあのときはできなかったんだよ。なんで俺たちの努力を無にするようなことをしたんだよ。ちょっと我慢すればいいことだったじゃないか」

無理、耐えられない。ニラはかわいいけど、榊はかわいくねえから！　榊に畳みかけるように問いただされ、走はあっさりと忍耐を放棄した。

「我慢がきかない性格なんだよ、俺は！」

ライオンも逃げそうな気迫で反撃する。俺のほうこそ、「なんで」と言いたい。なんで、あの息苦しくてたまらない部内の空気に、おまえは黙って耐えるばかりだったんだ。言葉が胸にあふれたが、それを口にするまでに、走はいつも時間がかかる。走の反撃は、象の行進みたいな榊の勢いに、あっけなく踏みつぶされてしまった。

「いい気になるなよ蔵原！」

榊は低い声音で一息に言った。「試合に出られなくても、どうせ自分だけは大学からお呼びがかかると踏んでたんだろうけど、残念だったな。おまえは結局のところ、自己中で勝手な……」

「もういい、と俺は言ったはずだが」

清瀬のひんやりとした声音が、サバンナの猛獣合戦といった様相を呈していた二人を凍りつかせた。走は我に返り、すぐ後ろに立つ清瀬をそっとうかがう。清瀬は氷のような無表情だ。清瀬の背後では双子が、「もうやめとけ」「ハイジさんが爆発寸前」と、身振り手振りで必死に忠告を寄越していた。

走が戦意を喪失したのを見て取ると、清瀬は底冷えのする視線を榊に向けた。

「きみにも言い分があるのはわかる。だが走はいまは、寛政大学の選手だ。無闇《むやみ》に傷つけたり動揺させたりするのは、やめてもらいたい」

今度こそ帰るぞ、と清瀬は宣言し、走を林道のほうへ押しやった。Tシャツの裾《すそ》を引っ張られ、走は清瀬とともに歩きだす。

「榊くんにナニしたわけ、走は」

「さあ？　でもなんか、各方面からモテモテって感じ？」

キングとジョータは、こそこそと想像をたくましくする。さっさと来い、と清瀬に言われ、竹青荘の住人たちは駐車場から引きあげはじめた。

「土壇場《どたんば》でそいつに裏切られないように、あなたがたも気をつけたほうがいいですよ」

榊が投げかけた言葉に、清瀬はちょっと振り返って笑みを浮かべた。

「俺たちがいかに仲良く真剣に走っているか、予選会で見せてあげよう。ああ、でもきみたちは雑用で手一杯で、見る暇がないかもしれないな。ま、頑張ってレギュラーの座を獲得してくれ」

「おとなげないのはどっちだ」

「性格悪いんだよ、ハイジは」

ニコチャンとユキは肩を震わせる。寛政大の陸上部は、レギュラー争いとは無縁だから気楽だ。

「十人しかいない弱小部にも、いいところがあるということです」

ムサは気の毒そうに、悔しげな東体大の一年生たちを見た。

走は、隣を行く清瀬をうかがった。青筋は消えていたが、なにか考えこんでいるらしく、表情は険しいままだ。また迷惑をかけてしまった。あふれそうになるため息を、必死に飲み下す。

「すみません、ハイジさん」

「きみが謝る必要はない」

やっぱり怒ってるのかなと思い、走は逡巡《しゅんじゅん》してから、言葉を選び直した。

「ありがとう、ハイジさん」

「どういたしまして」

と清瀬は言った。頰のカーブが、さっきよりは柔らかくなっていた。そうか、こういうときは礼を言えばいいんだな、と走ははじめて気づく。ハイジさんは、俺をかばってくれたんだから。憤りと苛立《いらだ》ちが拭《ぬぐ》い去られていく。気持ちが軽くなった走は、走りだした。

「風呂《ふろ》を沸かしておいてくれ」

と言う清瀬に、片手をあげて返事する。

夜のほうから吹いてくる高原の風に当たっても、走の体はあたたかいままだった。

夕飯の席で、清瀬は練習メニューの変更を告げた。東体大に煩《わずら》わされるのは得策ではない、と判断したらしい。朝晩のジョッグの時間をずらし、本練習でも、湖畔の道を走るのは極力避けることになった。

メニューの変更に異議を唱えるものはいなかった。東体大の一年生に挑発されたことで、逆にやる気になっていたのだ。練習に打ちこめるなら、場所はどこでもいい。

「でも、これはキッツイですよ」

と王子は喘《あえ》いだ。

竹青荘の住人たちは、道もない山の斜面を駆けあがっていた。神童が見つけてきたルートだ。

「走るっていうより、這《は》い登ってる感じじゃない。木の根っこがあちこちにあるし、捻《ねん》挫《ざ》したらどうすんですか」

「これぐらいで捻挫するやつは、運動神経が悪くて、足首が固いんだ。走るのには向かない」

清瀬は平然と言い、王子の背中を押した。「ほら、もう一息だ。頑張って少しスピードを上げろ」

走《かける》と神童の姿は、もう見えない。歩くのさえ困難な急斜面を、強靭《きょうじん》なバネとスタミナと身の軽さで、さっさと走って登っていってしまう。

「忍者と一緒にしないでほしい」

と王子は汗をぬぐった。

傾斜のある場所を毎日走るのでは、膝《ひざ》に負担がかかりすぎる。清瀬は、山でのトレーニングと、広大で平坦《へいたん》な場所で走距離をのばすトレーニングとを、効果的に組みあわせたメニューを考えていた。

白樺湖から山を二つほど越えると、標高の高いハイキングコースがあった。山頂付近の起伏のゆるやかなところに、景色を楽しみながら歩けるような道が作ってある。舗装はされておらず、木片《チップ》が敷きつめられているだけなので、膝への負担も少ない。

清瀬は「高地トレーニング」と称して、ここでクロスカントリーをすることを思いついた。山を走らない日は、みんなでバンに乗ってハイキングコースまで行く。ハイキングコースは一周三キロ強なので、そこを六周して、二十キロほど走る。

走っていると、わずかに標高が上がっただけでも、体調によっては酸素の薄さをひどく感じる。キングは慣れないうちは、「地獄めぐりだ」と言って、高地トレーニングをいやがった。王子など、二十キロの終盤あたりでは、ハイキングをする老夫婦に追い越されるありさまだった。

だが、だんだん体が順応し、着実に力がついてきていることが明らかになった。ニコチャンは規則正しい食生活と練習のおかげで、体を絞ることに成功していた。余計な脂《あぶら》を削《そ》ぎ落としたぶんだけ、体が軽くなってタイムが上がった。

理論派のユキは、練習内容について清瀬にいろいろ質問をぶつけるが、納得がいけば黙々と走りこんだ。地道な反復作業が苦ではないのは、司法試験に合格したことが証明している。

双子は苦労を苦労と感じない明るい性格だし、神童は山ではのびのびと走りを謳歌《おうか》することができた。斜面でまえへまえへと進む脚力と粘《ねば》り強さには、走でさえ驚くほどだった。

反対に、ムサは傾斜地は苦手だった。しかし平坦な場所では、ムサののびやかな筋肉が途端に物を言った。長いストライドで、軽やかにチップを蹴《け》って走る。

走力を一番危惧《きぐ》されていた王子も、少しずつ距離をのばしていた。いまでは十キロまでなら、弱音を吐かずに走ることができる。めざましい進歩だった。その陰には、清瀬の深謀遠慮があった。清瀬は、王子が合宿に持ってきた漫画を取りあげ、練習メニューをちゃんとこなせた夜だけ、それを読むことを許したのだ。

漫画がないと窒息してしまう、と常日頃から言っている王子だ。楽しい夜のひとときを過ごすためだけに、涙ぐましいほどの頑張りを発揮しているのだった。

もちろん、走と清瀬も順調に、走るための体を作りあげつつある。

走はほかのメンバー以上に走っていたから、慢性的な筋肉痛で、なかなか寝つけないこともあった。だが、新しい筋肉が生まれる痛みだと思えば、いくらでも耐えられた。うずくような熱と痛みに、快感と紙一重《かみひとえ》の喜ばしささえ感じた。朝が来て、また走りだせば、昨日よりも深く高い速度の世界へ入っていく自分を、実感できた。

走距離がのび、粘りが出てきた竹青荘の面々は、確実にいい波に乗っていた。練習の成果が目に見える形で表れれば、それを励みにもっと努力できる。いままでは苦しくてたまらなかった距離やタイムをこなせるようになれば、体を動かす楽しみをだんだん覚え、もっと積極的に走りにのめりこむ。

東体大を避けて行われる夜明け前と日没後のジョッグも、だれもが余裕をもってこなした。ハイキングコースよりも標高が低く、設定タイムも距離も楽な湖畔のジョッグは、いまや適度な息抜きとすら言えた。

長い夏合宿も折り返し地点にきたある晩、全員でジョッグをしている最中に、雷雨になった。長距離の試合は、雨が降ろうと風が吹こうと行われる。いい練習になる、と走は悪天候を気にせず湖畔を走りつづけた。気温が下がって湿度があるほうが、呼吸も楽だし走りやすい。

だが、雷鳴と雨足はどんどん激しくなった。稲光が夜空の低いところを横に切り裂く。大きな雨粒にひっきりなしに打たれ、皮膚が痛くなってきた。滝のような雨音以外はなにも聞こえず、地面に叩《たた》きつけられる水しぶきで、あたりは白く煙って見える。山の天気は変わりやすいものだが、ここまでの豪雨に遭うのははじめてだった。

あっというまに、服を着て泳いだような姿になった。暗くて見通しも悪い。とうとう清瀬が走るのをやめ、後続のメンバーに、別荘へ戻るよう指示した。

「体を冷やすな。着いたものから、どんどん風呂に入れ」

走は清瀬のそばに立って、メンバーがジョッグを切りあげ、林道へ向かっていくのを確認した。空から流れ落ちる水の幕の向こうに、なんとか人影が見える。

六人まで数えたところで、おかしいぞと走は思った。いま走っていったのは、最後尾にいたはずの王子だった。二人たりない。ジョータとジョージが、まだ来ていないのだ。

「ハイジさん、双子がいません！」

「どこへ行った？」

怒鳴らなければ、互いの声も聞き取れない。

「どっかで雨宿りしてるのかもしれない。俺、探してきます！　ハイジさんは先に戻っててください！」

走は双子の姿を求めて、湖畔の道を逆行した。走るとますます勢いよく雨粒が顔に当たって、溺《おぼ》れてしまいそうだ。

双子にはなかなか行きあわなかった。どこかですれちがったのに、雨のせいで見逃したんだろうか。立ち止まった走の頭上で、光とほぼ同時に轟音《ごうおん》が炸裂《さくれつ》した。思わず身をすくませた走は、目の端に映るほのかなオレンジ色の光に気づいた。湖べりにある駐車場に設置された、公衆便所の明かりだ。

あそこで雨宿りしているのかもしれない。走は道からはずれ、三角屋根のついたコンクリートの建物のなかに入っていった。

見たところ、トイレは無人だった。電気のついた狭い空間は、雨音も少しさえぎられ、核シェルターみたいに無機質で現実感がない。走は掌《てのひら》で顔をぬぐい、扉の閉まった個室に向けて、念のため声をかけてみた。

「ジョータ、ジョージ、いるのか?」

「いるいるー」

と、並んだ二つの個室から、双子の声が重なって返事した。雷に撃たれて、道の端で黒こげになっていたわけではなかったようだ。走はホッとした。

「どうしたんだよ、おまえら」

そう尋ねると、水を流す音がしばしつづき、双子が同じタイミングでドアを開けて個室から出てきた。

「腹こわしちゃったみたいでさあ」

「もう急に、すっごく腹が痛くなって。このトイレがなかったら、俺たちやばいことになってたよね、兄ちゃん」

「ああ。空もどしゃぶり、腹もどしゃぶりって感じだ」

双子は青ざめた顔で、腹をさすっている。

「牛乳の飲みすぎだ」

と走は断定した。ジョータとジョージは合宿に来て以来、毎日二リットルは牛乳を腹に流しこんでいる。商店街からの差し入れで、ただで飲めるものだからと欲張った結果だ。

雨に濡《ぬ》れたせいで、体が冷えてきた。いつまでもトイレにいるわけにもいかない。

「ジョッグは中止になったんだ。別荘まで戻れそうか？」

「うーん、微妙」

とジョージは眉《まゆ》を下げ、

「なんとかケツを締めて我慢する」

とジョータが悲壮な顔つきになった。

三人は公衆便所から出て、雨のなかを走りはじめた。五百メートルほど行ったところで、「もうダメだ」とジョータの足が止まった。ジョージも青ざめて、

「ねえ走、トイレに戻ったほうがいいかな。別荘まで頑張ったほうが早いかな」

と聞いてくる。

「ええ？」

走は困惑し、双子を振り返った。双子は哀れにも、エビのように体を丸めて固まっている。

「しょうがないな。そのへんの茂みでしちゃえよ」

「やだよ！」

「紙はどうすんの！」

「だれもいないから平気だって。葉っぱかなんかで適当に拭《ふ》けばいいだろ」

「他人事《ひとごと》だと思って……」

「覚えてろよ」

と言いながらも、逼迫《ひっぱく》した状況だったらしい。双子はがさがさと、道路脇《わき》のゆるやかな斜面に分け入っていった。

そんなことが二度ほど繰り返され、やっと林道にたどりついたときには、双子はすっかり開き直っていた。

「もう俺、フルチンで走ろっかな」

「俺も。こう差しこむんじゃ、いちいちパンツ脱ぐのがめんどくさいもん」

「それはやめろって」

意味もなく笑いあいながら、三人は別荘の明かりを目指す。双子の部屋で喧嘩《けんか》してから、ずっと残っていたわずかなわだかまりが、豪雨にさらされてきれいに流れ落ちていく。双子は下痢で、走は気疲れで体力を消耗し、おかしなテンションになっていた。

「ただいまー！」

と別荘のドアを開けたとたんに、双子はポンポンとTシャツと短パンを脱ぎ、風呂《ふろ》に駆けこもうとした。走もびしょびしょになったTシャツを脱ぐ。

「キャー！」

と甲高い悲鳴があがったのは、そのときだった。全裸の双子と、ジャージのズボンにいままさに手をかけようとしていた走は、驚いて動きを止めた。

ダイニングには大家と、長い黒髪のほっそりした女の子が立っていた。八百勝の娘だ。

「なにやってんだ、おまえたち！」

清瀬が台所から飛びだしてきて、双子を急いで風呂場に押しこんだ。テレビを見ていた竹青荘の面々は、その様子に笑いころげている。八百勝の娘は、手で顔を覆《おお》ったままだったが、指のあいだからきらきらした目がしっかり覗《のぞ》いているのを、走は見た。

「勝田葉菜子《かったはなこ》です」

と、八百勝の娘は名乗った。葉菜ちゃんかあ、と風呂から上がって服を着たジョータはヤニさがる。なにが葉菜ちゃんだ、逆さにしたら菜っぱじゃないか、と走は思ったが、葉菜子はたしかに美しかった。黒目がちの潤《うる》んだような大きな瞳《ひとみ》で、ちらちらと双子を見やっては頬を染めている。

葉菜子も寛政大の一年生で、文学部だった。

「みなさんのことは夏前から、大学の教室でもけっこう噂《うわさ》になってましたよ」

と葉菜子は言った。

ダイニングテーブルには、清瀬と葉菜子が作ったおかずが、たくさん並んでいた。風呂に入って人心地ついた走は、「いただきます」と野菜の煮っ転がしを箸《はし》でつまむ。切りかたが不格好で、味つけも濃かった。葉菜子はあまり料理に慣れていないらしい。だがもちろん、だれも文句は言わなかった。商店街からの援助物資の運搬も兼ねて、葉菜子は食料を満載した八百勝の軽トラックに大家を乗せ、白樺湖まで来てくれたのだ。

「肉もありますから。明日は焼き肉です」

「牛肉？　牛肉？」

葉菜子の言葉に、ジョージが敏感に反応する。またもや頬に血を上らせて、葉菜子は「うん」とうなずく。

「やった！」

「俺たちも牛肉を食えるんだ！」

ジョータとジョージは、食い気と東体大への対抗心をたぎらせる。あんなに彼女を欲しがってたのに、なんでチャンスに気づかないのかなと走は不思議だった。走の隣では、清瀬が大家に苦言を呈していた。

「どうするんです、監督。こんな、若い男ばかり十人もいるところに女の子をつれてきて」

「十一人だ」

と、大家はちゃっかり自分もカウントした。

「どちらかというと、危険なのは双子のほうのような気がしますけど」

とユキが言った。双子は腹痛も忘れ、焼き肉への喜びを全身で表現している。葉菜子はうれしそうに、激しく旋回する双子を目で追っている。走はなぜか憂鬱《ゆううつ》な気分になり、そんな自分を変だなと思った。

勝手口の足拭きマットに寝そべっていたニラが、ぱたぱたと尻尾《しっぽ》で床を掃く音がした。軽トラックの荷台に乗ってやってきたニラも、竹青荘の住人たちとひさしぶりに会えたことがうれしいようだった。

翌日はよく晴れた。

バンでハイキングコースに到着した走は、思いきり深呼吸した。冴え冴《さ》《ざ》えとした空気には、甘い草の香りが混じっている。白い雲が緑の山肌に影を落とし、東へ向かって流れていく。

大家と葉菜子は軽トラックで、ハイキングコースまでついてきた。葉菜子がしばらく滞在すると知って、全員がいつも以上に張り切っていた。

別荘の二階は、大家と葉菜子が増えたために、すし詰め状態だ。壁に紐《ひも》を渡してシーツをかけ、葉菜子のためのスペースを確保したから、なおさら狭い。いくら高原の夜とはいっても、密着して雑魚寝《ざこね》するのは寝苦しかった。

それでも、葉菜子を歓迎しないものはいない。まだ短い時間を過ごしただけだが、商店街を代表して、竹青荘の住人を一生懸命応援しようとしていることは、充分伝わってきたからだ。

「奇跡だよねえ。外見もかわいくて、性格もいいなんて」

と、神童がつぶやく。

「はい、葉菜子さんはきれいです」

とムサも同意した。

「しかしわからないのは、ジョータとジョージを好ましく思ってるらしいことだ」

神童は首をかしげ、

「子馬引く？」

とムサも首をかしげた。神童が、「ううん、子馬は引かない。好ましく」と地面に枝切れで字を書く。

ニコチャンは練習前のストレッチをしながら、「あの子はもしかして、趣味が悪いんじゃねえかな」と言った。

走は苦笑した。葉菜子はいまも、恋心を雄弁に目で語りながら、双子からハイキングコースについて説明を受けている。

「で、双子のどっちを好きなんだ？」

と、同じ光景を眺めていたユキが、走に尋ねた。

「さあ」

「聞いておいて」

「なんで俺が」

「同じ一年だろう」

そんなことが理由になるもんかと思ったが、先輩には逆らいにくい。走は曖昧《あいまい》にうなずき、練習メニューを確認するために、清瀬のほうへ歩いていった。

清瀬は大家に、練習内容をレクチャーしていた。

「今日はコースを八周しようと思っています。約二十五キロ。走と俺は、最初の一周は十二分で入って、徐々にペースを上げ、最後は十分を切るまで持っていきたいところです。ほかのものにも、レベルに合わせたペースを指示しますが、一番遅い王子でも、最初の一周を十六分で入ってもらうつもりです。これでいいでしょうか」

「いいよいいよ、ハイジに任せる。好きにやってくれ」

大家は葉菜子を遠目に眺めるのに夢中で、てんで上の空だ。

「大家さんって、監督なんですよね？」

走の小声の問いかけに、清瀬は笑った。

「うん、まあいいんだ。こういうひとだから。いざというときには、頼りになる」

「本当ですか？」

「……たぶん」

清瀬は羽織っていたジャージを脱いだ。「はじめるぞ」

正午が近づくにつれ、日射《ひざ》しが強くなった。風はさわやかだが、山頂付近には日光をさえぎるものがないから暑い。葉菜子がコースの途中に立って、手作りのプロテイン入りレモン水を渡してくれた。

走りながら受け取り、水分補給する。

「ものすごくまずくないですか、これ」

ざらついた酸《す》っぱい液体に、走はえずきそうになった。いくら体にいいからといって、レモンにプロテインはないだろう。成分が分離して、胃壁にこびりつきそうだ。

「まずいな」

清瀬も、猫の轢死体《れきしたい》を目撃したような表情になった。「でも飲んでおけ。この気温だと、脱水症状を起こすかもしれない」

からになったストローつきのボトルを、コースの外に投げる。あとで回収して、また使うのだ。周回遅れで走るメンバーの背中が見えてきた。みんなへばっているようだ。追い越しざまに、清瀬は声をかけた。

「ペース落ちてるぞ。だからといって、時計を見すぎるな。なるべく体で感覚を覚えるようにして」

「暑いのに複雑な指示出すな！」

非難を浴びながらも、走と清瀬は決めておいたペースを崩すことなく、二十五キロを走り抜いた。

さすがに体力を消耗し、息があがる。軽く流すように走ってクールダウンし、ストレッチをして筋肉をほぐす。汗まみれのTシャツを脱ぎ、リュックに入れてきたタオルで体を拭《ふ》いた。

洗濯したてのシャツに着替え、走と清瀬は木陰に腰を下ろした。まだ走っているものたちが、次々に目の前を通りすぎていく。呼吸が荒い。

「苦しかったら無理するな！……と、言っても無駄か」

清瀬の声を聞いても、だれも走りやめない。春先の姿からは想像もできないほど、みんな一生懸命に練習をこなしている。

葉菜子が来て、走の隣に座った。汗くさいんじゃないかなと気になって、走は清瀬のほうにちょっと尻《しり》をずらした。清瀬がくすりと笑った。

「一日に何キロぐらい走ってるの？」

と葉菜子が聞いた。

「その日の調子や個人差によるけど……、四十キロぐらいかな」

「えー！」

と葉菜子が大声を出したので、走はびっくりして腰を浮かしかけた。清瀬がまた、くすりと笑った。

「なんですか」

と、にらむと、

「いやべつに」

と、にやにやしたまま、わざとらしく視線をそらして空を見上げる。

「すごいんだねえ」

葉菜子は感嘆して、小さく息を吐いた。「こんなに練習するものだとは、知らなかった。マラソンって、持久走のすごく得意なひとが、ちょちょいと走っちゃうものなのかと思ってた」

「マラソンじゃなく、駅伝」

と走は訂正した。

「そっか、駅伝」

「うん」

なんだか顔が熱い。右隣で清瀬の体が小刻みに震えているのがわかるが、表情をたしかめることはできなかった。くそ、ハイジさんは絶対に笑ってる、と走は思った。

双子が三人のまえをよぎって走る。

「あと一周」

と清瀬が言った。葉菜子は双子に合わせて首をめぐらせる。走は、ユキから託された使命を思い出した。

「えーと、勝田さんは、双子を好きなんだよね？」

「やだ、なんでわかったの⁉」

そりゃわかるだろ、と自分と清瀬が同時に思ったことを、走は察知した。

「それで、その、どっちを好きなの？」

「どっちって？」

「いや、だから、ジョータとジョージの、どっち」

「どっちもだよ、やだもう！」

葉菜子は照れて、走の肩を叩《たた》いた。妙なノリをした子だなと思った直後に、葉菜子の言葉の意味が脳に達した。

「はあ!?」

走の声が裏返った。「どっちもって、そんなんでいいのかよ」

「だって、同じ顔だよ。すごく好み」

「あんたなあ！」

怒りがこみあげ、走は立ちあがった。「双子は、ふた山百五十円のタマネギじゃねえんだよ。好みの顔だから二人とも好きって、ひどいだろ」

「走にしては、まずまずの比喩《ひゆ》だ」

と清瀬は言い、葉菜子はきょとんとして、走を振り仰ぐ。

「どうして？」

「どうしてって、双子はそれぞれべつの人間なんだからさ。もっとこう、性格とか、そういうところを見て……」

「性格って、そんなに大事かな」

「大事でしょう！」

「そうかなあ。私は『好き！』ってなったら、性格なんてあんまり気にならない」

葉菜子は幸せそうに微笑《ほほえ》んだ。「昨日と今日で、二人とちょっと話せたけど。生理的嫌悪感《けんおかん》が湧《わ》くような癖がなくて、好みの顔。それだけで充分じゃない？　どっちかなんて選べないな」

走は脱力し、再び木陰に座った。清瀬は笑いをこらえすぎたためか、しゃっくりをしている。

「勝田さんの言うことは、一理ある」

と、清瀬はしゃっくりの合間に言った。「たしかに、どんなに意地悪をされても、苦しめられても、そんなこととは関係なく好きになってしまうときはあるな」

「ですよねえ」

と、葉菜子は味方を得て大きくうなずく。「だってそういうものでしょ、恋って」

二十五キロを走り終え、竹青荘の住人たちが続々と戻ってきた。葉菜子は、

「大家さんを呼んでくるね。ニラを散歩させるって言って、コースの奥へ歩いていっちゃったの」

と木陰から出ていった。

走と清瀬はしばらく黙って、草が風に揺れるのを眺めていた。

「そういう経験があるんですか」

と、走は尋ねた。清瀬はやっとしゃっくりが止まったらしい。

「きみはないのか」

と、笑いを含んだ声で尋ねかえしてきた。

「……ないです」

「そうか？　たとえば走ることは？　どんなにつらくても、いやな思いをしても、きみは走りつづけているじゃないか。それは、勝田さんが言ったのと、同じ気持ちからなんじゃないのか」

清瀬は立って日向《ひなた》に行き、地面に転がった竹青荘の面々を引きずり起こした。

「ほらほら、ちゃんとクールダウンしろ」

ああ、と走は思った。もしもハイジさんの言うとおり、走ることに対するこの気持ちが、恋に似ているのだとしたら。恋とはなんて、報われないものなんだろう。

一度魅惑されたら、どうしたって逃れることはできない。好悪《こうお》も損得も超えて、ただ引き寄せられる。行き先もわからぬまま、真っ暗な闇《やみ》に飲まれていく星々のように。

つらくても、苦しくても、なにも得るものがなくても、走りやめることだけはできないのだ。

プロテイン入りレモン水を配るため、走も日向に足を踏みだした。日射しが脳天を直撃する。蟬《せみ》が急にいっせいに鳴きはじめる。雲は吹き流されてもうどこにもない。

「空が青いなあ」

夏だった。

六、魂が叫ぶ声

欠けた茶碗《ちゃわん》を廊下の隅に置いた。水滴が手の甲に当たる。茶碗の位置を微調整し、走《かける》は立って二階の廊下を見渡した。

廊下のあちこちに、丼《どんぶり》やらヤカンやらがまじないみたいに置かれている。走は定期的に竹青荘《ちくせいそう》内を巡回して、器に溜《た》まった雨水を、大きなバケツに回収する当番だった。

表では静かに降りつづく秋の長雨も、竹青荘のなかではにぎやかな不協和音に変わる。貧乏って不便なものだなと、バケツに集めた水を庭に捨てながら、走はため息をついた。

「なんとかならねえのか、この音は！」

ニコチャンは髪の毛をかきむしった。「自分の部屋にいても、エンドレスで一晩じゅう聞こえてくんだよ、いまいましいピチャピチャポットンが！」

「俺たち二階の住人は、もう慣れたけどなあ」

とジョータが言う。ユキは眼鏡を拭《ふ》きながら、ふんと鼻を鳴らした。

「ニコチャン先輩は、音に対する感性がにぶいんじゃないですか。雨だれの音には風情《ふぜい》がある。ときどき斬新《ざんしん》なリズムを刻んで、おやと思わされるな」

雨だれじゃなく、雨漏りの音だけど、と走は思ったが、もちろんなにも言わないでおく。

「さて、いよいよ予選会も近づいてきたが」

老朽化した建物を嘆く声など無視して、清瀬《きよせ》が話しはじめた。

竹青荘の住人たちは、清瀬の号令のもと、双子《ふたご》の部屋に集まっていた。その日の練習を終え、さっそく輪になって飲み会に突入した面々は、いちおう顔だけは清瀬のほうへ向ける。

「夏合宿で頑張った甲斐《かい》あって、みんな確実に力をつけてきている。走」

「はい」

と走は、手もとの記録用紙を読みあげる。「いまの段階での、一万メートルのベストタイムは、以下のとおりです。

ハイジさん　二十九分十四秒
ムサさん　二十九分三十五秒
ジョータ　二十九分五十五秒二六
ジョージ　二十九分五十五秒二八
ユキ先輩　三十分二十六秒六三
神童《しんどう》さん　三十分二十七秒六四

ニコチャン先輩　三十分四十八秒三七
キングさん　　　三十一分十一秒〇二
王子《おうじ》さん　　　三十五分三十八秒四二
そして俺が、　　二十八分五十八秒五九」

目を閉じて数字の羅列を聞いていた清瀬が、ひとつうなずく。

「すばらしい進歩だ。きみたちがこんなに走れるようになって、俺もうれしい」

「俺は今年の夏、地獄に堕《お》ちたらどんな目に遭うのかを知ったよ」

とジョータ。

「あれだけ練習させられれば、そりゃ少しは走れるようになるよね」

とジョージ。

全員の顔を見まわし、清瀬は言った。

「予選会までのあと一カ月弱で、おおかたのものは、一万メートルのタイムをまだ縮められるはずだ。二十キロを走ることにも、体が慣れてきたようだし。一部に例外もいるが……」

王子がびくりと肩を揺らした。王子は十五キロを過ぎるとへばってしまって、タイムがますます落ちる。清瀬はしかし、王子を責めるようなことはしなかった。

「まあ、大丈夫だ。スタミナはだんだんついてきている。この調子でいけば、予選会を戦える。故障にだけは気をつけて、これからも頑張ろう」

「頑張ろう！」

ほどほどにね、とジョージが小声でつけくわえ、走とコップを打ちつけあった。

地酒をあおった神童が、

「そういえば、取材の申し込みがきているんだよ」

と言った。

「うっそ、すごいや！」

「どこから？　また新聞？」

双子がはしゃいで、神童に尋ねる。

竹青荘の面々は、夏合宿中に白樺湖《しらかばこ》で、読売新聞社の取材を受けた。陸上競技の専門雑誌の記者が、東体大《とうたいだい》の合宿を見に、白樺湖へやってきた。東体大は、前回の箱根駅伝で惜しいところでシード落ちしていたから、今回は予選会からの挑戦だ。しかし、選手の実力は安定しているので、予選通過はまずまちがいない。それで雑誌記者は、東体大を事前取材しにきたのだった。

竹青荘の面々は、練習後に湖畔のコンビニエンスストアで買い物をしていて、取材を受ける東体大の選手たちを目撃した。東体大生は駐車場に並び、記者に集合写真を撮られていた。写真撮影が終わると、今度はキャプテンがレコーダーを向けられ、なにかコメントしている。

記者がカメラマン役もこなしていたし、コメントするキャプテンもジャージ姿だったが、キングは「芸能人みたいだなあ」と言って、その場から動かなくなった。走もキングにつきあって、取材風景をぼんやりと見物した。

やがて東体大の選手は解散し、記者はキャプテンに礼を言って、一人でこちらに歩いてきた。レジ袋を持って駐車場の隅に突っ立っている走たちに気づき、中年の男性記者は「あれ」と言った。

「きみたちも、長距離の選手だろう」

「わかるんですか？」

と、ジョータがまんざらでもなさそうに返した。

「体型を見ればわかるよ。でも、東体大の学生さんじゃないよね」

記者は怪訝《けげん》そうに、統一感のないTシャツを眺めた。

「寛政大《かんせいだい》の陸上部です」

と、キングが早くも緊張気味に答える。

「俺たちも箱根駅伝に出るんですよ」

ジョージは無邪気だ。すでに決定事項であるかのように、にこにこと記者に笑いかけた。

走は、ニコチャンの背後に隠れるようにして立っていた。ジョージの発言に、きっと記者は笑うだろうと思った。いままで予選会にすら出たことのない大学が、寝ぼけたことを言っている、と。だが、予想ははずれた。

「へえ」

記者は真剣な目で竹青荘の住人たちを順繰りに眺め、「それは楽しみだ」と言ったのだ。

「主将はだれかな？　メンバーはここにいるきみたちだけ？」

キャプテンなど特に決めていなかったが、全員が自然と清瀬を目で指した。清瀬はしぶしぶ、といった感じで、

「主将の清瀬灰二《はいじ》です。メンバーはこれで全員です」

と言った。

「清瀬くんって、もしかして」

と記者は記憶を探ったようだ。「故障したって聞いていたけど、陸上をつづけていたんだね。それに、そっちのきみは、仙台城西高《せんだいじようせいこう》にいた蔵原《くらはら》くんじゃないか？」

走は答えず、ニコチャンの背後で身を小さくした。

「そういうおじさんは、だれなの？」

ジョージが尋ねると、記者は「失礼」と言って、名刺を清瀬に渡した。

「月刊陸上マガジン　編集　佐貫信吾《さぬきしんご》」

と書いてあった。

「ちょっと話を聞かせてくれないか。十人だけで、箱根駅伝に出ようとしてるの？」

佐貫は手早く、いくつかの質問をした。監督の名に「ほう」とうなったり、箱根で活躍しないとアパートの家賃が上がると知って、「それは本気にならざるをえないね」と笑ったり。なかなかの聞き上手だった。

翌日も早朝から、佐貫は湖畔の道に姿を現した。ジョッグする竹青荘の面々を見学した佐貫は、朝練が終わった走たちに近づき、こう言った。

「おもしろいね、きみたちは。ほとんどのメンバーが素人《しろうと》同然だが、ものすごく伸びしろがあることが、とてもよくわかる」

褒められたのかけなされたのかわからず、みんなは黙っていた。佐貫はなんだか楽しそうに、一人でうなずいた。

「きみたちみたいなチームが、箱根をもっと刺激的なレースにするのかもしれないな。誌面の都合で、今回は東体大の記事しか載せられないが、知りあいの新聞記者に、きみたちのことを伝えておくよ」

「新聞！」

と、キングが唾《つば》を呑《の》みこんだ。いやな雲行きだな、と走は思った。

佐貫の仕事は速かった。合宿も終わりに差しかかったころ、読売新聞社の記者が、白樺湖の別荘を訪ねてきたのだ。箱根駅伝を共催しているため、特集記事などを積極的に載せる新聞だ。

「『月マガ』の佐貫さんから、きみたちの話を聞きました。おもしろそうだから、休暇を利用して白樺湖に遊びにきたんですよ」

布田《ぬのだ》政樹《まさき》という新聞記者は、穏やかな物腰でそう言った。佐貫と同じぐらいの年齢だろう。

王子は、「『月刊陸上マガジン』の略称が『月マガ』なの？　それじゃなんの雑誌なのかわかんないじゃない。『月刊少年マガジン』とかぶっちゃうし」とつぶやいた。またなにか漫画関係の話をしてるんだなと察し、竹青荘の住人たちはもちろん王子の発言を無視する。走はさりげなく、ダイニングから台所へ引っこんだ。

「まだ予選会を通過したわけではないから、スポーツ面では扱いにくいということになりまして。でも、小さな陸上部が、頑張って箱根を目指しているというのは、読者のかたにも興味を持ってもらえる記事だと思うんですよ。掲載は東京限定になってしまいますが、ぜひ地方版にご登場いただきたい」

布田の丁寧な申し込みに、清瀬も否《いな》とは言いにくかったらしい。竹青荘の住人たちは、取材を受けることになった。布田はすぐに、地方版担当の記者とカメラマンを送りこんできた。ふだんの生活ぶりや、箱根にかける意気込みなど、主に双子とキングが問われるままに答えた。カメラマンは、白樺湖畔での練習風景と、別荘のまえに集合したメンバーの写真を撮った。

長い合宿を終え、竹青荘に帰ってきたちょうどその日に、記事は大きな写真とともに掲載された。神童とムサは喜んで、新聞をいっぱい買ってきた。記事は切り抜かれて、竹青荘の台所にも飾られたし、商店街にも配られた。大学の掲示板にも、勝手に貼《は》った。もちろん神童とムサは、故郷の家族へ、手紙とともに切り抜きを送ることも忘れなかった。

反響は上々で、商店街にできた即席後援会はますます盛りあがっているし、大学側も陸上部に期待を寄せはじめている。竹青荘の住人のほとんどには、それぞれの家族から電話がきた。

「もちろん、佐貫さんも布田さんも、予選会から本格的に取材してくれると言っています」

と、神童はコップに地酒をつぎ足した。「でも今度は新聞じゃない。テレビだ」

「テレビ！」

キングが驚きの声をあげた。

「箱根駅伝を放映している日テレから、連絡が来たんですよ。僕は知らなかったんだけど、予選会も放映してるんですってね。それで、予選会に出る大学のなかでも、特に注目の何校かを、当日密着取材するらしい」

「おいおい、それに俺たちが選ばれたのかよう」

と、キングはもう身を震わせはじめている。

「めでたいことですねえ」

と、ムサも感に堪えない様子だ。

「まだ正式に返事はしていないんだよ」

と神童は言った。「テレビカメラが気になって、予選会に集中できなかったら本末転倒だし。みんなの考えを聞こうと思って」

「さんせーい、テレビ取材さんせーい！」

とジョータが挙手し、

「断る理由なんかないじゃない」

とジョージは言った。キングは、

「俺、そろそろ床屋に行こうと思ってたんだよな」

と緊張の脂汗《あぶらあせ》を流しながら、身だしなみを気にしている。

「私も、テレビに映りたいと思います」

ムサが微笑《ほほえ》んだ。「ビデオに録画して家族に送ったら、きっとみんな喜ぶでしょう」

「僕も、取材はいいことだと思っているんだ」

と神童が考えを述べた。「親が喜ぶというのもあるけれど、なにより、宣伝効果が期待できるからね」

「そうだな」

清瀬は腕組みした。「ほかのものは、どう思うんだ?」

清瀬の視線が、まだ意思表明をしていないメンバーのうえを流れる。

「おまえらがいいなら、俺はべつにかまわねえよ」

ニコチャンはテレビと聞いても浮かれることなく、大人の余裕を見せる。漫画以外には興味のない王子も、

「僕もべつに。どうでもいいや、テレビは」

と、なげやりな返事をした。

「おまえなあ、女子アナに会えるかもしれないんだぞ、女子アナに!」

興奮気味のキングに言われても、

「よく知らないから」

と王子はつまらなそうだ。

「いや、予選会に女子アナは来ないでしょ」

「わかんないよー。あの局でスポーツ関係の女子アナっていったら、だれかな」

などと、ジョータとジョージはかしましくしゃべりだす。清瀬は女子アナ談義には加わらず、沈黙を守りつづける走とユキに話を振った。

「多数決では、すでに結論が出ているわけだが。きみたちの意見も聞いておこうか」

「もう決まっちゃったんでしょう」

走はため息をついた。「いやだって言うだけ無駄です」

「ねえねえ、走はなんでいやなの？」

とジョージが首をかしげた。「テレビに出れば、親も喜ぶ女の子にモテるで、いいことづくしじゃない」

「それは単に、そうなるといいな、っていうジョージの願望だろ」

走はぼそぼそと反論を試みる。ユキがめずらしく、皮肉な響きを交えぬ声音で言った。

「親を喜ばせたいやつばかり、ってわけでもないんだよ」

つぶやきに苦いものを感じ取って、室内は一瞬静まりかえる。視線が自分に集中していることに気づき、ユキはすぐに、いつもの調子を取り戻した。

「みんな、目立とう精神だけは旺盛《おうせい》だな。まあ、決まったならしかたがない。俺も従うにやぶさかではないよ」

予選会でカメラが密着すると聞いて、葉菜子《はなこ》は「大変！」と叫んだ。

「横断幕を書き直さなきゃ！」

「なに、横断幕って」

と走は尋ねる。走と清瀬は竹青荘の台所で、葉菜子が持ってきた売れ残りの野菜を、箱から出しているところだった。

「予選会に応援にいくんだって、商店街のみんなは張り切っていてね。うちの父と左官《さかん》屋《や》さんが、横断幕を作ったの。でも、寛政の寛って、画数が多いでしょ。左官屋さんが、『勝ちゃん、どうしよっか。字がつぶれちまうよ』って。そしたら父が、『そういうときは、シャレで乗り切りゃいいんだよ』って……」

布には赤いペンキで、「大器完成！　がんばれKANSEI大！」と大書されたのだ。

「それは、ちょっと……」

走は言葉に詰まった。

「かなり馬鹿《ばか》っぽいよねえ」

葉菜子はため息をつく。清瀬は里芋の皮を剝《む》きながら、また声もなく笑っていた。

「でも、よかったね。みんなの頑張りが認められて、取材されるんだもん。すごいことだよ」

そのぶん、注目される機会が増える。いいことばかりではないだろう。走は黙って段ボール箱をつぶした。

「あれ、葉菜ちゃん来てたんだ」

「テレビの話、聞いた？」

双子が顔を出し、台所はにぎやかになった。

「聞いたよ。予選会にもみんなで応援にいくし、番組も録画するからね」

台所の椅子《いす》に座って、葉菜子は楽しそうに双子としゃべりだす。

「いいのか？」

今度は掌《てのひら》に載せた豆腐を切りながら、清瀬が走に囁《ささや》いた。鍋《なべ》に味噌《みそ》を溶き入れていた走は、

「なにがですか」

と憮然《ぶぜん》として聞き返す。

「いやべつに」

と清瀬は言った。「勝田《かった》さん、夕飯を食べていったら」

住人が続々と台所にやってきて、葉菜子と一緒に食卓を囲んだ。囲みきれなかったものは、卓袱台《ちゃぶだい》を出して床に座った。

その日のおかずは、里芋の煮物と豚肉の冷しゃぶだった。

「そろそろ、冷しゃぶじゃなくてすき焼きを食いたい季節だよなあ」

と言いながら、ジョータとジョージは茹《ゆ》でた豚肉を猛然と自分の皿に取る。

「牛肉でね！」

葉菜子の持ってきた野菜は、大根おろしや紅葉おろしになって、彩《いろど》りを添えた。

「そうだ」

葉菜子が箸《はし》を置き、足もとの鞄《かばん》を探った。「今日は野菜のほかにも、お土産があるんです」

取りだされたのは、大量のアルバムだった。双子が受け取り、紙製の表紙をめくる。

「夏合宿の写真だ！」

「しかも、全員分ある！」

表紙にはそれぞれ、住人たちの名前が書いてあった。走も食事を中断し、葉菜子の字で名が書かれたアルバムを眺めた。全員で映っている写真と、各人のハイライトシーン。写真は丁寧に分類され、撮った順番に整然とアルバムに収まっていた。

「焼き増しして、構成を考えていたら、遅くなっちゃったんですけど」

葉菜子は申し訳なさそうに言ったが、ずいぶん手間をかけてくれたことがわかる。みんなは感激して礼を述べた。

台所ではひとしきり、それぞれのアルバムが行き交った。写真を見ていると、夏の記憶が鮮明によみがえってくる。

「いまになってみると、楽しかったよね、合宿」

「あー！　東体大の監督の写真まである！」

「それ、隠し撮りです」

と葉菜子が笑った。写真には、竹刀《しない》を持って仁王立ちする、オールバックの男が映しだされていた。

「むちゃくちゃこわかったよな、東体大の監督」

「ハイジとはまたべつの意味で、あれは鬼だよ、鬼」

合宿の最終日に、東体大もハイキングコースに来た。走たちはすでにクロスカントリーを終え、クールダウンをしているところだったので、喧嘩《けんか》にはならなかった。東体大としては、喧嘩どころではなかったということもある。上級生たちは寛政大など端《はな》から目に入っていないし、一年生たちは萎縮《いしゅく》した小型犬のように従順に、練習に集中していた。なにしろ、鬼監督の目が光っているのだ。

「軍隊みたいな練習ぶりでしたね」

「鬼監督が名言を怒鳴りちらしてたでしょ。なんだっけ」

「『暑いのが価値だと思え！』とか、『走りとはすなわちサバイバルだ！』とか」

そうそう、と竹青荘の台所は笑い声であふれた。

「あんなのが監督だったら、とっくに逃げてるよ僕は」

と王子は顔をしかめ、

「どこの大学の陸上部も、ああいう感じなのですか？」

とムサが尋ねた。

「中学のときの監督は、似たようなタイプだったたな」

とニコチャンは言った。「オールバックのやつは怖えんだよ」

「どんな統計なんですか、それ」

ユキは冷ややかな反応を見せる。

「たいがいの大学は、選手の自主性を重んじていると思うが」

アルバムから視線を上げ、清瀬が答えた。「東体大みたいなところも、ほかにもあることはある」

「運動部の、そこがいやだ」

王子は首を振った。「上下関係にうるさくて、監督の言うことには絶対服従で。奴隷《どれい》じゃないのにさ」

「そうしないと、だらけて統率が取れなくなる、と考えるひともいるんだよ」

と神童が言った。「高校時代も、強い運動部ってたいがい規律が厳しかったよね」

「難しいところだなあ」

と、キングが豚肉の最後の一枚を取った。「厳しくしないと、試合に勝てない。でも、楽しくなかったら、スポーツをしようなんて思わない。どうすりゃいいわけ」

「ばかげてます」

走は低く吐き捨てた。「厳しくなきゃ走らないやつも、楽しくなきゃ走れないやつも、走るのなんてやめればいい」

　また極端なこと言って、とジョージが走をたしなめる。

「ハイジさんは、どう思ってるの？」

　とジョータが聞いた。

「厳しいほうがいいと思っていたら、もっときみたちの手綱《たづな》を締めるはずだろ」

　と清瀬は言った。黙って会話を聞いていた葉菜子が、ちょっと笑った。

「ハイジの恥ずかしい写真発見」

　ユキがアルバムの最後のページを示す。合宿最終日の夜に、みんなで湖畔に出て花火をしたときのものだ。

　ニラは音におびえてパニックになり、しゃがんで線香花火に火をつけようとしていた清瀬によじのぼった。ニラに正面から飛びかかられ、顔に貼《は》りついたニラをはがそうとするもかなわず、後ろにひっくり返った清瀬の姿を、三枚にわたる写真が克明に記録している。清瀬は顔を赤らめた。

「なんでそれが、ユキのアルバムにも入ってるんだ」

「おもしろいから、みなさんのアルバムに入れておきました」

　葉菜子はしれっとして言った。双子がそろって該当ページを清瀬に掲げてみせ、にこにこした。

「明日から、軍隊なみの練習に変える」

と清瀬は言った。

八百勝《やおかつ》に帰る葉菜子を、竹青荘の玄関先で見送った。

「もう遅いですから、お送りしたほうがいいでしょう」

ムサの言葉に、神童がうなずいて双子を見た。双子は気づかず、自分たちもただうなずいているだけだ。しかたがないので、ニコチャンが「双子、行け」とうながした。

ジョータとジョージはきょとんとしてから、

「うん、いいよ」

「じゃ、行こっか葉菜ちゃん」

と、葉菜子をあいだにして歩きだす。

「やれやれだ」

「なんなのかねえ、あのにぶさは」

ほかのものはぶつくさ言いながら、部屋に戻っていった。一番最後まで表に残っていた走を、清瀬が振り返る。

「いいのか?」

「だから、なにがですか」

「いやべつに」

清瀬は笑いを引っこめた。「走、俺は甘いか」

質問の意味がわからず、走は靴を脱ぐ動作を止めて、清瀬を見上げた。廊下の明かりが逆光になって、清瀬の表情は影に沈んでいる。

「きみはわかってるだろう。予選を通過できるかどうか、本当は微妙なところだ。みんなをもっと走らせるべきだったか？　規律で縛りつけてでも……」

「そんなこと思ってないくせに」

清瀬の言葉をさえぎり、走は廊下に上がった。壁にもたれ、すぐそばにある清瀬の横顔を観察する。

「あんたは、軍隊みたいなやりかたを嫌ってる。いくら強制したって、ひとを走らせることなんかできないと思ってる。ちがいますか、ハイジさん」

「そうだ」

清瀬は一瞬うつむき、それから走を見て微笑《ほほえ》んだ。「すまない、ちょっと弱気になった」

「まだ時間はあります。みんな必ず、もっとタイムを縮めるはずだ。予選を通過できますよ」

励ましながら走は、めずらしいなと思った。いつも飄々《ひょうひょう》と、しかし確信に満ちて、目標に向かっていくようなひとなのに。そんな清瀬が、揺らぐ部分を見せるのははじめてのことだ。夕飯のときの会話が原因だろうけれど、清瀬がいまさらどこに引っかかりを感じたのかは、わからなかった。

「俺は」

心を充分に伝えきれていない気がして、走は一生懸命に言葉を探した。慣れないことなので、「俺は」と言ったあと、「俺は、なんだろ」とつづきに詰まった。考えをまとめるまでのあいだ、清瀬は走を見ていた。走を通して過去の自分を見るような、遠い眼差《まなざ》しをしていた。

「俺はもう、縛られるのはいやです」

と、走は言った。「あんなに苦しいことはなかった。俺はただ、走りたいだけだ」

なんのためでもなく、自由に。体と魂の奥底から聞こえる、どこまでも走れという声にのみ従って。

「榊《さかき》は東体大の規律に満足してるみたいだけど、俺はちがう。ハイジさんがあの鬼監督みたいだったら、俺はいまここにはいない。練習の初日に、アオタケから出ていったでしょう」

清瀬の目が再び、走のうえではっきりと焦点を結んだ。走の肩に軽く手を触れ、かたわらをすり抜ける。

「おやすみ、走」

部屋の扉が閉まる寸前に見えた清瀬の背中は、もう弱さも揺らぎも微塵《みじん》もない、いつもどおりのものだった。

「おやすみなさい」

つぶやいて、走も自分の部屋に戻った。

夏の疲れを完全に取らなければならないし、試合前には徐々に体を休めていく必要がある。秋のあいだも充実した内容の練習が組まれていたが、合宿中ほど走りっぱなしではなかった。それでも、さすがに走も、肉体的にも精神的にも疲労を感じはじめていた。

「これだけやったのに、当日うまくいかなくて、すべてが無駄に終わってしまったらどうしよう」というプレッシャーのせいだ。

これまでの記録会とちがい、予選会はやり直しのきかない一発勝負だ。思うようなタイムが出なかったら、また次に賭《か》ければいい、というものではない。その緊張感が、走《かける》の心と体を重くする。

練習メニューは、密度が濃くなっていた。クロスカントリーは二十キロが当たり前だったし、トラック練習ではビルドアップも導入された。たとえば七千メートル走るとして、最初の千メートルを三分十秒を切るペースで入り、走りながら最後には二分五十秒まで上げていく。

長距離を走るなかで、どんどんスピードアップもするわけだから、苦しさは並ではない。持久走の最中の呼吸のままならなさと、全力疾走したあとの動悸《どうき》の激しさが、同時に襲ってくる。溺《おぼ》れながら水球をするようなつらさに、王子などは何度も吐いた。しかしそのたびに清瀬は、「なるべく我慢して」と注意する。

「吐き癖がつく。こらえて走れ」

「無理だっての」

「ゲロで窒息する」

王子はトラック脇《わき》の草むらに突っ伏し、介抱しようとした双子も連れゲロを吐く、という惨憺《さんたん》たる状況だった。

だが、適度な休息を挟んで練習を重ねるうちに、竹青荘の住人たちは、ビルドアップにも二十キロのクロカンにも、だんだんついていけるようになっていった。予選会が行われる立川《たちかわ》の昭和記念公園へ行き、全員でコースの試走もした。

予選会まで半月を切ったある日、清瀬はクロカンを終えたところで全員を集めた。日暮れの迫った原っぱには、肌寒い風が吹いていた。草の先は勢いをなくし、夏の面影はもうどこにもない。だれも採るもののいない柿《かき》の実が、夕日と同じ色をして揺れている。

「これから予選会までは、集中力の勝負だ」

と清瀬は言った。「予選会の日に、体調も精神も最高潮を迎えられるよう、集中して自分をコントロールしていくんだ」

「そりゃ、口で言うのは簡単だけどな」

ニコチャンはため息をついた。緊張から来るストレスで、このごろ異様に食欲がある。それを摂生するのに、ニコチャンは苦労していた。

「俺の繊細なハートは、早くも最高潮を迎えそうだぜ」

キングは練習中も、胃が痙攣《けいれん》してならなかった。「予選会までもつかなあ」

「おそれるな」

清瀬の口調は、みんなを安心させる穏やかなものだった。「きみたちは十二分に練習を積んでいる。あとはプレッシャーをやすりに変えて、心身を研磨《けんま》すればいいだけだ。予選会でうつくしい刃《やいば》になって走る自分をイメージして、薄く鋭く研《と》ぎ澄ませ」

「詩的な表現だね」

とユキが言い、

「でも、よくわかる」

と王子は言った。「研ぎすぎて、予選会よりまえにポッキリいっちゃいけないし、研ぎが鈍くて、予選会当日にまだ曇っているようでは話にならない。そういうことですよね？」

「そのとおりだ」

清瀬はうなずく。「この加減ばかりは、闇雲《やみくも》に練習していてもつかめない。自分の内面との戦いだからだ。心身の声をよく聞いて、慎重に研いでいってほしい」

そうか、と走は思った。長距離に要求される強さとは、ひとつにはこういうことを言うのかもしれない。

長距離は、爆発的な瞬発力がいるわけでも、試合中に極度に集中して技を繰りだすものでもない。両脚を交互にまえに出して、淡々と進むだけだ。大多数のひとが経験したことのある、「走る」という単純な行為を、決められた距離のあいだ持続すればいいだけだ。持続するための体力は、日々の練習で培《つちか》っている。

それにもかかわらず、走はいままで何度も、試合中に、試合直前に、調子を崩す選手を目にしてきた。最初は順調に走っていたのに、突如としてペースを乱す。体はうまく仕上がっていたのに、レースの三日前になって急に練習時のタイムが失速する。すごく気をつけていたはずなのに風邪を引き、試合当日にメンバーから外されたものもいた。

走は不思議でならなかった。練習は万全。あとはただ走ればいいだけなのに、なぜ自滅してしまうのか。走自身も、高校時代に最後に出場したインターハイでは、下痢になった。冷えたわけでも、腐ったものを食べたわけでもないのに、なぜか突然、腹具合が悪くなったのだ。それでも走れたから問題はないが、「どうして、よりによってレース前に腹なんか下したんだろう」と、ずっと引っかかっていた。

いまならばわかる。「調整の失敗」と言い表されるもの。それらの原因のほとんどが、プレッシャーなのだ。どれだけ練習を積んでも、「これで充分なのか」とふいを突いて浮上してくる不安。充分だと確信したとたんに、「それでも失敗したら」と湧《わ》きあがる恐れ。肉体と精神は研げば研ぐほど、脆《もろ》くもなっていく。風邪も引きやすくなるし、腹も壊しやすくなる。精密機械が、ちょっとの埃《ほこり》であっけなく壊れてしまうように。

不安と恐れに打ち勝って、どんな塵《ちり》にも耐えうるほど、鋭くなめらかに磨きあげる。その力が、清瀬の言う「強さ」の一面なのだろう。

走はそう理解したが、実践できるかどうかは、疑問の残るところだった。走りに真剣に取り組めば取り組むほど、本番前の緊張からたやすく自由にはなれないし、自分の心身と向きあうのは、とても孤独な作業だからだ。妥協と過剰のあいだで、常に一人で戦わなければならない。

走は結局、あれこれ考えるのをやめた。考えたらそのぶんだけ、恐怖が生まれる。悪いことばかり想像してしまう。

幽霊を怖がるのは、幽霊について考え、想像するからだ。走はそういう、曖昧《あいまい》なものが嫌いだった。「いると思えばいる」ような、まどろっこしいものに煩《わずら》わされたくない。「ある」か「ない」か、はっきりしてほしい。脚を交互に動かせばまえに進むのと同じように。

走はなにも考えずに走った。ひたすら練習に打ちこみ、体で覚えた「走る」という行為を反復した。プレッシャーを克服する方法を、走はそれ以外に知らなかった。

竹青荘の面々は、走とちがって経験が浅いから、緊張を解きほぐす方法をまだ確立していない。走と同じように、ますますハードな練習をするものもいたし、お香を焚《た》いて眠るものもいたし、スポ根漫画を片端から再読するものもいた。予選会に向けて、それぞれが最後の調整に必死だった。

予選会を二日後に控え、走は自分の集中力が、いいペースで上がってきているのを感じていた。

当日に疲れを残してはいけないので、その日の練習は軽めのものだった。もちろん、各自で朝晩のジョッグはするが、予選会前日も本練習の予定は組まれていない。するべきことはすべてした。あとは調子を見ながら体をほぐし、闘志と集中力をますます高めるしかない。

「最後の仕上げはひとつでしょう」

というジョージの発案で、竹青荘の面々は予選会の前々日に、双子の部屋で軽く酒盛りをすることにした。緊張をやわらげ、団結を固めるには、このメンバーだと酒を飲むのが一番手っ取り早い。

一応は監督だからということで、大家も呼んだ。だが、問題があった。大家は穴の修繕費用を清瀬に預けたのだが、清瀬はその金を神童に渡し、箱根駅伝のための積み立てにあてていたのだ。移動費や宿泊費で、金はいくらあってもたりない。

大家が玄関の敷居をまたぐのに合わせ、ジョータが雑誌のグラビアページを眺めながら、大家の眼前を横切った。水着姿の女性の写真に気を取られ、大家は天井を見上げることなく靴を脱ぎ、ジョータにくっついて階段を上った。作戦成功だ。台所から様子を見ていた走とジョージは、小さく手を打ちあわせた。

穴のうえには王子が座ることになった。地震が来ても、トイレに行きたくなっても、大家がいるかぎり絶対にそこから立つな。清瀬と神童からそう厳命された王子は、おとなしく漫画を読みながら穴を隠している。

「ではここで、監督の一言をお願いします」

程良く酒がまわってきたころに、清瀬が言った。一升瓶を抱えこんでいた大家が、ふらふらと立ちあがる。はじめて監督らしいところが見られるのかと、走は期待して大家の発言を待った。

「いよいよ予選会なわけだが……、勝つための秘訣《ひけつ》を教えよう」

大家はしわがれた声で、厳《おごそ》かに述べた。「左右の脚を、交互にまえに出せ！」

室内は静まり返った。大家は、降り注ぐ失望と落胆の気配を察したらしい。

「……そうすりゃあ、いつかはゴールに着く。以上！」

「以上かよ！」

キングはコップを乱暴に置いた。

「大丈夫なのか、このひとは」とユキ。

「もうちょっとまともな監督を招聘《しょうへい》できねえのかよ」とニコチャン。

「あー、やる気がそがれる」とジョータ。

ひそやかな不満の声が広がる。走は急いで、清瀬に話を振った。

「ハイジさんは最初から、このメンバーなら絶対に箱根を目指せるって、信じてましたよね。俺は半分以上無理だと思ってたけど……。どうして、あんなふうに確信を持てたんですか？」

「ん？」

清瀬はコップから視線を上げ、微笑《ほほえ》んだ。「みんな酒に強いから」

「はい？」

大家への文句がぴたっと止まり、今度は清瀬に視線が集まった。

「長距離の選手には、いくらでも飲めるって体質のひとが多いんだ。内臓の代謝がいいのかな。きみたちも、ザルを通り越してワクだろ？　ずっと飲みっぷりを観察していて、これはいける、と思ったわけだ」

「酒飲みなんて、世の中にいくらでもいるでしょう！」

神童は「信じられない」とばかりに天を仰ぐ。

「そんな理由で、ひとを巻きこんだのかおまえは！」

ユキの声は怒りで裏返っている。走は「ああ」とうめいた。清瀬にみんなのやる気を取り戻してもらいたかったのに、これでは逆効果だ。

「本当に、酒を飲む量だけを根拠にここまできたの？」

王子は衝撃のあまり腰を浮かしかけ、神童に目で制されて急いで座り直した。「それって、泥のうえに気力だけで高層ビルを建てたようなものですよ」

「それだけじゃないよ、もちろん」

と言う清瀬は、やや呂律《ろれつ》が怪しい。「きみたちの眠っている才能の輝きに、俺は気づいてしまったんだ」

「酔ってるんですね、ハイジさん」

走はため息をついた。

「あーあ、なんか景気のいい話はないのかよ」

キングが畳に仰《あおむ》向けに転がる。

「そういえば、葉菜子さんとはどうなりましたか」

と、ムサが双子に尋ねた。

「葉菜ちゃん？」

「どうなったって？　仲いいよ？」

双子は邪気なく答える。

わかってない。こいつら、やっぱり全然わかってない、と囁《ささや》きがかわされる。

「そういやあ、おまえら彼女はいねえのか」

さっきから一本のスルメをちびちびかじっていたニコチャンが、思いついたように言った。「いるなら明後日《あさって》、応援に来てもらわねえとな」

竹青荘で、こういう話題が出るのはめずらしかった。生活空間が近接しすぎているので、プライベートな部分にはあえて踏みこまないように気をつかっている、ということもある。わざわざ言わなくても、彼女ができればなんとなくわかってしまうためでもある。

しかしここ半年ほどは、全員が練習に忙しく、お互いの恋愛事情をまったく把握できていなかった。もちろん以前から、自分の部屋に彼女をつれてくるものはいない。会話もなにも筒抜けだからだ。

双子は、「募集中！」と声をそろえた。募集してるなら、応募者の存在に気づけよ、と走は思った。キングは黙って背中を丸める。

「そういうあんたはどうなんですか」

と、ユキがニコチャンに聞く。

「俺はいま、そんな体力が残ってない」

ニコチャンは、無精髭《ぶしょうひげ》の浮いた顎《あご》をぼりぼり掻《か》いた。

「僕もね」

と神童はうつむく。「後援会や大学側との交渉で飛びまわっているから。そろそろ愛想をつかされそうだよ」

「つきあってるひといるんですか」

と、走はびっくりした。地味で実直そうな神童と、恋の華やぎとが、いまいちうまく結びつかなかった。

「神童さんは、入学当時から交際している女性がいます」

とムサが教えてくれた。「私はだめですねえ。なかなか、故郷まで来てくれるというかたはいません」

いきなりそこまで話を進めなくても……、と走は思った。

「走はいないんですか？」

ムサに尋ねられ、走は首を振る。

「俺はもてないですから」

「そんなふうには見えませんけどねえ」

「あの、王子さんはどうなんです」

あわてて矛先《ほこさき》を向けたが、王子は漫画に視線を落としたままだった。

「僕は二次元の女の子にしかキョーミないから」

アイドルのような顔に生まれついたというのに、宝の持ち腐れだ。王子はちらっと清瀬を見た。

「それより、ハイジさんの噂《うわさ》を文学部でたまに聞くけど？　このひと、こう見えていろいろ……」

イテッと小さな悲鳴をあげ、王子は口をつぐんだ。清瀬が指で弾《はじ》き飛ばした落花生が、眉間《みけん》に命中したのだ。清瀬をそれ以上追及しようという勇気のあるものは、だれもいなかった。清瀬はうっすらと笑い、

「ユキは？」

と言った。

「将来性があって性格がよくて見た目も悪くないんだよ？　いるに決まってるだろう」

ユキは平然と答えた。キングがますます縮こまる。

「俺には聞かないのか」

と大家が茶碗《ちゃわん》になみなみと焼酎《しょうちゅう》を注いだとき、電話の音が響いた。ユキの携帯だ。ちょっと失礼、とユキは部屋から出ていった。

「なんだなんだ、また彼女からか？」

とニコチャンが言う。ユキの携帯がこのごろよく鳴っていることに、走も気づいていた。

「そのわりには、ユキさんはなんだか最近、沈んでいるようではありませんか？」

とムサが心配そうに首をかしげた。

キングはやけ酒を飲むことに決めたらしい。「氷がねえや」と、からの丼《どんぶり》を振る。戸口に近いところにいた走は、「取ってきますよ」と立ちあがった。

階段を下りると、玄関の引き戸が開いていた。ユキが表に出て、電話で話しているようだ。声がわずかに聞こえてくる。なにかを言い争っている気配だったので、走は気になりつつも、邪魔をしないよう足音を忍ばせて台所に入った。

氷を丼に移し、冷凍庫の製氷器に新たに水を張る。みんなの飲みぶりからすると、まにあわないかもしれない。走は冷凍庫のつまみを「強」にし、丼を持って台所から出た。

玄関の引き戸は、まだ開いたままだった。だが話し声は聞こえない。ためらったのち、走は健康サンダルを履いて、ひょいと表を覗《のぞ》いてみた。

ユキが玄関脇《わき》にしゃがんで、夜空を見上げていた。

「氷、できましたよ」

走はそっと声をかけた。「また飲みましょう」

ユキは「ああ」と答えたが、立とうとしない。左手に携帯電話を握って、ぼんやりしたままだ。

「なにか悪い知らせだったんですか」

走は玄関の敷居をまたぎ、丼を抱えてユキの隣にしゃがんだ。

「ちがう」

とユキは言った。「新聞記事を見た親が、一度家に顔を出せってうるさくてね」

「ユキさんの実家はどこなんですか?」

「東京」

それならば、家に帰るのに手間はかからないだろうし、そもそも竹青荘のようなボロアパートに下宿する必要がない。そういえば、ユキ先輩は正月にも帰省しなかったと言っていたな、と走は思い出し、なにか事情があるようだと察した。

庭の草むらで、虫がうるさいほど鳴いている。

「走はどうして、取材に乗り気じゃないんだ」

ユキに聞かれ、走は「うーん」とうなった。

「俺、けっこう恨まれてるんですよ。親も、高校んときの部活のやつらも、たぶん俺の顔なんて見たくないと思ってるはずです。だから、できるだけ目立つことはしないでおきたいな、と」

「いろいろ苦労があるようだな。単なる陸上バカかと思っていたが」

ユキは辛辣《しんらつ》な言葉を吐いたが、深く尋ねてきたりはしなかった。

「陸上バカすぎたおかげで、こそこそ取材から逃げまわるはめになってるんですけどね」

と走は笑った。

双子の部屋が、にわかに騒然とした。走りまわったり、なにか叫んだりしている物音が聞こえてくる。走とユキは頭上を振り仰ぎ、

「なんだろ」

と立ちあがった。

庭に面した二階の窓が開き、

「ユキ！　いるか！」

と清瀬の呼ぶ声がした。

「いるけど、どうした」

「救急車呼んでくれ！」

清瀬は走とユキの姿を認め、急《せ》き立てるように腕を振った。「大家さんが血を吐いた！」

救急車に乗って、病院まで大家につきそっていった清瀬は、日付が変わってしばらくしてから、ようやく竹青荘に戻ってきた。

早寝早起きが染《し》みついていて、眠くてたまらなかったが、大家の容態が心配で、みんな寝ずに待っていた。玄関先で住人たちに取り囲まれた清瀬は、疲れのにじむ表情で、沈鬱《ちんうつ》

そうに報告した。

「胃潰瘍《いかいよう》ができていて、一週間の入院。極度の緊張からくるストレスが原因だそうだ」

「ストレス!?」

と、ジョージが素《す》っ頓狂《とんきょう》な声を上げた。「なんでストレス？」

「責任感とは無縁の、のほほん監督ぶりだったのに？」

ジョータも首をかしげる。絶対にただの飲み過ぎだ、と走は思った。

「原因については、俺もおおいに疑問ではあるが……。大家さんは大家さんなりに、俺たちを心配してくれていたんだろう」

清瀬はこめかみを揉《も》んだ。「そういうわけで、明後日、もう明日か。明日の予選会は、監督不在で挑むことになる」

「べつにかまわないけどねえ」

「いつも、いないようなもんだし」

双子が率直な感想を述べ、走はうなずいた。

「いざというときには頼りになる、って言ってませんでしたか？」

走の囁きに、

「たぶん、って言っただろ」

と清瀬は答え、やれやれとばかりに、羽織っていたパーカーを脱いだ。

七、予選会

「いい天気だ」

走《かける》は大きくのびをして、さわやかな秋の空気を吸いこんだ。出がけにラジオで聞いた天気予報では、気温十三度、湿度八十三パーセントと言っていた。風はほとんどない。十月半ばのこの時期は、比較的走りやすい天候がつづく。戦いに適している、と走は思った。

走の隣ではジョージが、ピクニックシートを持った家族づれを眺めていた。土曜日ということもあり、公園には早くも、散歩や行楽を兼ねて予選会を見に来た人々が集まりはじめている。

「楽しそうだなあ。俺はさっきから膀胱《ぼうこう》がおかしくなってるのに」

「どうしたんだ？」

「トイレに行っても、なんにも出ない」

ジョージは起きてから、もう十回以上はトイレに行っている。緊張するなと言っても、無駄だろう。立川《たちかわ》の昭和記念公園には、各校の応援部が打ち鳴らす太鼓の音が響いていた。もうすぐ予選会がはじまることを、否応《いやおう》なしに思い知らされる。

今日の昼までには、箱根駅伝に出場できるか否《いな》かが決まるのだ。ジョージの高ぶった神経をなだめる言葉は見つからず、走は「俺もだ」とだけ言った。

ジョータは少し離れた芝生のうえで、寝そべってじっと目を閉じている。腹に置いた手が時折ぴくっと動くから、眠っているわけではなさそうだ。竹青荘《ちくせいそう》の面々は、夜も明けきらぬうちに起床し、一時間ほど電車に乗って、昭和記念公園にやってきた。だが、走も眠気は感じない。意識が隅々まで冴《さ》え渡っていた。

「俺はもう一度ジョッグしてくるけど、ジョージはどうする？」

走が尋ねると、ジョージは「トイレに行く」と答えた。走は芝生から出てジョージと別れ、広大な公園の敷地内を走りはじめた。

他大の選手たちも、足ならしをかねて公園の地形の把握に余念がない。東体大《とうたいだい》の青いジャージを見かけるたびに、走の鼓動はぎこちなく跳ねた。榊《さかき》には会いたくなかった。レース前の集中を乱されたら、今度は口げんかではすまなくなる。

見物人の波が、贔屓《ひいき》の大学や選手に声援を送るため、スタート地点のほうへ押し寄せはじめた。学ランで身を固めた応援部員が、大きな旗と数々の鳴り物を抱え、少しでもいい場所を確保するために、他大学の応援部と火花を散らしている。

もう充分に体はあたたまった。じっとしていられない気持ちだったが、レース前に疲れるわけにはいかない。走は自分にそう言いきかせ、ジョッグをやめてスタート地点近くの草地に戻った。

八百勝《やおかつ》と左官屋《さかんや》が作った例の横断幕が掲げられていたので、寛政大《かんせいだい》の陣地はすぐにわかった。商店街の人々がビニールシートに座り、予選会のはじまりを告げる号砲を待っている。竹青荘の住人も、走るための準備を終えて全員が集まっていた。まわりには適度な距離を置いて、他大学の陣地が点々とあり、大学名を染め抜いた色とりどりの幟《のぼり》を立てていた。

「うちの横断幕、なかなかいいよな」

走の姿を見つけ、キングがさっそく話しかけてきた。走は「そうかな」と思ったが、キングの指先が震えているのに気づき、おとなしく「はい」とうなずいた。

「そもそも寛政大は、寛政の改革をした松平定信《まつだいらさだのぶ》公の精神を尊び……」

キングは緊張のためか、観光案内の壊れたテープのように、雑学を垂れ流しはじめる。走は、適当に相槌《あいづち》を打ちながら腰を下ろした。葉菜子《はなこ》が毛布やペットボトルの水を用意し、ビニールシートのうえは快適な空間になっていた。

「試走もしたから、わかっているとは思うが、今日の戦略をおさらいする」

と清瀬《きよせ》が言った。神童《しんどう》とムサは、テレビクルーの機材を感心して眺めていたが、急いで清瀬の近くにやってきた。走はホワイトボードに、予選会で走るコースの略図を描いた。

「なにそれ、迷路？」

王子《おうじ》が眉《まゆ》を寄せる。

「コースは簡単です」

と、走は王子への反論を含みつつ、図を示して説明をはじめた。「まず、記念公園に隣接する自衛隊駐屯地からスタート。滑走路と誘導路を二周します。それから一般路に出て、駅前通りを行き、モノレールの高架下をくぐって、公園に戻る。公園内を一周し、芝生広場の横がゴールです」

清瀬がコースにおける注意点を挙げる。

「駐屯地の試走はできなかったが、滑走路と誘導路は、とにかくだだっぴろいトラックだと思えばいい。二周で五キロだ。はじめて走る場所だし、目標物もないから、距離感がつかみにくいと思う。どういうレース展開になるかわからないが、スタートから飛ばす選手に引きずられてはだめだ。自分でペース配分を考えること。モノレールをくぐったあたりが十キロ。十一・二キロ地点で折り返し、公園に戻ってすぐが十五キロ。給水があるが、万が一取れなくても気にしすぎるな。そしてここからは、余力が残っているかどうかが勝負だ。公園内は細かいアップダウンが多い。スパートをかけて、一秒でも早くゴールへ駆けこめ」

「質問です」

とムサが挙手した。「予選を通過するためには、どのぐらいのタイムを出せばいいんですか？　目安を知りたいです」

「あせりすぎてはいけないから、あまり教えたくないんだが……」

と清瀬は渋った。

「こいつらは少しあせらせたほうがいい。放っとくと、タラタラタラタラ走るから」

とユキが言う。「気候やレース展開によって、年ごとにちがいはあるけど。十人の合計タイムが十時間十二分台だったら、確実だね」

「ひえー！」

双子《ふたご》が奇声を発した。

「てことは、二十キロを一人あたり、一時間ちょっとで走るってこと？」とジョータ。

「一キロを三分強で走るペースだよ、兄ちゃん！」とジョージ。

「俺たちには、インカレポイントがない」

とニコチャンが補足した。「タイム的に七位以下だと、そこにインカレポイントが絡《から》んでくるから、俺たちは逆転負けする可能性が高くなるぞ。純粋な合計タイムだけで決まる、六位までになんとか食いこみたいところだ」

「大丈夫」

と、清瀬が力強く動揺を鎮《しず》めた。

「走と俺が、なるべくタイムを稼ぐ。出場者数が多いから、きみたちは最初は固まって走って、ペースを維持してくれ。滑走路を一周するうちに、力のないものは振り落とされていくはずだ。速すぎたり遅すぎたりするペースに、決して惑わされるな」

「はーい」

と、ジョージがよい子の返事をする。

「ただし」

清瀬はつけくわえた。「先頭集団が速すぎる場合は合図するが、それ以外のときは食いついていかないと、予選通過は難しいと思え。十人全員が全力でゴールしないことには、俺たちに明日はない！」

ほとんどのものが内心で決意を新たにしたが、王子とキングは早くも腰が引け気味だ。

「できるかなあ」「つらそう……」と、囁《ささや》きあう。

「俺もちょっと質問なんだが」

と八百勝が手をあげた。葉菜子が「お父さん」といさめても、八百勝は気にせず発言をつづける。

「ほかの大学のやつらは、ユニフォームを着てる人数がおまえらよりも多いみたいだぞ。

こりゃいったいどういうことだ？」

「勝ちゃん、俺もそれが気になってたんだよ」

左官屋が周囲を見まわした。「数えたんだけどよ、東体大も西京大《さいきようだい》も、ユニフォーム着てるのが十二人いるぞ。うちは十人しかいないのに」

「いやなところに気がつきましたね」

清瀬は苦笑いした。「予選会には、最大で一チーム十四人を出場予定者として申請できるんです。体調などを考慮して、当日に十二人に絞る」

眼鏡を押しあげ、ユキが補足する。

「そのなかの上位十人の合計タイムで、各大学が箱根をかけて競うんですよ。選手が多いチームは、二人ぶん余計に保険をかけられるということです」

選手が十人しかいない寛政大は、だれか一人でもゴールできなかったら、その時点で箱根への道が断たれる。改めて知った責任の大きさに、王子が青ざめて腹を押さえた。走は逆に闘志が最高潮に達し、早く走りだしたくてたまらなくなった。

「頑張ろうよ」

意のままにならない膀胱のことは諦《あきら》めたのか、ジョージがにこやかに言った。「今日は大家さんの弔《とむら》い合戦《がっせん》だもん！」

「死んでない」

と走はつぶやいた。

そろそろスタート地点に集合する時間だ。

「行こう」

と清瀬はあっさり言った。

「円陣を組んで気合いを入れたりしないのか？」

とキングがそわそわして尋ねる。

「したいのか？」

「いや、まあ……」

キングは言葉を濁した。テレビカメラを意識し、なにかしないとさまにならないのではないかと、気を揉《も》んでいるのだ。清瀬はキングの意を汲《く》み、

「箱根の山は天下の険！」

と言った。「じゃ、行こう」

さっさと歩いていく清瀬は、いつもどおりの冷静さだ。呆気《あっけ》にとられたり、笑いを嚙《か》み殺したりしながら、竹青荘の面々はあとを追った。

「行ってこい！」

「勝って帰れー！」

と、商店街の人々が見送る。

「ゴールで待ってるから！」

という葉菜子の言葉にだけ、みんなは手を振り返した。選手がスタートしたら、見物客は広い公園内を横切って、ゴール地点に移動をはじめる。葉菜子たちは荷物を持って、芝生広場に陣地を取っておく手はずになっていた。

「なんだよなあ、あいつら。鼻の下のばしやがって」

と、八百勝と左官屋はむくれた。

各大学の応援合戦がはじまっている。空を舞うヘリコプター。そこここに設置されたテレビカメラ。併走して選手を撮影するバイク。スピーカーのついた先導車。コース沿いで選手の通過を待つ見物客のざわめき。

はじめて体験する華やぎと熱気に、竹青荘の面々はたじろぎを隠せない。

「箱根駅伝って、予選会からこんなに人気があるんだね」

神童は感慨深そうだ。

「さっき、王子さんとトイレに行ったんだけどさ」

とジョージが言う。「びっくりしたよ。個室に列ができた男子便所って、はじめて見た。出場選手が入れ替わり立ち替わり、大のほうに入ってくの」

「僕は、スポーツをやってるひとへの偏見があったな」

王子はあいかわらず腹をさすっている。「脳みそまで筋肉なのかと思ってたけど、みんな案外、繊細な神経の持ち主みたいだ」

　ジョータは死人のように横たわっていたのが嘘《うそ》のように、いまはうきうきした足取りだ。緊張を集中力で克服したらしい。

「箱根での優勝に向かって、いよいよ一歩を踏みだすわけだね」

　優勝？　走はちらりと清瀬をうかがった。予選会を通過できたとしても、このメンバーで本戦で優勝するのは無理だろう。清瀬は走の視線に気づき、黙って少し笑った。いまは士気を落とすようなことを言うな、と目が語っていた。

　スタート地点は、出場者で混みあっていた。前列を形成するのは、前回の箱根駅伝で惜しくもシード落ちした大学だ。東体大のユニフォームが、人垣の向こうに見えた。寛政大は後方からの出発となる。

　こうして見ると、と走は思った。体つきが全然ちがう。前方の箱根常連校の選手は、引き締まり、余分をいっさい削《そ》ぎ落とした体型だ。だが、後ろからスタートする大学の選手には、見るからに重そうな骨格をしたものや、走りこみがまだたりないのではないかとうかがえる脚の筋肉をしたものがいる。

　なによりもちがうのは、顔つきだった。弱小校と呼ばれる大学の選手は、場慣れしていないし、レース前から自信のなさそうな表情だ。残酷なもんだ、と走は思った。長距離が、いくら努力でなんとかなる割合の高い競技だとはいえ、やはり持って生まれた身体能力や資質は厳然とある。それに加えて、選手が競技に打ちこめる環境や設備や指導者をそろえられるかどうかには、大学の資金力も関係してくる。

それでも、この場に集ったものたちの、箱根を目指す真剣な思いには、なにもちがいはなかった。どんな立場であれ、境遇であれ、走りのまえでは、全員が同じスタートラインに立つしかない。成功も失敗も、いまこのとき、自分の体ひとつで生みだすものだ。だから楽しく、苦しい。そして、このうえもなく自由だ。

走は、黒と銀のユニフォームを身につけた、竹青荘のメンバーを見た。余計な贅肉《ぜいにく》のない、しなやかな筋肉を薄く張り巡らせた体。常連校の選手と比べても見劣りしない、走るための生き物の体だ。物怖《ものお》じせず、目は好奇心と闘志で輝いている。

いける、と走は思った。

もうなにも考えることはなかった。スタートしたら、走るだけだ。走はまえを見据え、出発の号砲を待つ。

午前八時半。予選会ははじまった。

三十六大学、四百十五人の選手たちが、いっせいに走りだす。箱根駅伝出場をかけた、戦いの幕開けだった。

このなかから箱根に行けるのは、九校のみだ。絶対にそのなかに入ってみせる。走は力強く地を蹴《け》った。

レースはスタート直後から速いペースで展開した。

走と清瀬は、二、三十人ほどで形成された第一集団のなかにいた。走はスパートをかけたくてじりじりした。隣を行く清瀬に「落ち着け」といさめられ、あせりをなんとか抑えこむ。

トップを行くのは、西京大学の黒人留学生二人だ。あっというまに第一集団と差をつけ、もう滑走路の最初のコーナーを曲がっている。箱根常連校である甲府学院大《こうふがくいんだい》の黒人留学生、イワンキも果敢にあとについた。イワンキは箱根で三年連続して二区を走ったエースだ。走ははるか前方を行くイワンキの背中に、最終学年となったエースの、箱根にかける自負と意気ごみを感じた。

トップの三人の走りに引きずられるように、第一集団も最初の一キロを二分四十九秒で通過した。自衛隊の滑走路が広すぎて、距離感をつかみにくいせいもあるだろう。二十キロを走ることを思えば、かなりのハイペースだ。ついていけないものが続出し、二つ目のコーナーを曲がるころには、選手全体は早くも縦に長くのびていた。

清瀬が腕時計を確認し、振り返る。竹青荘のほかのメンバーは、七、八十人から成る第三集団のなかで、固まって走っていた。

清瀬はコースの外側ぎりぎりまで出て、後ろから自分の姿が見えやすい位置を取った。

右掌を下に向け、「抑えていけ」と合図する。あらかじめ決めておいた法則どおり、次々に指で数字を作り、「一キロ三分十秒以内で五キロまで。あとは各自判断」と指示を送る。「各自判断」は、こめかみ付近で掌をパッパと開閉する仕草だ。ユキと神童がうなずき、まわりを走るメンバーに手早く伝えたのがわかった。

「俺たちもペースダウンしますか」

と走は尋ねた。

「するのか？」

と清瀬が尋ね返す。

「いいえ」

そんなつもりは、さらさらなかった。清瀬は走りながら、走の背を軽く叩《たた》いた。

「一般路に出たら、また新しい展開があるだろう。いざというときには、俺を気にせず打って出ろ」

葉菜子はスタート地点近くで荷物をまとめ終わり、滑走路を二周する住人たちを応援していた。広大すぎて、一番遠い辺を走っているときには、選手の姿は豆粒ほどにしか見えない。しかし集団が近づいてくると地響きがし、目前を通過するときには、選手の息づかいと汗の浮いた体が発散する熱が感じ取れる。

ストップウォッチを片手に、葉菜子は驚いていた。

このひとたちはみんな、なんてスピードで走るんだろう。自転車を必死に漕《こ》いだときよりも、まだ速いぐらいだ。選手の顔を視認するのがやっとというほど、一瞬で通り過ぎていく。こんなスピードで、二十キロを走り抜くんだ。

黒人選手が三人通過し、四十メートルほど離れて、第一集団が来た。走と清瀬がいる。まだまだ余裕の表情で、軽やかに無駄なく体を運んでいる。周囲の見物客が、「頑張れ！」と声援を送った。葉菜子も声をかけようとして、できなかった。胸に空気の塊が詰まった。

第三集団に双子がいた。竹青荘の八人は固まって、遅れを取らないように、少しでもまえに出るために、懸命に走っていた。

「先頭は二分四十九秒ペース。引きずられないで！」

情報を伝えた葉菜子は、自分が泣きそうになっていることに気づいた。

走る姿がこんなにうつくしいなんて、知らなかった。これはなんて原始的で、孤独なスポーツなんだろう。だれも彼らを支えることはできない。まわりにどれだけ観客がいても、一緒に練習したチームメイトがいても、あのひとたちはいま、たった一人で、体の機能を全部使って走りつづけている。

滑走路を二周し、五キロを走った時点で、先頭の黒人選手と第一集団のあいだは、百メートル以上離れていた。葉菜子の近くにいた中年男性が舌打ちした。

「だらしねえなあ、日本人選手は」

そうじゃない、と葉菜子は言いたかった。あんたはなにを見てるのよ。先頭を行く選手も、そのあとを追う選手たちも、なにもちがいはない。あのひとたちの真剣な表情に、肉体の限界に挑む決意に、なぜ気づかないの。だらしないひとなんて、一人もいない。両手を固く握りしめ、葉菜子は寛政大のユニフォームを目で追った。負けないで。みんな、どうか負けないで。

なにに対して負けないでと願っているのか、葉菜子は自分でもよくわからなかった。ライバルの選手や大学になのか、沿道で勝手な論評をしながら見物する人々になのか、それとも、走っている彼ら自身になのか。わからないが、葉菜子はひたすら願った。負けないでほしかった。なにものにも。

八百勝が声をかけてきた。

「行くぞ、葉菜」

ほらほら、と八百勝は葉菜子をうながす。「みんな、いい位置につけてるみたいじゃねえか。ゴールで待っていてやろう」

左官屋も鼻をすすり、うなずいてみせる。商店街の人々は、陸上選手の走りを間近で見るのははじめてだった。そのスピードに息をのみ、竹青荘の面々が遜色《そんしょく》なく戦っていることに、胸打たれずにはいられなかった。

いつもはヘラヘラしているが、あいつらは本気だったんだ。本気で、走ることに取りくんできたんだ。予選会を見てようやく、そのことを実感した。

商店街の人々は、毛布やペットボトルを持って、公園内を移動しはじめた。芝生広場でいい場所を確保し、走り終えた選手を迎えなければならない。

葉菜子もまばたきして、にじんだ涙を乾燥させた。泣いている場合ではない。レースははじまったばかりだ。彼らを信じて、いまは自分のやるべきことをしなければ。

ビニールシートを抱えた葉菜子は、朝露に濡《ぬ》れた草を威勢よく踏み分け、歩いていった。

レースは五キロを通過し、一般路へ出たところで、新しい局面を迎えた。第一集団がばらけはじめたのだ。先頭との差は縮まらないが、離されることもない。あいかわらずハイペースの展開に、脱落するものが出たということだった。

走と清瀬は、十人ほどになった第一集団にしっかり入っていた。まわりは東体大、喜《き》久《く》井《い》大《だい》、甲府学院大などのエース級の選手ばかりだ。榊の姿がないことを、走は確認した。優越感も、もちろん同情も、走の胸にはきざさなかった。ただ、「ああ、ペースについてこられなかったんだな」と思っただけだ。でも俺はもっと行く。この集団から抜けでてみせる。

そのころ、テレビカメラを積んだ先導車のなかではスタッフが、「おいおい、寛政の選手がいるよ。頑張るじゃないか」と感嘆の声をあげていたのだが、もちろん走と清瀬は知るよしもない。どこでレースが動くか。周囲の選手たちと、無言の駆け引きを繰り広げていた。

大きな陸上部は、沿道に控えの部員を配置して、各選手の位置や、監督からのペースの指示を伝達できる。だが寛政大は人手不足だ。清瀬は自分の走りだけではなく、ほかの選手にも気を配らねばならなかった。たまに振り返って、様子を見る。竹青荘の八人はまだ固まって、ふくれあがった第二集団の後方に位置を取っていた。これまでの第二集団と第三集団もばらけ、脱落しなかったものたちが、第一集団からこぼれたものと合体したようだ。

双子、ムサ、ユキはまだまだ余力があることが表情からうかがえた。神童とニコチャンは泰然として、自分のペースの維持に努めている。キングはそれになんとかついていっているが、王子がそろそろ危ない。竹青荘の塊も、縦にのびつつあった。

これ以上、メンバー同士で固まっていては、遅いペースのものに引きずられ、全員がずるずる後退してしまう可能性がある。

七キロを通過。第一集団のこの一キロのタイムは、三分〇五秒だった。最初のハイペースから、やや抑え気味に変わっている。後半でばてることを恐れる集団心理が働いたことと、少し離れた前方を走る、三位のイワンキがペースダウンしたことが原因だろう。

第一集団のなかでスパートをかけてくるものが出るのは、十キロ過ぎだ。清瀬はそう判断した。そこで走と清瀬が食いつくのはもちろんだが、さらに後方への影響も考える必要があった。脱落し、スタミナがたりずにペースを崩すものがきっと出る。竹青荘の面々が、それに振りまわされてはいけない。

清瀬はセンターライン側に寄り、後ろの塊へまた指示を出した。右腕を大きくまわす。「そろそろ動く」。こめかみ付近で右手の五指をピラピラと動かす。「きみたちもばらけてよし」。つづいて、右手で拳《こぶし》を作り、親指を立てる。「健闘を祈る」。

余裕のない王子を除き、みんな軽く手をあげて「了解」の意を示した。

「走。十キロ地点から、このレースの最初の勝負どころが来るぞ。遅れを取るな」

清瀬の囁《ささや》きに、走はうなずいた。第一集団を走るものの息づかいからも、抜けだしやすい位置取りが激しくなってきたことからも、それは察知できた。選手が互いをうかがいあい、牽制《けんせい》しあって、好機を待っている。

駅前通りを離れ、モノレールの高架が迫っても、沿道には観客が並んでいた。だがその声も遠い。潮騒《しおさい》のように耳を撫《な》でるだけで、あっというまに後ろへちぎれていく。レースに集中しているためだ。走は今日、自分の体がよく動くことを改めて意識した。

体が軽いと思っても、実際にはペースに反映していないときがある。逆に、今日はどうもよくないと感じたのに、とてもいいペースで走れているときもある。どんなに練習しても、実戦で体と脳がうまく連結せず、錯覚を起こすことは多い。

走は念のため、はじめて腕時計に目を落とした。一キロ二分五十七秒ペースでここまで来ている。錯覚じゃない。俺はやっぱり、今日はいい調子だ。レースのペースがあがっても、まだいける。もっと速く。

走の自信を敏感に嗅《か》ぎ取ったらしい。隣を走る清瀬が、「どうどう」と馬に対するようになだめてきた。

「待てよ、走。十キロを過ぎたら、きみの好きにしていいから」

あまり早くスパートをかけすぎては、自滅する。走は「はい」と答え、ペースを落とさないまま、ぐっと我慢した。

モノレールの高架を過ぎ、十キロ地点の標識を見たとたん、第一集団に案の定動きがあった。

喜久井大の三年生と、東体大のキャプテンがスパートをかけたのだ。走と清瀬以外の選手たちは引き離された。

走は風よけがわりに、競《せ》りあう喜久井大と東体大の背後にぴったりついた。そのまま五百メートルほど走ったところで、「俺、行きます」と走はつぶやいた。清瀬が無言でうなずく。

走は、喜久井大と東体大の二人をセンターライン側からまわりこむ形で追い越した。

そのまま自分のリズムで走りつづける。振り返るような暇も気持ちもなかった。足音が遠ざかることで、自分が彼らを引き離し、単独四位に立ったことは充分わかる。

心地いい。切り裂く風も、踏みしめる道も、この瞬間だけは俺のものだ。こうして走っているかぎり、俺だけが体感できる世界だ。

心臓が熱い。指の先まで血が流れているのがわかる。重い、まだまだこんなものじゃないはずだ。もっと体を変化させろ。苦しみを知らず草原を駆ける、しなやかな獣のように。暗闇《くらやみ》を照らす、銀色の光のように。

十一・二キロの折り返し地点を、走は流線型の最新マシンかと見まごうほど無駄なく曲がった。スピードを落とすことは罪悪だ。走るために、俺のすべてはあるのだから。

走は前方を行くイワンキを、すでに射程にとらえていた。

加速する走を目《ま》の当たりにし、清瀬は恍惚《こうこつ》となった。

あの走りを見てくれ。走るために生まれた存在のうつくしさを。

悔しさも羨望《せんぼう》も軽々と凌駕《りょうが》する姿。べつの生き物のようだ。重力に縛られ、酸素の供給に汲々《きゅうきゅう》とする俺との、なんというちがい。

清瀬は叫びだしたい気持ちを、なんとかこらえた。やっぱりきみしかいない。こんなふうに、走ることを体現してくれるのは。俺を駆り立て、新しい世界を見せてくれるのは、走、きみだけだ。

走に追いつきたかったが、脚に爆弾を抱えた清瀬には無理だった。喜久井大と東体大の二人のペースに合わせる。スパートをかけたのに、逆に走に追い抜かれた二人は、衝撃から立ち直るのに精一杯だ。公園に入ってからのアップダウンで、この影響がどう出るか。体力を温存し最後に賭《か》けるしか、清瀬に残された戦法はない。後ろを見る余裕も、もうなかった。

だが、感じられる。ほかの八人も、集団から飛びだした走を、確実に目撃した。きらめきを放つその走りを目にし、奮い立っているのがわかる。

折り返し地点を過ぎて走ってくる走を、ジョージは正面から見た。ジョッグをしているみたいに、息も乱さず、苦しそうでもない顔だ。でも、目がちがう、とジョージは思った。走の真っ黒い目は、喜びに輝いていた。走るという行為のただなかにいる喜びに。

自分がどんな表情で走っているか、走は気づいてないんだろうな。ジョージはうらやましさと愛《いと》おしさを感じた。俺は走ほど純粋に走れているか。残酷なまでに無邪気に無心に。走りたい。ジョージは思った。俺も、走みたいに走りたい。

すぐ横をすれちがった走の走りに、ニコチャンはうなった。これほどとは思わなかった。本気になった走の速さときたらどうだ。輝きが目にまぶしい。選ばれた人間はいるのだと、有無を言わさず証明するようじゃねえか。

だが俺も走り抜いてみせる。ニコチャンは悲鳴を上げはじめた肺に、また空気を取りこんだ。走るという意志においてまで、走に遅れをとるわけにはいかない。
寛政大のユニフォームを着たものたちは、走を先頭に熱と力で結ばれ、夜空に輝く星座のように、ひとつの形をなしてゴールを目指していた。

葉菜子は芝生広場で場所取りをし、急いで公園内のコースへ向かった。ゴール近くには、各大学の応援部がひしめきあっている。見物客も二重三重の人垣を作って、選手の到着を待っている。にわかにさわがしくなったため、公園の森の木々から、鳥が驚いて飛び立った。

葉菜子はゴールから五十メートルほど手前で、ようやくひとの壁に隙間《すきま》を見つけた。「すみません」ともぐりこみ、前列に入らせてもらう。寛政大のジャージを着ていたので、見物客は関係者だと察し、親切に場所を空けてくれた。

葉菜子はストップウォッチを見る。スタートから五十七分三十五秒が経過。二十キロを走るのだから、いくらなんでもまだかかるだろう。

そう思っていたのに、歓声が波のように近づいてきた。各大学の応援部は、ここぞとばかりに校歌を歌い、旗を振りまわす。

緑の木陰から、先頭のランナーが見えてきた。西京大学の黒人留学生だ。つづいて、同じくもう一人の黒人留学生。

「すごい……」

葉菜子はつぶやいた。見物客のどよめきのなか、留学生たちは二十キロを五十八分十二秒と二十八秒でゴールした。あの身体能力の高さときたら、無敵という言葉がふさわしい。竹青荘のメンバーは、どうなったのか。葉菜子はゴールした選手に拍手を送りながらも、のびあがってコースを見た。

カーブを曲がって、人影が現れた。葉菜子は思わず絶叫した。言葉にならない。走《かける》だった。

三位でゴール前最後の直線に差しかかったのは、蔵原《くらはら》走だったのだ。

「どうせ上位は黒人選手だよ」

そう囁きあっていた見物客も、先ほどの比ではないどよめきをあげた。うねるような歓声が湧《わ》く。葉菜子も夢中で、「蔵原くん！　蔵原くん！」と呼びかけた。

走はなにも耳に入っていないようだった。

荒い息づかいが、葉菜子のまえを一瞬で過ぎ去る。走はまっすぐにゴールだけを見て、短距離走かと思うほどのダッシュで、五十メートルを駆け抜けた。執念と闘志を感じさせる走りに、見物客はのまれた。

聖者が通ったかのように、ゴール前はいっとき静まり返る。

葉菜子はストップウォッチで確認した。走がゴールに走りこんだのは、スタートから五十九分十五秒後のことだった。イワンキはその五秒後にゴール。走は、甲府学院大のエースに競《せ》り勝ったのだ。

ざわめきがゴール前に満ちる。

「寛政大だったぞ。箱根では見たことのない学校なのに」

「ものすごい選手がいるじゃないか」

蔵原くんよ。まだ一年生の、蔵原走くんよ。葉菜子は周囲のひとに言ってまわりたかった。だが、そんな時間はなかった。後続の選手たちが、つぎつぎにゴール前の直線に到達したからだ。

清瀬は十五キロを過ぎ、公園に入ったところで、予定どおりスパートをかけた。喜久井大と東体大もほぼ同時にペースを上げたが、競り負けるつもりはなかった。

上り坂で加速したとき、右脛《みぎすね》にわずかな違和感を覚えた。くそ、と思ったが、息は乱さず、表情にも出さなかった。弱みに気づかれたらおしまいだ。いまは一秒が惜しい。古傷など、気にしている場合ではなかった。

清瀬はためらわず、加速しつづけた。各応援部の演奏が渾然一体《こんぜんいったい》となって、カオス的音階を奏《かな》でている。商店街の見知った顔がいくつか、コース沿いで叫んでいたようだ。だが、なにも聞き取れない。喜久井大の選手が一歩まえに出る。地面に足裏が接触するたびに、脛に痺《しび》れを感じる。それでも清瀬は、引き離されまいとした。

「ハイジさん！」

走の呼び声を、たしかに聞いた。清瀬は最後の力を脚の筋肉に注ぎ、崩れこむようにゴールした。邪魔にならない位置になんとか移動し、掌《てのひら》で脛に触れる。熱を持っていた。

喜久井大の選手と同着六位。タイムは六十分ちょうどだった。

走はゴールすると、係員に水の入ったペットボトルを渡され、急き立《せ》てられるように移動を命じられた。ゴール近くにいると、あとから来る選手の妨げになる。

みんなはどうしただろう。心配で、ゴール横の木立の下でぐずぐずと様子をうかがった。また歓声があがり、見物客の向こうに寛政大のユニフォームがちらっと見えた。清瀬だ。

「ハイジさん！」

走は叫び、走り終わった選手が芝生広場へ抜ける小道に躍りでた。清瀬がうずくまっている。驚いて、走は走り寄った。

「大丈夫ですか」

息はそんなに上がっていないようだ。上位でゴールする選手には、実力が備わっている。自分のペースで余裕をもって、レースを走りきれるということだ。ゴール後に喘《あえ》いで動けなくなるようなことは、まずありえない。清瀬の呼吸を確認した走は、「脚ですね」と判断した。

少しでも筋肉の負荷を減らすために、走はペットボトルの水を清瀬の脛にかけた。手を貸すと、清瀬は立ちあがり、やや右脚を引きずるようにして歩きだす。

「走、よくやった」

清瀬の第一声は、走へのねぎらいの言葉だった。そんなこと言ってる場合ですかと、走は泣きそうになった。

「はい」

とうつむくと、清瀬が笑って、走の髪をかきまわした。

「ほかのやつらを応援しよう」

「でも、すぐに脚を冷やしたほうが……」

「問題ない。行くぞ」

清瀬は見物客の隙間に入りこむ。走も「ちょっとすみません」とあとにつづいた。

ゴール前では八十位台のデッドヒートが繰り広げられていた。十人の合計タイムで結果が決まるのだから、だれもが必死だ。

「双子だ、双子ですよ！」

走は団子状の集団のなかに、寛政大のユニフォームを発見した。コースを挟んだ反対側で、葉菜子が飛び跳ねている。

ジョータとジョージはともに歯を食いしばり、ゴールした。つづいてユキ、ムサ、ニコチャンと神童が八十位から九十位台に入った。キングが健闘し、百二十三番目にゴールだ。

「いいぞ、いいペースだ」

清瀬がつぶやく。ところが、王子の姿がなかなか見えない。常連校のなかには、十人がゴールし終えたところがどんどん出てきた。

「このままだとまずいですよ」

走は足踏みする。もう一度自分が走りたいぐらいだった。まだか、まだか。祈るような気持ちで見つめる先、木立の陰から王子が姿を現した。

「ふらふらだな……」

清瀬は眉《まゆ》をひそめる。王子はすでに限界を超え、目の焦点が合っていなかった。

「王子さん、走って！　ゴールはすぐです！」

走はせめて聴覚で導こうと、大声を出した。

「わかってる、ってば」

王子はこみあげる吐き気と戦いながら、もがくように前進していた。汗も流れつくし、手の指がいやに冷たい。血はどこにいっちゃったんだ、と王子はぼんやり思った。たぶん僕はいま、真っ青な顔をしてるんだろうな。明らかに貧血だ。でもここで倒れるわけにはいかない。ゴールまで二十メートル。王子が走りやめたら、十人しかいない寛政大は、予選会を失格になってしまう。自分のせいで箱根がだめになったら、きっと蔵書は焚書《ふんしょ》の憂《う》き目に遭うだろう。それだけは避けなければ。

王子は気力を振り絞った。振り絞ったとたん、胃も絞りあがって、とうとう耐え難い吐き気に襲われた。

何百人もの人目も、もはや気にしていられない。王子は走りながら、思いきり嘔吐《おうと》した。沿道の女性客が、「きゃっ」と悲鳴をあげたのが聞こえた。

「吐いてる場合か！ 走れー！」

清瀬の怒声が響く。

鬼だよ、あんた。だから運動部は嫌いなんだ。王子は汚れた口もとを手でぬぐい、内心で毒づいた。もちろん、足を止めるつもりはない。なんのために僕が、苦手な運動につきあってきたと思う。アホみたいに、走る練習ばっかりしたと思う。

箱根駅伝に出るためだ。

脳みそ筋肉なあんたたちの夢を、一度ぐらいは一緒に見てもいいかと思ったからだ

……！

王子は百七十六位でゴールラインを越え、その場にくずおれて意識を失った。

竹青荘の面々は、芝生広場の陣地に倒れ伏していた。ゴール後に自分の腕時計でタイムを確認する余裕があったものは、過半数を割った。ユキは、十人の合計タイムを明確に把握する試みを諦《あきら》めた。

集計やインカレポイントの計算に手間取るので、結果発表は十一時ごろになる。全出場選手が走り終わってから、さらに一時間ほどは待つ必要があった。

「微妙なところだ」

清瀬は脛をアイシングしながら、冷静に計算した。「俺たちの順位を平均すると、たぶん八十位台半ばだろう。ボーダーライン上だな」

「同じくボーダーライン上にいる大学の、インカレポイントによっては……」

ニコチャンは難しい顔で空《くう》をにらむ。

「予選落ちもありうるね」

とユキは言った。

そんなあ、と双子が嘆く。神童とムサは静かに、それぞれの先祖と氏神に祈っているようだ。キングは芝生をむしった。王子はぴくりとも反応せず、うつぶせに横たわったままだ。取り囲む葉菜子も商店街の人々も、うかつな励ましもできず、ただただ結果を待つばかりだ。

走はふと、清瀬の手もとを見た。クーラーボックスに入れて持ってきた氷が、ビニール袋のなかで溶けかかっている。

「氷をもらってきます。あそこの売店で、わけてもらえるかもしれない」

重苦しい空気から逃れたくて、走は立ちあがった。ムサも同じ気持ちだったのだろう。

「私も行きます」

と言って、ついてきた。

芝生広場を横切り、赤い屋根の売店を目指す。予選通過を確信できた大学は、選手の表情ですぐわかる。緊迫感を漂わせているのは、寛政のようにボーダーライン上の大学だ。もっと下位であることが歴然としている大学は、総じて穏やかに結果発表を待っていた。なかには、女子マネージャーが作った重箱の弁当を、仲良くつついているチームもある。

いろいろだな、と走は思った。このひとたちにとっては、予選会に出る、ということが目標なんだ。最初から結果はわかりきっているから、走り終わったらピクニックと同じようなイベントにして、楽しんでしまう。それが悪いわけではないけれど、俺たちとはちがう。走はそう感じた。

俺は、予選会で終わるなんてごめんだ。もっと高みを見たい。もっと速く、強いチームになって、箱根駅伝で戦いたい。そのための練習をしてきたし、そのためならこれからも、もっと練習する気持ちがある。

「どうなるでしょうね、走」

ムサが心配そうに話しかけてきた。

「行けますよ、箱根に」

走は請けあった。熱いマグマが、腹の底に湧《わ》いてくる。今日だって全員が全力で予選会を走った。負けるわけがない。

力のこもった言葉に、ムサは目を見開いた。

「走はなんだか、強くなったようです」

「そんなことはないですよ」

走は首を振った。「俺たち、けっこう頑張って走ったじゃないですか。だから大丈夫だと思うだけで」

ムサはうなずいた。

「そうですね。私たちは箱根に行くのでした。みんなで」

ムサが言うと、おとぎ話の幸福な結末のようにも、信頼のおける予言のようにも聞こえるのだった。

走とムサが、「氷がほしい」と頼んだところ、売店の店員は快くわけてくれた。手ぶらで来てしまったので、店員は紙コップに氷を入れる。「うっかりしていましたね」と話すムサの背後を、見物客の一団が通りかかった。

「また黒人選手がいる。ずりぃよなあ、留学生を入れるのは」

「あんなのがゴロゴロいたら、日本人選手はかないっこないもんな」

聞こえよがしな囁《ささや》きに、ムサはサッと顔を強張《こわば》らせ、走は振り返って抗議しようとした。

「いいんです、走」

ムサが押しとどめる。「今日だけでも、ああいう意見をずいぶん耳にしました」

「あんな勝手なこと、言わせておけないですよ!」

走はなおも、遠ざかっていく見物客を追おうとしたが、ムサに腕をつかまれた。

「喧嘩《けんか》はいけません。あのひとたちが言っているのは、陸上の才能を見込まれてやってきた留学生のことでしょう。私は恥ずかしいです。自分が恥ずかしいです。彼らには区別がついていないようですが、私の足は速くない。やっかまれるほどの才能もない、ただの留学生だからです」

「そんなこと、関係ない!」

走は憤然とした。「ムサさんも、俺も、今日、一位と二位を取ったひとたちも、同じコースを走ったことには変わりないですよ。それをあんな……」

どう言っていいのかわからなかったが、走は悔しかった。ともに寝起きするムサも、自分自身も、会話を交わしたこともない他大学の留学生も、まとめて侮辱された気分だった。そうだ、うまく表現できないけれど、これは走りに真剣に向きあうものに対する侮辱だ。走は肩をいからせた。

「蔵原の言うとおりだな」

と声がした。振り向くと、頭をつるつるに丸めた、ひょろ長い男が立っていた。

「だが、放っておけ。あいつらは、走るってことがわかっていない素人《しろうと》だ」

男は走とムサが見ているまえで、売店でウーロン茶を買った。どこかで会ったことがある。走は警戒を解かないままに、あわただしく記憶を探った。この、よく光る頭には見覚えがあるぞ。

「六道大《りくどうだい》の藤岡《ふじおか》！　……さん」

走は解答を導きだした。箱根で連続優勝している六道大学。そのキャプテンの、藤岡一真《かずま》だ。春の東体大記録会で顔を合わせたきりだが、どうしてこのひとが、予選会になんか来てるんだろう。

走の疑問を読み取ったのか、

「敵状視察だよ」

と藤岡は言った。「寛政大はずいぶん強くなったな。箱根まで出てきそうじゃないか」

藤岡には王者の余裕と貫禄《かんろく》があった。

「おかげさまで」

走は生来の負けん気が頭をもたげ、昂然《こうぜん》と答えた。藤岡は、一歩も引かぬ視線を走と激突させてから、ムサを見た。

「ああいう輩《やから》は、気にしないほうがいい。ばかげた意見だ」

「どういうところがですか」

茶を飲みながら去っていこうとする藤岡を、走は呼びとめた。見物客の、ムサへの言いぐさには腹が立つ。だが、どうして腹が立つのか、はっきりと把握できなかった。このもやもやの原因がどこにあるのか、藤岡はわかっているようだ。

「教えてください」

と走は頼んだ。藤岡は足を止め、おもしろそうに走を眺めた。「いいだろう」と、走とムサに向き直る。

「ばかげた部分は、少なくとも二つある。ひとつは、日本人選手が太刀打ちできないから、留学生をチームに入れるのはずるい、という理屈。じゃあオリンピックはどうするんだ。俺たちがやっているのは競技であって、お手々つないでワン・ツー・フィニッシュする幼稚園の運動会じゃない。身体能力に個人差があるのは、当然のこと。しかしそのうえでなおかつ、スポーツとは平等で公正なものなんだ。彼らは、同じ土俵で同じ競技を戦うとはどういうことかを、まったくわかっていない」

ムサは黙って、藤岡の言葉に聞き入っている。走は、静かに繰りだされる藤岡の分析に、ただ圧倒されていた。

「彼らのもうひとつの勘違いは、勝てばいいと思っているところだ」

と、藤岡はつづけた。「日本人選手が一位になれば、金メダルを取れば、それでいいのか？　断固としてちがうと、俺は確信している。競技の本質は、そんなところにはないはずだ。たとえ俺が一位になったとしても、自分に負けたと感じれば、それは勝利ではない。タイムや順位など、試合ごとにめまぐるしく入れ替わるんだ。世界で一番だと、だれが決める。そんなものではなく、変わらない理想や目標が自分のなかにあるからこそ、俺たちは走りつづけるんじゃないのか」

そうだ。走は、もやもやが晴れていくのを感じた。こういうことに、俺は引っかかり、怒りを覚えたんだ。藤岡はすごい。走の感じたこと、言いたかったことを、いともたやすく解きほぐして言葉にしてしまった。

「あいかわらずだね、藤岡」

と声がした。いつのまにか清瀬が、走とムサの背後に立っていた。

「部外者が余計なことを言った」

藤岡はストイックな態度で清瀬に一礼し、今度こそ去っていく。

「いいや、助かるよ」

清瀬が言うと、藤岡は肩越しに振り返り、口の端に笑みを浮かべた。

「なかなかの人材をそろえたようじゃないか」

「まあね」

「箱根で待つ」

最後まで、王者にふさわしい毅然《きぜん》とした態度で、藤岡は木々のあいだに消えていった。涅槃《ねはん》で待つ、みたいだなとか、ここまで来たのに結果発表は見ていかないのかな、などと走は思ったが、あわてて藤岡の背中に向けて頭を下げる。ムサも、「ありがとうございます」と言って深々とお辞儀をした。雷雲を払うような藤岡の言葉が、走とムサに活力を抱かせた。

「袋も持たずに行ってしまうから、追ってきた」

清瀬はビニール袋を掲げてみせた。走は「すみません」と受け取り、店員からもらった氷を袋に移す。清瀬はもう、脚を引きずることなく歩いている。

「藤岡さんというのですか。すごいかたですね」

とムサは感激したふうだ。

「箱根で勝ちつづけるには、精神力と本当の意味でのかしこさが必要だってことだろう」

清瀬はちょっと笑った。「まあ、あいつは昔っから、妙に落ち着いてたけどね。あだ名が『修行僧』の高校生って、ちょっといやだろ」

走とムサは顔を見合わせ、たしかに、とうなずいた。

ゴール地点近くの大きな掲示板に、見物客や選手たちが集まりはじめている。

「そろそろ発表だな」

「行きましょう」

ムサは小走りになって、寛政大の陣地へ戻る。走は清瀬のペースに合わせ、ゆっくりと芝生を踏みしめた。どんな結果が出るか気になるが、ここまで来てあがいても、もうどうにもならない。それよりもいま、走の心を占めているのは、藤岡の姿だった。思いを言葉にかえる力。自分のなかの迷いや怒りや恐れを、冷静に分析する目。

藤岡は強い。走りのスピードも並ではないが、それを支える精神力がすごい。俺ががむしゃらに走っているときに、きっと藤岡は目まぐるしく脳内で自分を分析し、もっと深く高い次元で走りを追求していたのだろう。

走はうちひしがれると同時に奮い立つという、奇妙な興奮を味わった。

俺に欠けていたのは、言葉だ。もやもやを、もやもやしたまま放っておくばかりだった。でも、これからはそれじゃあだめだ。藤岡のように、いや、藤岡よりも速くなる。そのためには、走る自分を知らなければ。

それがきっと、清瀬の言う強さだ。

「俺、わかってきたような気がします」

走はぽつりと言った。

「そうか」

清瀬は満足そうだった。


メガホンを持ち、学ランを着た学生が壇上にのぼった。予選会の結果が記されたメモを、うやうやしく開く。箱根駅伝を主催する、関東学生陸上競技連盟の運営委員の学生だ。補佐の女子学生が、掲示板の脇《わき》に立つ。集まったものたちは、期待と不安を宿して耳をそばだてた。

「東京箱根間往復大学駅伝競走、予選会通過校を発表します。一位、東京体育大学《とうきょうたいいく》」

東体大の一団が、大きな歓声をあげた。榊が先輩に、喜びの平手打ちを食らっているのが見える。東体大は選手がばらけることなく、そろっていい順位でゴールした。選手層の厚さを見せつける、総合力の勝利だった。

女子学生が、掲示板の一位の札を引き抜く。一位の欄に、「東京体育大学」の名と、十人の合計タイムが書いてあった。十時間〇九分十二秒。十人を平均した順位は四十九位だ。

「やはり、かなりハイペースなレース展開だったな」

清瀬は低くうなった。清瀬の表情から、予選通過が厳しい状況であることがうかがわれた。走は両手で拳《こぶし》を作った。

「二位」

発表係は、淡々とメモを読みあげる。「甲府学院大学」

また一角で、歓喜が爆発した。キングは「ふんっ」と鼻を鳴らす。

「あの発表係、順位と大学名のあいだに、絶妙な間を置きやがるなあ」

「もったいぶらずに、さくさく行こうよ」

やっと復活した王子が、さっそく文句を垂れる。

「ああもう、心臓が壊れそう！」

双子と葉菜子は寄り添って、巣から落ちた鳥の雛《ひな》みたいに震えている。

五位まで発表は進んだが、寛政大の名は呼ばれなかった。ここまではすべて、箱根常連校で占められている。六位に入れなければ、七位から九位まではインカレポイントが絡《から》んで、予選会の合計タイム順とはちがう結果になる可能性が高い。

「六位」

「お願いお願いお願い！」

「寛政来い、寛政来い！」

必死の願いもむなしく、発表係は「西京大学」と言った。

「ああー！」

「だめか？　だめなのか？」

ニコチャンとユキが、天を仰いだ。清瀬は無言のまま、掲示板を見つめている。まだ白い札に隠された、七位から九位の欄を透視せんばかりの眼光だ。

「規定により、七位以下は、合計タイムから各大学のインカレポイントを引いたタイムで、順位を決定しました。七位、城南文化大学《じょうなんぶんか》」

走は足から力が抜けそうになったが、なんとか持ちこたえた。まだだ。出場枠はあと二つある。右肩に痛みを覚えた。見ると、神童の指が食いこんでいた。ムサは神童の腕に半ば顔を埋めるようにして、なにやらぶつぶつと母国語で言っている。

大丈夫ですよ、きっと大丈夫です。走は腕をのばし、神童とムサの背をそっと撫《な》でた。

「八位、寛政大学」

空耳かと思った。キングが飛びかかってきた。清瀬がめずらしく全開の笑顔で両手を空にあげた。ムサと神童は、へなへなと芝生に腰を下ろした。ニコチャンとユキがハイタッチを交わし、双子と葉菜子がわめきながら、走の体じゅうをはたいた。

もみくちゃにされながら、走は見た。掲示板に、「寛政大学」の文字が燦然《さんぜん》と輝いているのを。王子が輪の外で、一筋の涙を流したのを。

やったんだ。ようやく、事実が脳まで達した。俺たちは、箱根駅伝に出場できるんだ。気づくと走は、腹の底から咆哮《ほうこう》していた。

寛政大学の合計タイムは、十時間十六分四十三秒。十人の平均順位は、八十六位だった。

七位の城南文化大学は、実質的には十時間十七分〇三秒。インカレポイントによって、寛政大よりも順位を上につけたわけだ。九位ぎりぎりで予選を通過したのは、新星《しんせい》大学。タイムは十時間十七分十八秒だった。

走は掲示板に書かれたタイムを見上げ、安堵《あんど》と喜びで大きく息を吐いた。寛政大学ははじめての挑戦で、見事に箱根への切符を手に入れたのだ。それも、十時間十六分台という七位相当のタイムで。

あちこちで、驚きの声があがっていた。

「寛政がやりやがった」

「しかも部員は、あの十人しかいないらしいよ」

「三位と六位でゴールしたひとのいるところでしょ？　もうユニフォーム覚えた」

「あたしも。黒地に銀のラインが入ってんの。ちょっとかっこいいよね」

芝生広場で陣地を片づけているときも、密着取材のカメラに向かって、一言ずつコメントを求められたときも、走は頭がくらくらして、酸欠状態だった。走っていたときより苦しく、足もとがおぼつかない。

予選会を通過しただけだ。本番は来年の正月。約七十五日後の箱根駅伝なんだから。そう言いきかせても、うれしさが胸にあふれる。

清瀬はかつて言った。「箱根は蜃気楼《しんきろう》の山なんかじゃない」と。本当にそのとおりだ。竹青荘の住人たちは、実体として山が見えるところまで、とうとうやってきた。

走は沸き立つ気分のまま、ビニールシートを手際《てぎわ》よく畳んだ。ジョータとジョージが芝生に座っていた。掲示板から結果を写してきたメモを覗《のぞ》きこんで、なぜか顔をしかめている。

「どうした」

と走は声をかけた。双子が走を振り仰いだ。

「ハイジさんは、頂点を取ろうって言ったよな」

ジョータがつぶやく。

「うん？　そうだっけ」

走は軽い気持ちで相槌《あいづち》を打ったが、ジョータは納得しない。

「言ったよ。でも、このタイム……」

「どうしたんだよ」

走はビニールシートを置き、双子のそばにしゃがんだ。「早く片づけて帰ろう。きっと今夜は宴会だ」

「走、頂点って優勝じゃないのか？」

ジョージが悲壮な表情で言った。「俺たちの合計タイムが、十時間十六分四十三秒。予選一位通過の東体大が、十時間〇九分十二秒。七分半も差がある。それなのに、これはまだ予選会でしょ？　じゃあ、箱根で優勝するような大学の選手は、いったい二十キロをどれぐらいの速さで走るの？」

「俺たちも練習すれば、正月までにそのレベルになれるのか？」

ジョータは真剣に問いただしてきた。「なあ、どうなんだよ走」

走は、なにも答えられなかった。

八、冬がまた来る

選手が十人しかいないチームが、予選会を通過し、箱根駅伝に出場する。竹青荘《ちくせいそう》の住人たちが成し遂げた快挙は、大学陸上界だけにとどまらず、広く人々の話題にのぼった。

一九八七年に箱根駅伝のテレビ中継がはじまって以来、関東の学生ランナーのためのこの大会の名を、日本に住んでいて知らないものはまずいなくなった。レースの過酷さにおいても、正月に放映される華やかさにおいても、箱根駅伝は人々の注目を集めずにはおかない。

そういう有名な大会に、たった十人で挑む。なぜ、そんな無謀なことをしようと思いついたのか。当日、故障者や体調不良者が出たらどうするのか。ふだんはどんな練習メニューをこなし、どう暮らしているのか。

好奇心旺盛《おうせい》な付近住民や、入部希望の学生が、竹青荘をひっきりなしに訪れるようになった。学生の大半が、陸上未経験者だ。予選会を通過したと知って、一時の気持ちの盛りあがりで入部を申し出るものも多かった。

清瀬《きよせ》は、来訪を断る旨《むね》を丁寧に紙に書き、竹青荘の玄関に貼《は》った。入部を希望してくれるのはありがたいが、寛政大《かんせいだい》ブームはすぐに去るだろうし、公認記録がなくてはエントリーはできない。竹青荘はすでに満員だ。清瀬は熟考のすえ、いまから新たな部員を加えるより、十人で練習に集中し、団結して箱根を目指したほうがいいと判断した。

付近住民に対しては、商店街の店主たちが「練習の邪魔をしないように」と呼びかけた。住民のほとんどは、生け垣の外から竹青荘を覗《のぞ》くことで満足するようになった。例外は、畑の作物をそっと差し入れする老人たちだ。

朝のジョッグに出ようとして、玄関先に置いてある白菜や梨《なし》に気づいた走《かける》は、「なにかの恩返しか？」と思った。吠《ほ》えもせず老人たちの行為を見ていたニラは、走に向かって尻尾《しっぽ》を振るばかりだ。結局、だれの仕業なのかわからぬままに、竹青荘の住人は、たびたび置かれる作物を腹に収めた。

もちろん、マスコミの取材依頼も殺到した。陸上専門誌のみならず、週刊誌、新聞、テレビ。ありとあらゆるメディアが、接触を図ってきた。清瀬と神童《しんどう》はそれらを慎重に吟味し、「練習に集中したいから」と、ほとんどすべての申し入れを謝絶した。

ただ、夏合宿のときから応援してくれた、『月刊陸上マガジン』の佐貫《さぬき》と、読売新聞社の布田《ぬのだ》の取材には応《こた》えた。二人はランナーの心理をよく知っているから、邪魔にならないように練習を眺め、的を射た質問をてきぱきと発した。竹青荘の面々に対して好意的な記事が、それぞれの媒体に掲載された。

双子《ふたご》とキングは浮かれて、もっと取材を受けようと主張した。

「せっかく箱根に出るんだからさ。注目されたほうがいいじゃない」

とジョータは言った。

「そのほうが、就職も有利になるかもしれないしな」

とキングも言った。

「そんなことより、もうちょっと練習に本腰を入れてくれ。さもないと、あまりにも情けない走りが全国に放映されて、否応《いやおう》なしに注目を集めることになるぞ」

清瀬が一蹴《いっしゅう》しても、双子とキングは引き下がらない。

「やだー。テレビに出たい。テレビテレビ」

と、わめきたてる。夕飯の席で繰り広げられる攻防を、走は感心して眺めていた。箱根駅伝に出場するというだけでも、走の心は緊張と高揚でざわついているのに。双子たちはそのうえさらに、テレビの取材を受けるという「非日常」を味わいたいと言うのだ。無邪気なのか、貪欲《どんよく》なのか、恐れを知らないだけなのか。

双子たちは、春までは長距離と関係なく生きてきた。だから、箱根駅伝がどれだけ重みのある大会なのか、あまりぴんと来ないのかもしれない。

一九二〇年にはじまった箱根駅伝は、戦時中の数年を除いて、毎年行われてきた。戦争直後の食糧難のなかでも、選手たちは襷《たすき》をつなぎ、箱根の山を目指したのだ。走るものにとってはそれぐらい重要な、八十回以上の伝統がある大会だ。

学生ランナーの憧《あこが》れであり、夢である箱根駅伝。そこに参加する意味と価値が、双子たちにはよくわかっていないのかもしれない。わかっていないのに練習し、出場権をもぎ取る実力があったんだから、やっぱりただものじゃない。走はそう感心し、愉快に思ったのだった。

黙々と箸《はし》を運ぶ清瀬を両脇から挟み、双子の直訴はつづいていた。

「ねえねえ、一回ぐらいテレビに出ようってば」

「それぐらいの特典があってもいいでしょ。だってハイジさんは……」

「俺が、なんだ」

清瀬は箸を止めた。ジョージはふと口をつぐみ、なにか言いたげにもぞもぞしていたが、やがて首を振った。

「なんでもない」

結局、清瀬が根負けし、テレビ取材を受けることになった。夕方のニュースの、五分ほどのトピックスコーナーで、竹青荘の住人たちの生活ぶりが紹介されるということだ。

テレビカメラがやってきて、漫画であふれた王子《おうじ》の部屋や、万年床《まんねんどこ》の周辺に小さな禁煙人形がいっぱい転がっているニコチャンの部屋を撮った。原っぱでの練習風景の撮影と、メンバーへのインタビューも行われた。

インタビューには、双子とキングが率先して答えた。なりゆきっていうか、ハイジさんに脅迫されたっていうか、とにかく気がついたら箱根を目指してました。風邪を引かないように、レモンの蜂蜜《はちみつ》漬けを毎日食べてます。特別な練習はしてないです。ほかの大学の陸上部と同じようなメニューだと思います。

走はいつものように、画面から見切れるほどの隅っこで、おとなしく立っていた。

「なんで隠れるんだ、走」

とユキに聞かれたが、「いえ、べつに」と曖昧《あいまい》に笑ってごまかす。インタビューを見守っていたニコチャンが、走を振り返った。

「まさかおまえ、逃亡中の指名手配犯だとか言わねえだろうな」

「そんな、ちがいますよ」

ならいいけどよ、とニコチャンは疑わしげな眼差《まなざ》しを寄越す。

「それはともかく、どうも最近、おかしなムードだと思わないですか」

とユキが言った。まあなあ、とニコチャンはうなずく。走も気づいていた。竹青荘の内部が、なんだかぎくしゃくしているのだ。

一階の住人は、いままでどおりだ。二階の住人もほとんどが、いつもと変わらない態度で練習している。だが双子は、明らかに鬱屈《うつくつ》した思いを抱えているようだった。端的《たんてき》に言えば、清瀬に対して、だ。
喧嘩《けんか》をしているわけでも、反抗的な素振りを見せるわけでもない。しかし微妙に距離を置こうとする。清瀬はこれまでと同じように接しているのに、ジョータとジョージはどこか打ち解けない。清瀬への信頼が、なぜか薄らいでしまっているようだった。
そのぎこちなさは竹青荘じゅうに伝播《でんぱ》し、なんだか居心地の悪い雰囲気が、予選会直
後からずっとつづいていた。
「どうしたんだかなあ」
とニコチャンは言った。「走、おまえは双子と同学年だ。それとなく聞いてみろ」
「なにをですか？」
「なにって、胸の内ってやつだよ」
「ああ……、はい」
と答えたものの、走は正直なところ、荷が重いなと感じた。
練習はますます量と密度を増していた。一万二千メートルを、最初の五千メートルは
十七分でゆっくりと入り、そこからペースを上げて、最後の千メートルは三分〇五秒ペ
ースにしたり。それが終わると今度は、千メートル二分五十五秒を、あいだに二百メー
トルのインターバルをおいて五本こなしたり。

走は自分の走りを考えることで精一杯だった。腕の振りは、着地の際の足の角度は、筋肉の弛緩《しかん》と緊張は、これでいいのか。細胞の隅々にまで意識を張り巡らせ、一足ごとに走りを確認する。

もちろん練習の合間に、大学の講義も受けなければならない。他人のことまで、なかなか気がまわらない状態だった。

たまたま、銭湯「鶴の湯《つるのゆ》」で双子と一緒になることがあった。双子が洗い場へ入ってきたとき、走と清瀬は富士山の絵を背にして湯船に浸《つ》かり、居合わせた左官屋《さかんや》と話をしていた。

「どうだい、ハイジ。竹青荘のやつらの調子は」

と左官屋は言った。左官屋は洗い場には背を向けて湯のなかに座っていたので、双子には気づいていなかった。いつもなら声をかけてくる双子も、湯船の蛇口のそばにいる清瀬を見て、無言でちょっと会釈《えしやく》しただけだった。

「いいですよ」

と清瀬は左官屋に答える。

「一年生がよくやってるよなあ」

左官屋は湯から両手を出し、顔をこすった。「走もすごいけど、ほら、あのそっくりな双子。あいつらもなかなか速いじゃねえか」

清瀬がなんと答えるのかと、走は気を揉《も》んだ。左官屋の背後で、洗い場のジョータとジョージが聞き耳を立てている。会話に意識をとられているためか、ジョージは手もとを狂わせ、頭に大量のシャンプーを垂らした。

「そうですね」

清瀬は笑った。「本人たちのまえで言うのもなんですが、いい走りをします」

「本当に？」

とジョータが洗い場で椅子《いす》から立ちあがり、左官屋がびっくりして背後を見る。

「嘘《うそ》をついてどうする」

清瀬は湯船から上がった。「左官屋さん。有望な選手が育ちつつあるので、商店街からの支援、これからもお願いします。お先に」

双子の後ろを通りすぎ、清瀬は風呂場《ふろば》の引き戸を開けて脱衣所へ消えた。ジョージは、「俺たちがいたから、ハイジさんは褒めてくれただけだよ」と、だれにともなくつぶやく。だが、うれしいらしいことは隠しきれない。勢いよくシャンプーしたため、ジョージの頭は瞬《また》く間に泡でこんもりと覆《おお》われた。

「なんだなんだ、おまえら。挨拶《あいさつ》もしないで」

左官屋は清瀬と双子の言動を見比べたのち、まだ湯船にいる走に向き直った。「もしかして、喧嘩でもしてんのか？」

小声で聞かれ、走は「さあ」と肩まで湯に浸かった。

「そういうわけじゃないと思うんですけど」

双子は、清瀬になにか不満があるのかもしれない。だが、それをいつまでも内に秘めていることはできないだろう。どちらかというと、率直で天真爛漫《てんしんらんまん》な性格だからだ。きっと、早いうちに感情を爆発させ、清瀬に直接ぶつけるはずだ。問題を解決するために動くのは、それからでも遅くはない。

走は双子を放っておくことにした。休火山を、わざわざつつくことはない。噴火が起これば、どこに火口があるのかは自然にわかる。位置と風向きをしっかり見極めてから、避難するなり、あふれだした溶岩が冷えるのを待つなりすればいい。そう思った。

通常の練習に加えて、本番のコースの試走もはじまった。交通量が多い道路ばかりなので、試走は禁じられているが、だからといって一回も走らないまま当日を迎えるわけにはいかない。

車の少ない早朝に、竹青荘の面々はバンに乗りこみ、あるときは大手町《おおてまち》近辺、またべつのときは湘南《しょうなん》海岸沿いへと出向いた。少しずつ細切《こまぎ》れに、コースを実際に自分の足で走ってみる。道の起伏についてや、何キロ地点にどんな目標物があるのかなどを、体と脳に刻みつけていく。

清瀬は、どの区間をだれが走ればいいか、だいたいのオーダーを頭のなかですでに組み立てているようだった。

横浜駅の近くを試走しているとき、清瀬は言った。

「走、二区を走りたいか？」

鶴見《つるみ》から横浜を通って戸塚《とつか》に至る区間は、「花の二区」とも称され、各大学のエースがエントリーされることが多い。いいタイムで箱根駅伝を走ったとして、それが二区だったのか、そのほかの区間だったのかで、実業団からの引きもちがってくるほどだ。

走は、「いいえ」と答えた。

花の二区にこだわりはなかった。どの区間であろうと、道があるかぎり全力で走るだけだ。

清瀬は「そうか」と言い、あとは黙ってコースのチェックをした。

十月の下旬には、箱根に試走に行った。箱根の山は、うねうねとした細い一本道だ。

紅葉には少し早いとはいえ、週末は大渋滞する。

清瀬は箱根《はこね》湯本《ゆもと》駅前の駐車場にバンを入れ、

「さて、みんなで芦ノ湖《あしのこ》まで走ってみよう」

と言った。

「いやだー！」

と、双子の口からすかさず抗議の声があがる。

「ふつうに歩くのだって大変な傾斜なんだよ？　そこを二十キロも駆けあがるなんて」

「この区間を走るひとだけ、試走すればいいじゃない」

小田原《おだわら》中継所から、往路のゴール芦ノ湖までの区間は、五区と呼ばれる。そのほとんどが、箱根の山を登る坂で占められていた。翌日の復路六区は、逆に下り坂ばかりになる。標高差八百メートル以上を、一気に上がったり下がったりしなければならない。

各大学とも、五区と六区はそれぞれ、山上りと山下りのスペシャリストをエントリーする。走力だけではなく、山に向いた精神力と身体性が要求される区間だ。平坦《へいたん》な道を走るのとは、勝手がちがう。延々とつづく上り坂を苦にしないねばり強さ、あるいは、急な下り坂でも腰が引けることなく思いきってスピードに乗れる度胸が、五区と六区を走る選手には必要だった。当然、脚に負担がかかるから、故障しにくい体であることが望ましい。

「五区は神童さんで決まりでしょ」

と王子は言った。「上り坂が得意だもん」

「せっかくみんなで来たのに、僕だけが走るのかい？」

さすがの神童も、これからつづく上り坂を思ってか、表情を曇らせる。

「全員で上る」

と、清瀬が断言した。「襷《たすき》をつないで目指す先を、見たくないのか。芦ノ湖だぞ？　東京近郊における、最大の景勝地だぞ？」

「当日見るから、いまはいいって」

と、キングが言った。

「当日は、見られないひとのほうが多いと思いますよ」

走は首をかしげる。「俺たちは人手不足だから、走るだけじゃなく、中継地点での選手のつきそいも、手分けしてやらなきゃならないだろうし」

「じゃ、再来年にテレビで見よっかなー」

とジョージが悪あがきしたが、清瀬はもう聞いていなかった。

「はい、さっさと仕度《したく》する」

箱根の山は、想像以上の難所だった。曲がりくねった上り坂が、永遠とも思われるほどつづく。

走は、清瀬と神童とともに、果敢に山を駆けのぼった。清瀬は神童に、距離を知るポイントとなる場所や、走るときの注意事項を細かく教える。しかしほかのものたちは、隙《すき》を見ては箱根登山鉄道に乗ろうとした。しまいには、歩くのと変わらない速度になってしまう。

「ペースを維持して」

と神童を先に行かせた清瀬は、「どうした、遅いぞ」と振り返った。走も足を止め、みんなが追いつくのを待つ。渋滞して連なる車の窓から、人々が興味深そうに、ジャージ姿の走たちを眺めていた。

せっつくようにして、なんとか「最高地点」の標識がある場所まで到達した。箱根山中にある国道一号の最高点は、標高八百七十四メートル。そのあたりでは道幅も広くなり、視野が開ける。すすき野原を海のように波立たせ、東京よりもずっと冷たい風が吹き抜けていた。走はジャージのジッパーを首もとまで上げた。

最高点から少し下ったところで、神童がみんなの合流を待っていた。

「おや、あれは……」

と、ムサが顔をしかめる。そこにいたのは、神童だけではなかった。東体大《とうたいだい》のジャージを着たものが数人、たむろしている。寛政大と同じく、試走にきたらしい。そのなかに榊《さかき》がいるのを見て、いやだなと走は思った。

竹青荘のメンバーがそろったところを見計らい、榊はわざわざ近づいてきた。清瀬は知らん顔をしたが、走は身構えた。双子をはじめとする二階の住人はもとより、ふだんは大人の態度を崩さないニコチャンとユキまでもが、威嚇《いかく》するように榊に向き直る。

榊は、歓迎されていないことを気にするふうでもなかった。走のまえに立ち、友好的に声をかけてくる。

「よう、蔵原《くらはら》。予選会ではすごかったじゃないか」

　走は拍子抜けした。挑発的ではない榊など、ひさしぶりだ。どう応対していいのかわからず、「ああ」と口のなかで答えた。

「今日は試走？　寛政も練習熱心だよな。お互い、本番では頑張ろうぜ」

　榊はにこやかに走を見上げてくる。どうしちゃったんだ、こいつ、と走は怪訝《けげん》に思った。会えば突っかかってくるしか能がなかったのに、気色が悪い。だが、本戦に駒《こま》を進めた寛政大を、認める気になったのかもしれない。走がいまも本気で走りに打ちこんでいるとわかって、高校時代のわだかまりも解《と》けたのかもしれない。そうだとしたら、うれしい。

　走は、「うん」とうなずいた。一緒に走ったかつてのチームメイトだ。いつまでも棘《とげ》のある態度で接されるのは、走としてもつらいものがあった。

　榊は思わせぶりに、走の背後に立つ竹青荘の面々を見やった。

「本当に、練習熱心だよ。さっきも俺たち、噂《うわさ》してたんだ。自分が寛政の選手だったら、どうするか、って」

「どうするって、どういう意味だ？」

　榊がなにを言いたいのか、走にはわからなかった。どのチームだろうと、練習して走りつづけることに変わりはないだろう。

榊は笑みを絶やさずに言った。

「どんなに練習したって、寛政は十人しかいないじゃないか。もし、一人でも風邪を引いて出場できなくなったら終わりだ。万が一、本戦で十位以内に入ってシード校になれたとしても、四年生は卒業だろ？　来年度はどうするんだ？」

走はふいを突かれた。竹青荘の住人たちと、箱根駅伝を目指す。自分の走りを追求する。そのことに夢中で、先のことなど考えてもいなかった。

予選会のあとに入部希望者が現れ、清瀬が断ったことは知っている。入部希望といっても、どこまで本気なのかはわからない。来年の春、また入部したいと言ってくる保証はないのだ。走たちが箱根駅伝でどんなに懸命に走っても、結果次第では、新入部員は望めないかもしれない。そうなったら、十人だけの寛政大チームは、一年かぎりで終わってしまう。

榊によって指摘された事実は、竹青荘の面々のあいだに静かな動揺を呼び起こした。双子は明らかに表情を強張《こわば》らせ、神童とムサとキングは不安そうに顔を見合わせる。ニコチャンとユキは、「余計なことを」というように、榊を視線で黙らせようとした。疲れて道端にしゃがんでいた王子だけが、我関せずとばかりにあくびをした。

榊はやっぱり、俺を許してなどいない。竹青荘の住人に揺さぶりをかけるために、にこやかに近づいてきただけだった。

そのことは走をいたく傷つけたが、しかしうなだれている場合ではなかった。このままではまずい。心に揺らぎがあっては、箱根駅伝でいい走りなどできるわけがない。走はちらっと清瀬をうかがった。清瀬は鉄仮面をかぶったみたいに、ひんやりとした無表情だった。目だけで、「きみがなんとかしろ」と走に伝えてくる。

榊が寛政大に含みのある物言いをするのは、俺がいるからだ。なんとか榊に反論しようと、走は必死に考えをめぐらせた。だが走が考えをまとめるよりも早く、榊は「じゃあな」とチームメイトのところに戻っていってしまった。

どうして俺は、なかなか言葉が出ないんだろう。走るだけなら、チーターだってダチョウだって走る。動物並ってことじゃないか。走はがっかりし、次に悔しくなった。榊に好き放題言わせたまま、行かせてしまった自分に腹が立つ。

「ある意味ではマメなやつだな」

ユキが感心したように榊を見送る。

「走が殴りかかろうとしなかっただけでも、進歩だ。よしとしよう」

と、清瀬は鉄仮面のまま言った。

本当だ、と走は思った。以前だったら、余計な口出しをする榊を、ただではおかなかったはずだ。反論の言葉を探すのに気を取られ、殴るという手段があることを忘れていた。走は、「殴ってやれば手っ取り早かったのに」と悔しさが増すと同時に、自分の変化に戸惑った。

俺は、暴力ではないやりかたを選ぼうとしている。牙《きば》を抜かれたようで心もとなかったが、六道大《りくどうだい》の藤岡《ふじおか》に近づけているような気もして、少しうれしくもあった。

清瀬は、

「気にするな」

とみんなに言った。「さあ、芦ノ湖までもう少しだ。行こう」

正面に見える富士山は、真っ白な雪を戴《いただ》いている。竹青荘の面々は、芦ノ湖へ至る最後の下り坂を一気に駆けおりていった。

「気にするなって言われても、気になるよな」

と走りながらジョータがぼやき、ジョージがうなずいたのを、走は見逃さなかった。榊の言葉によって、竹青荘に入った亀裂《きれつ》が、よりはっきりと姿を現しだしたようだった。

湖畔で少し休憩してから、帰りの山下りに挑むことになった。走もさすがに驚いて、

「一泊するんじゃないんですか？」

と尋ねた。清瀬の答えは、「そんな金がどこにある」だった。王子はじりじりと、箱根湯本行きのバス停へ後退していく。清瀬は笑って言った。

「心配しなくても、きみは走らなくていいよ、王子。山下りは、故障の原因になりやすいからね。六区にエントリーする可能性のあるものだけ、走ってもらう。残りは、バスで先に箱根湯本まで戻っていてくれ」

清瀬は双子とユキを指名した。ユキは、

「俺の脚は故障してもいいっていうのか」

と納得がいかなさそうだ。

「きみと双子はさっき、大平台《おおひらだい》から小涌谷《こわきだに》まで、箱根登山鉄道に乗っただろう。俺の目を盗みおおせるとでも思っているのか？」

と清瀬は言った。「山を下る余力はあるはずだ。ユキは剣道をやっていたせいか、重心が低く安定しているし」

ユキは口をつぐんだ。双子はまだ、「疲れてんのに、帰りも走ることになっちゃった」

「そんなに練習したってしょうがないのに」と囁《ささや》きあっている。

「双子、なにか意見があるなら聞こう」

双子はそろって首を振った。

双子とユキと一緒に、清瀬も走って山を下りるという。右脚に故障を抱えているのに、と走は心配になった。

「ハイジさん、俺が行きましょうか。無理しないほうがいいですよ」

「俺はゆっくり行くから、大丈夫だ。ほら、バスが来たぞ」

うながされ、走たちは路線バスに乗りこんだ。

バスは箱根山中で渋滞につかまり、走って山を下りるユキと双子に追いつかれる。ゆっくり行くと言ったのに、清瀬は飛ぶように坂を駆け下りる三人にぴったりついて、指示や注意を出しているようだった。

抜きつ抜かれつしながら、走たちは車窓からその光景を眺める。

「俺たちも走ったほうが早かったかもな」

ニコチャンが、のろのろと進むバスに業《ごう》を煮やしてつぶやいた。

「僕は絶対に降りないですよ」

と、座席に陣取った王子が宣言する。ムサと神童は、急な傾斜を大きなストライドで走るユキの姿を観察していた。

「なるほど、股関節《こかんせつ》が柔らかくないと、山下りには向きませんね」

「着地の衝撃をやわらげるために、脚の筋肉の柔軟さと、腰と膝《ひざ》の強さも必要だね」

キングはめずらしく黙りこくって、真剣な表情で走る双子たちを見つめる。走は、「そうか」と思った。

次につながるものがないのに、箱根駅伝に出てどうなる、と榊は言った。でも、それはちがう。走るというのはもっと純粋な、自分のための行為であるはずだ。

たしかに、襷《たすき》をつないでゴールを目指す、という形態の駅伝競技においては、「自分のため」が「チームのため」にまで拡大することがある。だが、そこまでだ。走るのは、あくまで自分であり、チームメイトだ。それからあと、チームの存亡などは、箱根駅伝を走る瞬間に考えるようなことではない。

一番最初に、東京と箱根を駅伝で往復しようと考えつき、実行に移した人々。彼らはきっと、走ることが好きだったから、そうしたのだ。チームがどうなるか、次の年も同じようにレースが開催されるか、なにも保証はなかった。それでも、走ることに夢を感じたから、箱根駅伝をはじめずにはいられなかったのだろう。走りに共感するものたちが、あとにつづくと信じて。

だからこそ箱根駅伝の門戸は、関東の大学すべてに対して、常に開かれている。同じように伝統のある六大学野球とは、そこがちがう。特定の大学に限定していないから、どんな新設校の学生だろうと、箱根に出たいと願うランナーのまえには、等しく可能性が示されている。

たぶん、榊はこう言いたいのだろう。「強豪校で、走力のあるメンバーとともに走りに打ちこむ。それこそが競技に取り組むもののありかただし、走る意味だ」と。

榊が言ってくることは、いつもべつにまちがってはいない。でも、俺とはちがう。俺の求めているもの、走りをとおして見つけたいと思っているものとは、なにかがちがうんだ。

　それでいい、と走は思った。ちがうのは悪いことじゃない。ただ、少し哀《かな》しかった。かつては同じチームで走り、走るという一点ではいまも同じ方向を見ているのに、榊とは決定的に結びあわない部分がある。何年もかけて互いのあいだで育った齟齬《そご》が、とうとう明らかになるさまを、直視するのはつらかった。

　走たちは箱根湯本の駐車場で、走り終えた清瀬たちが来るのを待った。全員そろってバンに乗り、竹青荘へ向けて出発するころには、すでに夕方になっていた。

　バンのなかで、走は言った。

「俺、ガキのころは毎年、正月に箱根駅伝をテレビで見てました」

「ああ、僕もだよ」

　突然話しはじめた走に面食らいながらも、神童が穏やかに相槌《あいづち》を打つ。

「いつか俺も、こんなふうに走りたい。箱根駅伝に出てみたいって、ずっとずっと思ってた。夢がかなって、うれしいです」

　一緒にバンに乗る人々に伝わるよう、走は懸命に言葉を探した。「だから、来年度に寛政がどうなるかなんて、考えなくていいと思います。ハイジさんたちが卒業して、チームが十人そろわなくなったとしても、それで終わるわけじゃない。俺たちをテレビで見て、走るっていいなと思うガキが、どっかにいるかもしれない。俺がガキのころに、そう思ったみたいに。それでいいんじゃないかと、思うんです」

「もしかして、それは」

と王子が言った。「さっき東体大の一年に言われたことへの、走なりの返答？」

「はい」

「そういうことは、その場であいつに直接言ってやらなきゃ意味がねえんだよ」

とニコチャンが顎《あご》の無精髭《ぶしょうひげ》をこすり、

「走は走り以外のことが遅すぎるな。もうちょっと脳を使う訓練をしないと」

とユキが頬をひきつらせた。

「すみません」

と走は謝る。神童とムサは優しく、

「でも走は、ずいぶんちゃんと、自分の意見を言えるようになったね」

「そうですよ」

とフォローしてくれた。

「幼稚園児みたいな褒めかたされてやんの」

とジョータにからかわれ、走は羞恥《しゅうち》で頬が熱くなるのを感じた。言うべきことを言うタイミングを、いつも逃してしまう。そんな自分が腹立たしく、恥ずかしかった。

「でもさ、走」

キングが後ろの席から顔を出した。「それって綺麗事《きれいごと》じゃないか」

「そうだよ」

ジョージも走の隣で腕組みする。「いくらチビッコが走りに目覚めたとしても、俺たちにはなんの関係もないもん。むなしくない？」

それもそうか、とうなずきかけて、走は急いで首を振った。「ちがう」と心のどこかが叫んでいた。

「きれいだから、つづいたんだと思う」

と走は言った。「走る姿って、きれいだから。だから箱根駅伝を見たひとは、いいなと思って、応援したり自分も走ろうと頑張ったりするんだ」

チームのために、テレビで箱根駅伝を見る子どもたちのために。そしてなによりも自分自身のために、うつくしく強い走りをする。それに集中するだけだ。

「ホントに走はストイックなんだから」

ジョージは、あきれたようにも降参したようにも取れるため息をついた。

清瀬が無言のままハンドルを切り、車は夜の小田原厚木《あつぎ》道路に入った。

竹青荘の様子がテレビのニュースで紹介されると、走たち《かける》は大学の構内や商店街で、頻繁に声をかけられるようになった。「テレビ見たぞ」「がんばれ」という気軽なものから、「人手が必要なら手伝うよ」という申し出まで、さまざまだった。

だが入部希望者は、さすがにもう現れなかった。清瀬が断りつづけている、という噂《うわさ》が、学内に流れたためだろう。諦《あきら》めず、来年の春に竹青荘に来てくれるよう、走は願わずにはいられなかった。

レースの本番に向け、事務的な準備も進んでいた。清瀬と神童が中心になり、当日の段取りを決めていく。

箱根駅伝では、各大学が沿道にひとを配置する。十五キロ地点での給水要員のほかにも、走っている選手に情報を伝えるものがいれば、レースを有利に運べるからだ。前後を走る大学とのタイム差や、ペースを上げるべきか抑えるべきかなど、要所要所で選手に教えたほうがいい。

給水要員は、選手と併走して水を渡さなければならない。まったくの素人《しろうと》ではスピードについていけないので、ある程度の走力のあるものが望ましい。この役目は、寛政大学陸上競技部の短距離種目の選手たちが、快く引き受けてくれた。

清瀬と神童は、沿道に配置する人材についても検討した。手伝うと申し出てくれた学生のなかで、コース近くに家があるものをピックアップする。正月返上で駆りだすのだから、あまり負担はかけられない。

商店街のひとたちは、来るなと言っても応援に駆けつけるだろう。遠慮なく、沿道からの情報伝達係として数に入れた。

箱根駅伝の当日に向けて、走るだけではない細々《こまごま》とした作業を、清瀬は精力的にこなしていった。大学側との折衝《せっしょう》や、主催者である関東学生陸上競技連盟との連絡などは、神童が補佐した。商店街や寛政大の学生ボランティアとのあいだには、葉菜子《はなこ》が立った。葉菜子は手際《てぎわ》よくひとを集め、当日の役割やスケジュールをボランティアたちに指示していった。

走は、葉菜子の事務処理能力の高さに驚いた。大勢のひとの都合を聞き、うまくことが進むように調整するなど、走にはとてもできない。葉菜子はどうやら睡眠時間を削ってまで、走たちが問題なく箱根駅伝を走れるように、あれこれ取り仕切ってくれているらしかった。

双子のことが好きだから、というきっかけからはじまったかもしれない。だが、いまや葉菜子は、陸上競技そのものにも魅せられているようだ。竹青荘にとって、なくてはならない人材になった葉菜子は、頻繁にやってきては、いろいろな打ち合わせをしていった。

「俺たちとばっかりつるんでるけど、葉菜ちゃんって女の子の友だちいないのかな」

葉菜子がいないときに、キングがふと思いついたように言った。走は「いますよ」と答えた。なぜだか低い声になってしまった。

ちょうどその前日、走は学食で葉菜子を見かけたのだ。同性の友人と昼ご飯を食べる葉菜子は、明るくよく笑っていた。

友だちとのつきあいもあとまわしで、勝田《かつた》さんは俺たちのために動いてくれてるんじゃないか。悪気はないのだろうが無神経なキングの言葉に、走はいらいらした。そして、「あれ」と思った。どうして俺は、こんなに腹を立ててるんだろう。走は少し考えてみて、練習で疲れてるからだ、と結論づけた。

十一月上旬のその夜も、葉菜子は竹青荘で晩ご飯を食べながら、ボランティアの集まり具合と配置についての報告をした。主に清瀬と神童が、それに対して意見を述べ、葉菜子が手帳に書き取っていく。

双子に思いは通じたんだろうか、と走は考える。箱根駅伝の準備に熱心な葉菜子をよそに、双子は夕飯をかきこむのに夢中だ。

必要な打ち合わせを終えたところで、清瀬が切りだした。

「再来週の日曜は、上尾《あげお》シティハーフマラソンに参加する」

「アゲオというのは、どこですか？」

とムサが尋ねた。

「埼玉県だよ。市民ランナーも多く参加する、比較的規模の大きなレースだ。ハーフマラソンには、箱根駅伝に出場する大学が招待される。タダで参加できてお得だし、ロードの練習にもなるし、スタート直後の位置取りや応援のなかを走る経験もできるしで、ちょうどいいだろう」

走と清瀬を除いては、高校時代に一般路を走るロードの試合に出たものがいない。箱根駅伝の予行練習として、上尾シティハーフマラソンは距離も開催時期もうってつけのレースだった。箱根に出場が決まったほとんどの大学が、上尾にも参加する。きちんとした大会で、ロードを二十キロ以上も走るのははじめてだ。練習の成果を知るチャンスを与えられ、走は俄然《がぜん》やる気になった。一人でこつこつと練習するのもいいが、ほかの選手と競《せ》りあうことのできるレースが、走はやはり好きだった。

だが双子は、異を唱えた。

「再来週の日曜？　予定入れちゃったよ」

「語学クラスの友だちと、草サッカーチームを作ってるんだ。やっと試合相手が見つかったから、多摩川《たまがわ》の河川敷に行くことになってる」

「断ってくれ」

と清瀬は言った。

「人数がたりなくなっちゃうよ」

「まだ時間もあるし、二人ぐらい、だれか探せるだろう。だいたい、練習しなきゃならないこの時期に、草サッカーだと？　怪我《けが》でもしたらどうするんだ。最近たるんでるぞ」

清瀬もぎくしゃくした雰囲気に鬱憤《うっぷん》がたまっていたのだろう。いつになく厳しい口調で、双子を責める。走はどうしたものかと気を揉《も》んで、箸《はし》を持った手を意味もなく中空で上げ下げした。

「練習練習って、そんなに練習して意味あるの？」

ジョージが乱暴にみそ汁の椀《わん》を食卓に置いた。「榊とかいうやつが言ったとおりじゃん。箱根でいくら頑張ったところで、春が来たら俺たちは、部員がたりなくなっちゃうのに」

「そうだよ」

とジョータも言った。「俺たちみんな、ハイジさんにだまされてさ。つらい練習を毎日毎日やってきて、バカみたいだ」

「だます？」

清瀬がパチリと箸を打ち鳴らした。「俺がいつ、きみたちをだました」

「最初に言ったよね、『十人の力を合わせて、スポーツで頂点を取る』って！」

ジョータは叫んだ。「でも、そんなの無理だ。ちゃんと調べた。俺たちの実力じゃ、どう頑張ったって六道大には勝てない。箱根で優勝なんてできないんだ！」

そうだそうだと、キングも双子の尻馬《しりうま》に乗った。清瀬はしばし記憶をたどっているよ

うだったが、

「たしかに、頂点を取ると言ったな」

とうなずいた。

「ほら見ろ、ハイジさんのうそつき！」

ジョージが糾弾する。食卓のまわりは騒然となった。

ムサが小声で、走に尋ねる。

「本当に、どう頑張っても私たちに優勝は無理なのですか？」

「まあ……」

走は言葉を濁したが、理論を重んじるユキはその点、情け容赦がなかった。

「はっきり言って、無理だろうね。タイムがそれを証明している」

ニコチャンが椅子《いす》に座ったまま、やれやれと大きくのびをする。

「選手の自己ベストタイムを見れば、どんなレース展開になってどこのチームが勝つか、推測するのは容易だ。それが覆《くつがえ》されることは、よっぽどのことがないかぎり、ありえない。そこが、長距離のつまらねえところと言えるかもな」

王子は「ふうん」と、サラダの器に箸をのばした。

「野球でもサッカーでもバスケでも、集団でやるスポーツは、よっぽどの実力差がないかぎり、どっちのチームが勝つかやってみるまでわからないものじゃない。うちと六道大には、そんなに実力差があるの？」

「あるね」

データを解析済みらしいユキが、再びあっさりと請けあった。「六道大でレギュラーの選手はみんな、ほかのどの大学に行っても、すぐにエースになれるほどの実力の持ち主だ。そのうえ、選手層が厚い。箱根にエントリーされない控えの選手、つまり二軍でさえ、もし箱根を走ったら、俺たちよりいい順位になる可能性が高い」

「六道大は走りのエリートの集まりで、しかもそのなかの精鋭が、僕たちの相手ということですか」

神童が暗澹《あんたん》とした口調で肩を落とした。

「でも考えようによっては、ラッキーじゃないですか？」

と王子がレタスを咀嚼《そしやく》する。「六道大の二軍は、速いのに箱根に出られない。弱っちい僕たちは、それでも予選を通過できたから、箱根を走れる。優勝できなくても箱根に出られるほうが、やりがいがあると僕は思うけど」

「勝てなきゃ意味ないよ」

とジョージが言い、

「結果がわかりきってるスポーツって、なんのためにやるわけ」

とジョータが天井を仰ぐ。走はむっとし、

「勝ちたいなら、草サッカーしてる場合じゃないだろ」

と、とうとう双子に噛《か》みついた。「もっと練習して、上尾にも出るべきだ」

「まあた走の理想主義がはじまった」

「練習しようにも、その気になりようがないって言ってんの」

双子がいっせいに応戦する。

「優勝できなきゃ、走れないのか？　じゃあおまえら、いずれ死ぬからって生きるのやめんのかよ」

「そんなこと言ってんじゃないよ」

「同じことだよ。同じ理屈だろ」

「ぜんっぜんちがう。あと理屈とか言うな。理屈なんてわかんないくせに」

「わかってる！」

「わかってないね、この、走るだけのドーブツ！」

「表に出ろ」

「出てやろうじゃない」

清瀬が「やめとけ」と言っても聞かない。走と双子は食卓越しににらみあったまま、椅子を蹴《け》って立ちあがった。ムサが走のシャツの裾《すそ》を引っ張ったが、走は振りほどいた。もはや大本の原因も忘れられ、論旨も混乱した子どもの喧嘩《けんか》だ。ユキとニコチャンがにやにやと成り行きを見守る。王子は感嘆したように、「さっきの生き死ににについての走の言葉は、めずらしく気が利《き》いた言いまわしだったね」とつぶやく。キングは心情的には双子に近いのだろうが、殴りあいはごめんだとばかりに、素知らぬ顔を決めこむ。

「ちょっと待って、ちょっと待って」

葉菜子が必死に、いまにも台所から出ていきそうな走と双子を手で制した。「落ち着こうよ。ほら、もしかしたら六道大の選手が全員、当日に食中毒になるかもしれないんだし。ね？」

竹青荘の面々は、声をあげた葉菜子に注目していたが、発言内容に脱力した。

「それはありえないと思いますが……」

ムサが遠慮がちに言う。

「結局、実力では六道に勝てないことに、変わりはないわけだね」

なんのフォローにもなっていない、と神童も嘆息する。だが葉菜子のおかげで、走と双子のあいだの、いまにも破裂しそうだった緊迫感が、行き場を失ったことはたしかだった。

「ごちそうさま」

双子は、使った食器を流しに下げた。そのまま自分たちの部屋へ戻ろうとする双子の背に、清瀬が声をかける。

「たしかに俺は、頂点を取ろうと言った。でもそれは、優勝という意味で言ったんじゃないんだ。言い訳だと思うかもしれないが……」

「もういいよ」

とジョージが言い、双子は階段を上っていってしまった。清瀬の言葉を聞きたくない、という意味にも、喧嘩はやめにして、いままでどおりに練習するから、という意味にも取れる、拒絶と諦《あきら》めのまじった声音だった。走は不発に終わった闘争心を持てあまし、むっつりと椅子に腰を下ろした。

「えーと、私も帰りますね」

気まずい空気に耐えかねたのか、葉菜子がそそくさと席を立つ。「ごちそうさまでした」

食器を片づけようとする葉菜子をとどめ、清瀬が「走」と呼ぶ。

「勝田さんを送ってあげろ」

いつもは双子が葉菜子を八百勝《やおかつ》まで送るのだが、今夜はもう下りてきそうにない。

「きみも、夜風に当たって頭を冷やしたほうがいいだろう」

葉菜子は、「一人で帰れるから」と遠慮したが、走は「送る」と先に立って玄関でスニーカーを履いた。

台所ではユキとニコチャンが、

「勝田さんと夜道を二人きり」

「べつの意味で、走が頭に血をのぼらせなきゃいいがな」

と噂《うわさ》しあっていた。ムサも、

「そうですよ。葉菜子さんを取りあって、走と双子がまた喧嘩をしたらどうするのです」

と清瀬を責める。清瀬は、

「大丈夫だろう」

と軽く受け流した。「走はああ見えて、友情に篤《あつ》い男だからな」

走はもちろん、自分が話題に上っていることなど露知らず、葉菜子の歩調に合わせて、商店街への道をたどっていた。

走は、歩くということがほとんどない。歩ける距離なら、走ったほうがいい。大学へ行くのも、商店街へ買い物に行くのも、走にとってはジョッグの一環だった。ふだんは瞬《また》く間に通りすぎてしまい、じっくりとあたりを眺めることなどない。

葉菜子と一緒に歩くと、あまりにもゆっくりすぎて間が持たなかった。外灯に照らされる表札を読んだり、道路に張りだして実をつけた蜜柑《みかん》の枝を見たりと、視線をさまよわせる。葉菜子は薄手のコートを羽織り、薄紫のマフラーをしていた。あけびの色だ、と走は思った。野山を駆けまわって遊んでいたころ、よく食べた。すごく薄めた砂糖水のような味が、舌のうえによみがえる。

「ちょっと驚いたな」

と葉菜子が言った。口もとから、白い息がこぼれる。走は目をそらした。

「なにが」

「蔵原くんたちも、喧嘩するんだね」

「そりゃするよ。狭いアパートで共同生活して、いつも一緒に走ってるんだ。風呂《ふろ》の汲《く》み桶《おけ》にお湯を残したままにするなとか、練習のあとに脱いだ靴下の臭《にお》いを嗅《か》ぐなとか、しょっちゅうだれかが喧嘩してる」

「靴下の臭い？」

葉菜子はちょっと笑った。「だれがそんな変なことするの？」

ジョージだった。しかし走は、葉菜子の恋心に水を差すのは悪いと思い、

「それは言えない」

と答えた。これじゃあ俺が嗅いでるように思われるんじゃないかな、と不安を覚えたが、しかたがない。

「なんとなく、長距離をやってるひとって、寡黙《かもく》で気の長いひとが多いのかと思ってた」

「そうかな。俺はカッとなりやすいし、双子やキングさんはうるさいぐらいだ」

「蔵原くんは、大人っぽいほうだよ。竹青荘のひとはみんな、穏やかで優しいと思う。やっぱり、長い距離を毎日淡々と走るには、我慢強い性格が向いてるのかな」

葉菜子は、白線のうえに転がっていた小石を蹴った。「だから、喧嘩するんだー、ってびっくりしたけど、安心もした。すごいスピードで二十キロとかの距離を走って、今度は箱根駅伝に出るんだもん。どんどん遠くなっちゃうなあと思ってたから」

ああ、と走は思った。このひとは本当に、双子のことが好きなんだ。

こっそりと自分の胸もとに触れてみる。なんだろう。冷たい飲み物が歯に染《し》みるときみたいに、ヒーヒーする痛みが心臓にある。周囲をじんわりと腫《は》れあがらせ、熱を持っているような痛みが。

公園のある角を折れ、商店街に入った。道の両端に立つ街灯からは、偽物《にせもの》の紅葉がぶらさがって風に揺れている。一日の仕事を終え、すでにシャッターを下ろした店が大半だった。人通りの途絶えた商店街を、走と葉菜子は無言で歩いた。

半分だけシャッターの下りた小さな本屋から、高校生らしき三人の男が走りでてきた。それぞれ、大きなスポーツバッグを肩から斜め掛けしている。彼らはいっせいに、祖師《そし》ヶ谷大蔵《やおおくら》の駅を目指して駆け去っていった。つづいて、店番の老婦人が道に飛びでてくる。

「こら待て、万引き犯ー！」

老婦人は叫んで追いかけようとしたが、つっかけのサンダルでは、若い男の脚にはかないようもない。老婦人は、驚いて立ちすくんでいた走と葉菜子を見た。とても期待に満ちた眼差《まなざ》しだった。

葉菜子は我に返ったらしい。

「蔵原くん、つかまえて」

「え、俺が？」

「早く早く！」

高校生たちは五十メートルほど先を行っているが、商店街はずっと直線だから、姿はまだよく見えた。走はダッシュする。高校生たちは、老婦人は追ってこられないと踏んで、安心していたのだろう。速度を落としていたが、走の足音が迫ってくるのに気づき、「やべっ」と再び一心不乱に逃げはじめた。

しかし、重そうなバッグを抱えているし、所詮《しょせん》は素人《しろうと》だ。走はすぐに、彼らを射程圏内に収めた。後ろから走りを観察し、「つかまえようと思えば、いつでもつかまえられるな」と考える。

でも、相手は三人だ。走一人で飛びかかっても、捕り逃がしてしまうやつらが出るだろう。殴りかかってこられて、いまの時期に暴力沙汰《ざた》になるのもまずい。

逃げるのを諦めてもらうのが、一番いい。走はそう判断し、三人の後ろにぴったりとついた。

「あのさ」

と走りながら声をかける。三人はぎょっと振り返り、慌《あわ》ててスピードをあげた。だが走にとっては、亀《かめ》が早足になった程度のものだ。

「俺、このペースならあと三十キロは、楽にあんたたちのこと追いかけられるんだけど」

息も乱さず話しかけてくる走に、

「なんなんだよ、おまえ」

と、高校生の一人がおびえたように言った。

「だから、もうやめろよ。謝って、本屋のばあさんに許してもらえ」

駅が見えてくる。同時に、駅前の交番から制服を着た警察官が二人、こちらに向かって駆けてくるのも見えた。

「止まりなさい！」

と警察官は叫び、正面から抱えこむようにして、高校生二人をつかまえた。走もしかたなく、残りの一人の腕をつかんだ。

「鞄《かばん》を開けて」

高校生たちは観念したのか、警察官の指示におとなしく従う。スポーツバッグのなかには、盗んだ漫画が大量に入っていた。読むためではなく、売るために盗《と》ったのだろう。王子さんが見たら大激怒するな、と走は思った。

「きみ、お手柄だったね。そこの交番まで、一緒に来てくれ」

若い警察官が、帽子の下からにこやかに言った。走は、「いえ、俺は」と言ったが、警官は二人、万引き犯は三人だ。高校生の腕をつかんだまま、ついていくしかなかった。

「蔵原く一ん」

呼ばれて振り向くと、自転車を猛然と漕《こ》いで、葉菜子がやってきた。後ろの荷台には、本屋の老婦人が乗っている。葉菜子が携帯電話で通報し、それが交番に伝わっていたようだ。二人乗りはまずいんじゃ、と走は思ったが、警察官は見て見ぬふりをしてくれた。

荷台から下りた老婦人は、

「あんた、箱根駅伝に出る選手なんだってね。おかげで助かったよ」

と走に礼を言った。高校生たちはパトカーで、地元の警察署に連行されることになった。調書を取るので、老婦人も同行していった。

「きみも署まで行ってくれないか。感謝状が出るかもしれないし」

と恐ろしいことを言われ、必死に固辞する。交番の警察官は残念そうだったが、走はろくに名前も告げず立ち去った。葉菜子が自転車を引いて、ついてくる。

「すごかったね、蔵原くん。本屋のおばあさん、万引きが多くて困ってたんだって。追っかけてくれるなんて、ってすごく感謝してたよ」

走はうつむきがちに歩いた。いいことをしたつもりはない。ただ、走るのが得意だっただけだ。葉菜子が「つかまえて」と言ったから、追いかけただけだ。フリスビーを追う犬の反射と同じ。

葉菜子は自分のことのように、走の活躍を喜んでくれている。走は息苦しくなった。

「俺にはよくわからない」

走はとうとう、低い声で葉菜子に言った。「俺も万引きしたことあるよ。べつにいいとも悪いとも思わない。よくわからないんだ」

葉菜子がびっくりしたように自分の横顔を見上げているのを、走は感じた。

「走ること以外は、すぐにどうでもよくなる。腹が減ったら万引きするし、腹が立ったらひとを殴る。あんたは、ハイジさんたちを穏やかで優しいと言ったけど、少なくとも俺はちがうよ。双子の言ったとおり、走るだけの……」

「動物なら、善悪がわからないなんて、悩んだりしないでしょ」

葉菜子は静かに言った。「蔵原くんは、自分に厳しすぎるよ。本屋のおばあさんは、蔵原くんに感謝してる。竹青荘のひとたちは、蔵原くんの走りにいつも期待と信頼を寄せている。それをもっと信じたっていいじゃない」

八百勝のまえまで来ると、「送ってくれてありがとう。またね」と葉菜子は笑顔で手を振った。葉菜子の姿が八百勝の通用口に消えるのを、走は見守った。葉菜子につられるようにあげていた手に気づき、耳が熱くなる。

周囲の人間を信じろ、と勝田さんは言った。そういえばハイジさんは以前、「自分をもっと信じろ」と言っていたっけ。二人が言いたいのは、結局のところ同じことのような気がする。

また双子と喧嘩《けんか》しちゃったな、と走は思う。東体大の榊とも、高校時代の陸上部の監督とも、わかりあえなくて激しく衝突した。走はすぐに頭に血がのぼってしまう。走ることは、走にとって大切な行為だ。走の持つほとんどすべての時間が、走ることに費やされている。だからこそ、走りに関することで意見が食い違うと、過剰に反応してしまう。走という存在そのものを否定された気持ちになるからだ。

でも、それじゃ駄目なんだ、と走は思った。怒りは、怯《おび》えと自信のなさの裏返しだ。「信じろ」と言う清瀬と葉菜子は、「恐れずに認めろ」と走に言いたいのだろう。自分自身を、相手を。

ただ走るだけでは、強くはなれない。俺は俺を制御しなきゃならない。言葉をつくして心を伝えようとしてくれる、ハイジさんや勝田さんのように。走は改めて、そう決意した。

竹青荘までの道のりを、走は走って帰った。

翌日の午後、読売新聞社の社会部の記者がやってきた。本屋の老婦人が、走のしたことにいたく感激して電話をかけたらしい。新聞社は、箱根駅伝の宣伝にもなると判断し、「ちょっといい話」として紙面を割くことにしたのだ。

双子は喧嘩したことも忘れ、「すごいよ、走」と喜んだ。王子も、「書店での万引きは、根絶されなきゃいけない犯罪だ」と、走の手柄をたたえる。ユキは、「せっかく勝田さんと一緒だったのに。万引き犯をつかまえるより先に、することはなかったのか」と走をからかった。

走は断りきれず、記者の取材を受けた。記事は、「箱根駅伝出場の寛政大選手、万引き犯をつかまえる」という見出しで、走の顔写真とともに掲載された。

十一月の中旬になり、人々が厚いコートを着はじめるころ、上尾シティハーフマラソンが開催された。

上尾運動公園陸上競技場には、マイクロバスで次々と、招待された大学の選手が乗りつけた。竹青荘の面々は、いつもどおり白いバンで、上尾市に到着した。この日は、胃潰瘍《かいよう》で自宅療養がつづいていた大家も同行した。あいかわらず、清瀬の運転する車には乗りたがらないので、葉菜子が八百勝の軽トラックを出した。

競技場は、ローマのコロセウムのような外観をしていた。その通路にビニールシートを敷き、各大学が着替えや休憩のための場所を確保する。

運動公園内には食べ物の屋台が建ち、お祭りムードが漂っている。見物客や出場者で、公園の周辺はにぎわっている。

大家はさっそく購入したたこ焼きを頰ばりながら、訓示を垂れた。

「今日は、ロードレースの雰囲気に慣れるのが目的だから、スピードは重視しなくていい。苦しくない程度に走るように」

そこで大家は、清瀬をちらっと見る。清瀬は、そのとおり、というようにうなずいた。走は「なるほど」と事情を察した。大家は、清瀬の指示をそのまま走たちに告げたにすぎない。竹青荘の住人のあいだで軋轢《あつれき》が生じているので、清瀬は一歩引いた立場を取ることにしたらしかった。

とはいえ、双子もちゃんと上尾までついてきた。草サッカーのほうは、かわりのメンバーを見つけたようだ。清瀬に反発はしても、すっぽかしたり約束を反故《ほご》にしたりしないあたりが、ほがらかで律儀《りちぎ》な双子らしい。

ハーフマラソンは、午前九時に競技場内をスタートした。招待選手だけでも、三百五十人ほどいる。そこに市民ランナーも加わるので、号砲が鳴っても、スタートラインを越えるまでに時間がかかる。

スタート地点では、ゼッケン番号順に大勢がひしめきあっているため、ランニングとショートパンツのユニフォーム姿でも、寒さを感じなかった。前方に東体大の一団がいる。榊の後頭部を、走はしばし眺めた。二つある榊のつむじは、走の位置からではさすがに確認できない。

清瀬が王子に、スタート時の注意や位置取りについて教えている。

「後ろから押されて転ばないように。あせってまえに出る必要はないから、風よけがわりに、自分のペースと合う選手の背後につけ。きみの場合は、スパートをかけることは考えなくていい。とにかく集団から脱落しないように、食いついていけ」

王子は神妙にうなずく。走は、「もしかしてハイジさんは、箱根の一区に王子さんをエントリーするつもりなのかな」と考えた。一区ではもちろん、出場二十チームの第一走者が、大手町からいっせいにスタートする。最初は団子状になるから、臆《おく》せず、まわりのペースをうかがいながら競《せ》りあえる選手が向いている。

王子さんのタイムは、箱根に出場する選手のレベルからすると、決して速くはない。王子さんを一区に、という起用法は、はたして有効なんだろうか。

走が考えているうちに、ようやく集団が進みだした。トラックを半周して道路に出るころには、ばらけて走りやすくなる。

旧中山道《なかせんどう》沿いの静かな商店街。川の流れとゴルフ場の緑。空は晴れわたり、体温を上げていく肌に、冬の風が涼しく感じられた。

交通規制された道路を走るのは、気持ちがいい。走はすぐに、リズムに乗って脚を運んだ。沿道の家のひとたちが、門口まで出て声援を送ってくれる。小さな公園で遊んでいた子どもたちが、懸命に走って追いかけてくる。

給水は三ヵ所で行われた。長机に紙コップが並べられていて、ボランティアが手渡しようとする。慣れていないものだから、取りにくい。選手は自転車以上のスピードで疾走している。走はぎりぎりまで歩道に近づいたが、受け取ったときの衝撃で、紙コップの中身はほとんどこぼれてしまった。

それでも、わずかに残っていた水は、ひんやりと澄んでおいしかった。

折り返し地点手前で、榊とすれちがった。榊は視線を寄越してきたが、走は気づかないふりをした。無理をするなというのが、監督である大家、ひいては清瀬の意向だ。榊とは、どうしたって仲良くはなれそうもない。放っておこう、と思った。

走は、六道大の選手を注意深く見ていた。さすがにいいフォームだが、みな二軍の選手のようだった。ほとんど同時に折り返した一年生らしき六道の選手に、走は聞いた。

「藤岡さんは？」

一年の選手は、突然話しかけられて驚いたようだったが、走の顔と名前を知っていたのだろう。

「レギュラーのひとたちは、昆明《クンミン》で高地合宿中」

と教えてくれた。

「クンミン？」

「中国だよ」

「へぇえ」

さすが、六道大はスケールがちがうな、と走はびっくりした。中国で腹を下したりしないだろうか。摂生と鍛錬の鬼みたいな藤岡は、そんなへまはやらかさなそうだが。

一年生の選手は、先に走っていってしまった。走は鼻歌でも歌いたい気分で、一キロ三分〇三秒ペースを保った。中国合宿で、藤岡はますます力をつけてくるだろう。早く箱根で会いたい。どちらが速いか、大舞台ではっきりさせてやる。

再び競技場に戻って、フィニッシュだ。寛政大は抑え気味のペースだったので、順位はそれほどよくなかった。だが、ロードの大会の雰囲気はつかめた。十人のなかで一番タイムの遅い王子でさえも、走り終わって満足そうな表情だ。箱根の一区間とほぼ等しい距離を、無理なく走れたという自信がついたのだろう。経験不足のメンバーを、ハーフマラソンに参加させる。清瀬の目論見《もくろみ》は当たったようだった。

招待校には、主催者から昼の弁当とバナナの差し入れがあった。大会運営テントまで、神童とムサが取りにいき、段ボール箱いっぱいのバナナを抱えて戻ってきた。

「すごい量」

ジョータとジョージが箱を覗《のぞ》きこむ。葉菜子はバナナに貼《は》られたシールを見て、

「これ、いいバナナだよ」

と八百屋《やおや》の娘らしく品評した。

手っ取り早くカロリーを摂取できるから、バナナは運動のあとには重宝する。さっそく皮をむしって、全員で二本、三本と食べているところに、訪ねてきたものがあった。見物客と同じようにラフな恰好《かっこう》をした、三十代半ばぐらいの男だ。

「寛政大の陸上部ですよね？」

と男は言った。ジョージが三本目のバナナを口につめこみ、

「ほうれすけど」

と男を振り仰ぐ。「なにか？」

「蔵原くんはいるかな」

男はそう言ったが、視線はしっかりと走をとらえていた。走の顔を、あらかじめ認識してきたようだ。

「ちょっと話を聞きたくてね」

走は立って、男が差しだした名刺を受け取った。「週刊真実　望月周二《もちづきしゅうじ》」と書いてあった。

居合わせたほとんどのものは、万引き犯をつかまえた件で、記者が取材に来たのだと

思っただろう。だが走にはわかっていた。この男は、俺の過去を嗅《か》ぎつけてきたのだ、と。

「きみは、仙台城西高校《せんだいじようせい》の出身だね」

と望月は切りだした。清瀬がさっと顔色を変えて立ちあがったのが、視界の端に映った。

「はい」

と走は答えた。

「先日、万引き犯をつかまえたらしいじゃないか。新聞で見たよ」

望月はさも感心したように、おおげさに眉《まゆ》を上げてみせる。「正義感にあふれた、スポーツマンのなかのスポーツマンだと、きみの地元でも話題みたいだよ。特に、仙台城西の陸上部周辺で」

清瀬が走の隣に来て、望月に相対《あいたい》した。

「うちの選手に、勝手に取材しないでください」

「すぐに終わりますから」

望月はへらへらと笑う。だが、目は鋭く光っている。

「蔵原くんは、高校二年のときにインターハイに出場して、好成績を収めてるね。でも、三年になってすぐに退部している。それはどうして？」

「ちょっと！」

と清瀬が憤《いきどお》ったが、走は「いいんです、ハイジさん」と押しとどめた。逃げたり隠したりすることはできない。陸上をつづけるかぎり、この件は走にまとわりついてくる。竹青荘の住人たちと箱根を目指すと決めたときから、覚悟はしていたことだった。

「もう調べてあるんでしょう？」

と走は言った。「俺が監督を殴ったからです」

「監督は鼻の骨が折れたそうじゃないか。しかもきみは、陸上で推薦が内定していた大学を蹴《け》り、部もやめてしまった。不祥事が表沙汰《おもてざた》になるのを恐れた監督が、事件を内々に済ませようとしたのにもかかわらず、だ」

望月は走の表情をうかがう。「なにがそんなに不満だったのかな？　監督とどういう仲違《なかたが》いがあったの？」

走は黙っていた。高校時代の監督は、徹底した選手管理と、スパルタ練習法で有名だった。もちろん、それに応じた実績もあげていたから、有能な監督であることにはまちがいない。

だが走は入学当初から、その監督とはそりが合わなかったし、タイムのことばかり口にするやりかたが気にくわなかった。

だから、故障して再起が難しくなった一年生を、監督が部室で罵《ののし》っているのを目撃したとき、頭に血が上ってしまったのだ。その一年生はスポーツ特待生で、部をやめさせられたら、学校にいづらくなる。一年生が弱い立場にあることをわかったうえで、監督がねちねちといたぶっているとしか、走には思えなかった。

それも、あとから考えてみれば、ということかもしれない。一年生のことは、走にとっては単なるきっかけだった。たまりにたまった鬱憤《うっぷん》を爆発させるための、いい起爆剤にすぎない。なぜなら監督を殴った瞬間、走の頭を占めていたのは、「これで終わりにできる」という思いだけだったからだ。

一年生のために、というヒロイズムは欠片《かけら》もなかった。自分がきっかけで先輩が監督を殴ったりしたら、その一年生が部内でどんなに肩身の狭い思いをすることになるか、ということも、考えもしなかった。正義感も思いやりもなく、ただ暴力を振るっただけだ。自分の満足と快感のために。積もりに積もった監督への苛立《いらだ》ちと怒りを、晴らすためだけに。鼻の軟骨が折れる感触が拳《こぶし》に伝わって、走はせいせいしたのだった。

「高校の部活動で暴力沙汰。しかも陸上の名門校だ。話が漏れ、きみも否定しなかったために、仙台城西高校陸上部はしばらく自主的な活動停止状態に入った。当時の関係者のなかには、きみをよく思わないひともけっこういるんじゃないかな。殴られ損の監督はもちろん、試合に出られなかったチームメイトとかね」

「蔵原になにを聞きたいんですか」

と清瀬が割って入った。「あなたがおっしゃったことが事実だとしても、むしろ問うべきは、ことなかれ主義の学校側の姿勢、ひいては、過度の束縛と干渉で選手を管理し、のびざかりの才能をつぶしかねない、高校陸上界の一部に蔓延《まんえん》する成果至上主義だと思いますが」

「きみが寛政大の主将かい？」

望月は清瀬に、値踏みするような視線を向けた。「きみは、蔵原くんが暴力沙汰を起こしたことを知っていた？　蔵原くんをどう思う」

「才能のある選手です。それ以前に、俺たちにとっては、人間的に信頼のおける仲間だ」

仲間という言葉に、走の心は揺らいだ。幸せな夢を見ている途中で、急に肩をつかまれて起こされたみたいに。まだ夢のつづきにいるような浮遊感と、現実に還《かえ》ってきたことを残念に思う気持ちと、親しいひとの顔が開けた目に映った安堵《あんど》と。いろいろな感情が湧《わ》きあがって、どう受け止めればいいのかわからずにたじろいだ。

わずかに動揺した走には気づかぬまま、清瀬は望月に対して一歩も引こうとしなかった。

「帰ってください。取材は広報を通してもらいたい」

広報？　背後で成り行きを見守っていた竹青荘の住人のあいだで、ざわめきが広がった。神童と葉菜子が、「はい」「私たちのことです」と手をあげる。

「取材の申し込みをお断りします」

と神童が言い、キングが「そうしろ、そうしろ」とうなずく。大家はなにも口を挟まず、弁当を食べている。事態を厄介に感じているのか、おもしろがっているのか、飄然《ひょうぜん》としたその態度からはうかがえない。

「まったく、バナナがまずくなった」

と、ニコチャンに非難の眼差《まなざ》しを送られ、望月は苦笑いした。

「じゃ、最後にひとつだけ。蔵原くんは、今度箱根を走るわけだよね。高校のときの監督に言いたいことはあるかい？　ざまあみろでも、なんでもいいんだけど」

「なにもありません」

走は静かに首を振った。謝る気はなかったが、「おまえなんかの世話にならなくても、実力があれば陸上界で生き抜いていけるんだ」と勝ち誇る気も、当然なかった。

「俺は後悔しています。あのとき、ぶちのめす以外の方法を、少しも思い浮かべられなかった自分を。それだけです」

翌週発売になった『週刊真実』に、「高校スポーツ界に異変アリ!?」という見開き記事が載った。「頻発する不祥事の裏になにが……」と煽《あお》りがついていて、甲子園常連校や高校サッカーの強豪校に混じって、仙台城西高校陸上部の、かつてのいざこざにも触れてあった。

「先日、万引き犯をつかまえ、話題になったKくん。来年正月の箱根駅伝にも出場する、将来を嘱望されている選手だが、Kくんも過去に暴力事件を起こしたという噂《うわさ》がある。仙台J高の陸上部監督は、『その件については、もう過ぎたことですし……』と思わせぶりに口を閉ざすが」云々《うんぬん》と書かれては、陸上関係者ではなくとも、寛政大の蔵原走のことだと、簡単に推測がつく。

「これって明らかに、監督本人がリークしたんじゃない」

ジョージが忌々《いまいま》しげに雑誌を放り投げた。ムサは、

「気にしないことですよ」

と走を気づかってくれた。

清瀬と神童は、大学側や後援会への説明と対応に追われた。大家もほうぼうで、「お騒がせして」と頭を下げてまわっているらしい。それを知った走が謝ると、「なあに、監督だから当然だ」と大家は胸を張った。走を責めるようなことは、なにも言わなかった。

清瀬が断固として走を守る姿勢を貫いたので、竹青荘の周辺は平穏なままだった。記事の反響はこのまま沈静化するだろうが、迷惑をかけたことに変わりはない。竹青荘の住人たちは、いままでどおりの態度で走に接してくれる。その思いに応《こた》える

ためには、箱根でいい走りをするしかない。走は黙々と走りこみをつづけた。

その夜は飲み会も兼ねて、清瀬から箱根駅伝のエントリーについて説明がある予定だった。練習とジョッグを終え、住人たちは双子の部屋に続々と集まってきていた。

当の清瀬は練習後に、どこかへ出かけていった。食事当番はニコチャンとジョータだ。酒の肴《さかな》になるものを、台所でいっぱい作っているところだろう。手伝おうかと、走《かける》が双子の部屋を出て階段を下りかけたところで、携帯電話が鳴った。表示を見ると、仙台の自宅の番号だった。

上京してから、親が走に連絡を取ってきたことは一度もない。竹青荘の住所は葉書で一応知らせたが、それきりだった。学費と、最低限の生活費を銀行口座に振りこんでくれるだけでも、よしとしなければならない。両親は、走が陸上推薦で大学に行くことを望んでいた。品行方正な陸上選手としての息子に、期待をかけていたのだ。

通話ボタンを押すと、「走?」となつかしい母親の声がした。

「うん」

「あんた、雑誌に書かれてたじゃないの。もう目立つことはするなって、あれだけ言って聞かせたのに。お父さんも怒ってるわよ。聞いてんの」

「うん、ごめん」

「こっちで暮らしてる私たちの身にもなってちょうだいよ。いい？」

「はい」

「年末年始はどうするの、帰ってくるの」

「いや、箱根に出るから、帰る暇はないと思う」

「あらそう」

母親の声は、明らかに安堵を含んだものになった。「じゃ、いいけど。元気でね」

通話の切れた携帯電話を握りしめ、走はしばらく、階段の半ばで突っ立っていた。ぼんやりしていたため、玄関にユキがいることに気づくのが遅れた。

「あー、悪い」

と、ユキは言った。「立ち聞きするつもりはなかったんだけど」

ユキの手には、下北沢《しもきたざわ》にあるレコード屋の袋が提げられていた。どんなに忙しくても、ユキは生活から音楽を欠かしたことがない。走は「かまいません」と答え、階段を下りきってユキと同じ廊下に立った。

「実家から？」

「はい。目立つことするなって怒られました」

「時のひとだからね」

ユキは笑った。ユキ先輩にならば、言ってもいいかもしれない。ユキ先輩だけが、これまで取材を喜ぼうとしなかった。重苦しい思いをだれかに聞いてほしくて、走はわざとなんでもないことのように打ち明けた。

「俺、親とうまくいってないんですよ」

ユキはちょっと黙り、

「そうか。俺もだ」

と言った。「うちの場合は、過保護っていうのかな。お袋が再婚してね。相手は悪いひとじゃないし、年の離れた妹もいて、かわいくないわけではないけど……。いまさら新しい家族だと言われて、あれこれ気をつかわれても、こっちとしても困る。ま、あまり近寄りたくないというのが、正直なところだね」

「妹さん、いくつなんですか」

「五つ」

「え、じゃあユキ先輩とは、十五以上離れてるじゃないですか」

「そうだよ。お袋も頑張ったものだな」

ユキはやれやれというように、眼鏡を指で押しあげた。「家族には煩《わずら》わされると相場が決まっている。期待しすぎず、適度な距離を置くように心がけることだね」

ユキは自室のほうへ歩いていった。アドバイスしてくれたらしい。走は「はい」と答え、最前から水音やら鍋《なべ》の落ちる音やらで騒がしい台所を覗《のぞ》こうとした。するとユキが、

「そうだ、走」と廊下を戻ってきた。ちょっと、と走は廊下の隅に手招きされる。

「帰ってくるときに、成城《せいじょう》の駅でハイジを見かけたんだ」

なにか買い物でもあったのだろうか。急行が停まる駅ではあるが、走たちはそんなに頻繁には成城に行かない。どちらかというと、庶民的で雑多な雰囲気のある祖師ヶ谷大蔵駅に出ることが多かった。

「あいつ、成城の駅前にある整形外科に入っていったよ」

走はぎくりとした。清瀬の右脛《すね》を走る、古い傷痕《きずあと》。予選会のあとにも、つらそうにしていたのに。練習と取材騒動で、すっかり忘れてしまっていた。

「俺は、陸上選手の故障について詳しくないが」

ユキは眉《まゆ》をひそめる。「もしかしてハイジのやつ、完治してないんじゃないか」

どんなスポーツでも、一流選手ほど、どこかしら故障を抱えているものだ。陸上も例外ではない。ハードなトレーニングは、つねにリスクと背中合わせだ。鍛えれば鍛えるほど、肉体は鋭敏に、繊細になっていく。

「医者にかかってるなら、無茶をしたらストップをかけられるでしょうから、逆に安心だと思いますけど……」

「ハイジが医者の言うことなんて聞くか？　特にこの時期に」

それもそうだ、と走は思った。医者に行ったということは、それだけの違和感、もしかしたらはっきりした痛みがあるのだろう。痛みを抑える処方を要求はしても、医者からの忠告を、清瀬が聞き入れることはないような気がした。

「わかりました。あとで俺から、ハイジさんに聞いてみます」

走はユキにそう請けあった。

清瀬は、いつのまにか竹青荘に帰ってきていた。湿布のにおいがしないかと、走は清瀬のまわりで注意深く鼻をひくつかせたが、証拠はなにもつかめなかった。

「おかしなやつだな」

と清瀬に言われただけだった。

「ここのところ、いろいろ周囲が騒がしいが」

清瀬は、双子の部屋に集った面々を見まわす。「まあ、気にするな。俺たちは、走りで答えを出せばいい」

「ハイジさん、かっこいい！」

「『うちの蔵原に、なにか？』」

すでに酒が入った双子が茶化す。『週刊真実』の記者との一件から、双子は清瀬への信頼を取り戻しつつあるようだった。

「ついに十一月も終わろうとしている。箱根駅伝まで、もう時間がない」

清瀬は双子にはかまわず、話をつづける。「これからは、体調管理がもっとも大事になってくる。最後の最後で故障しないよう、気をつけてくれ」

故障という言葉に、走は思わず、ユキと視線を交わした。

「走、箱根のエントリーについて説明を」

清瀬に言われ、走は心配事をとりあえず頭から振り払う。車座《くるまざ》になった住人たちが、走に視線を集中させる。

「エントリーはまず、十二月十日に、一チームにつき十六人までの名を主催者に提出します」

走は説明をはじめた。「この段階では、だれがどの区間を走るかまでは、明らかにしません。次に、十二月二十九日に区間エントリーがあります。十六人を十四人に絞り、そのうちの十人がどの区間を走るかを申告するんです。残りの四人は、補欠扱いとなります。区間エントリーの変更は、箱根駅伝の当日に許されます。往路と復路のスタート一時間前に、最終的な走者が発表になるんです。ただ、一度、区間からはずされた選手を、ほかの区間に登録することはできません」

「よくわかんない。どういう意味？」

とジョージが質問した。走は少し考えてから、嚙《か》み砕いて答えた。

「たとえば六道大の藤岡が、十二月二十九日の時点で、二区にエントリーされていたとする。そうしたらもう、箱根当日の最終エントリー変更で、藤岡を五区に変えたりすることはできない、という意味だ。箱根の一日目に、藤岡の体調が悪かったら、補欠枠の四人のなかから、だれかを二区に入れるしかない。二日目に藤岡が復調したとしても、走ることは許されない」

「なるほど」

ムサがうなずく。「逆に、二十九日の時点で藤岡さんが四人の補欠枠に入っていたら、六道大は箱根当日のエントリー変更が当然ある、と考えていいわけですね」

「そのとおりだ」

と清瀬が言った。「補欠枠に力のある選手が入っていたら、それは体調が思わしくないか、隠し球として当日の朝に、重要な区間のエントリー変更を狙《ねら》っているか、どちらかだ。二十九日の区間エントリーを見たうえで、各大学は戦略を練り直し、相手の腹のなかを読もうと駆け引きを繰り広げる」

「スタート直前まで、気が抜けないんだな」キングは気圧《けお》されたようだった。「けどさ、俺たちは十人しかいないんだから、関係ないじゃないか。駆け引きもなにもないだろ」

「たしかに、俺たちは二十九日の区間エントリーで、手の内をすべてさらすことになります」

走は不安を覚え、清瀬を見た。寛政大には補欠がいないし、一度エントリーしたら、選手の区間を入れ替えることもできないのだ。それについて清瀬がどう考えているのか、知りたかった。

「選手層が薄いのは、なにもうちだけじゃない」

清瀬は落ち着きはらって言った。「当日にエントリー変更するのも、善《よ》し悪《あ》しだ。突然、走れと言われても、うまくいかないこともあるからね。現に、よっぽどのことがないかぎり、区間エントリーを変えない方針の大学も多々ある。エントリーに関して駆け引きがあることを知ったうえで、早い段階で、自分がどこの区間を走るのか確定していたほうが、腹づもりもできるってものだ」

「ハイジは、もう俺たちの走る区間を決めてるんだな？」

ユキが聞く。清瀬は「ああ」と言い、姿勢を正した。

「もちろん、異論があれば相談に応じるが、俺はいまのところ、これがベストじゃないかと考えている」

清瀬はジャージのズボンからメモを取りだし、輪の中心に広げた。みんなは身を乗りだして紙を覗きこみ、驚きの声をあげた。

箱根往路（一日目）
一区　大手町～鶴見　王子

二区　鶴見〜戸塚　ムサ
三区　戸塚〜平塚《ひらつか》　ジョータ
四区　平塚〜小田原　ジョージ
五区　小田原〜箱根　神童
箱根復路（二日目）
六区　箱根〜小田原　ユキ
七区　小田原〜平塚　ニコチャン
八区　平塚〜戸塚　キング
九区　戸塚〜鶴見　走
十区　鶴見〜大手町　清瀬

「私が二区？　無理ですよ」

ムサがぶるぶると全身を震わせた。「二区はエース区間なんでしょう？　なぜ走ではないんですか」

「王子さんが一区ってのも、かなり大胆だよね……」

ジョージが遠慮がちに首をひねった。当の王子でさえも、

「最初から勝負を捨ててどうするの」

とつぶやく。

走は、清瀬の考えた布陣を見て、すぐに意図するところがわかった。ハイジさんは、後半で勝負をかけようとしている。本気でシード権圏内に入ることを狙ってるんだ。いや、ハイジさんの読みどおりのレース展開になれば、シード権どころじゃない。この配置なら、もっといい順位を狙えるぞ……！

来年度の存続も危ぶまれるほどの弱小部なのに。素人《しろうと》の寄せ集めで、ようやくここまで這《は》いあがってきたというのに。清瀬は諦《あきら》めるということを知らない。いつでもうえを見て、夢と目標を掲げ、竹青荘の住人たちを強く導く。走りの高みを目指して。個人競技と団体競技の、究極の中間形態——箱根駅伝での頂点を目指して。

エントリー表から清瀬の真剣さが伝わってきて、走は拳《こぶし》を握りしめた。そうでもしないと、奮い立つあまり、獣のように吼《ほ》えてしまいそうだ。

「一区は王子しかいない」

清瀬は優しく言った。「きみは三次元に興味がないからか、記録会でも予選会でも、物怖《ものお》じするということがなかった。注目を集める一区に、最適の人材だ。ものすごくタイムが遅かったのに、ここまで練習についてきたタフさもある。競《せ》りあいになっても、踏ん張れるだろう」

またさりげなく失礼なことを言ってる、と走は思ったが、清瀬の期待に嘘《うそ》はなかった。

王子もそれを感じたのだろう。目に光が宿った。

「でもここ数年、一区はハイペースな展開が多い」

集めたデータをもとに、ユキが疑問を挟んだ。「今回も、各大学はスピード重視で一区の選手を選ぶんじゃないか？」

「反動で、スローペースな展開になる可能性もある。そこは賭《か》けだな」

清瀬はあっさりと認めた。「だが、たとえ王子が引き離されたとしても、一区ならまだ取り返しがつく。そのために、二区から四区まで、走力のある手堅いメンバーを選んだ。五区の山上りは、神童以外にいないだろう？　ムサと双子なら、そこまで着実につなげるはずだ」

「私がエース区間なんて、荷が重すぎます」

ムサは納得がいかないようだった。清瀬は、

「どう思う？」

と走に話を振ってきた。「ムサは、きみに二区を走ってほしいようだが」

「いいえ。俺は、ムサさんがふさわしいと思います」

走は確信をもって答えた。「ムサさんは、どんなプレッシャーもはねのけて練習してきました。長距離をやったことがなかったのに、いまでは十キロ二十九分台前半のタイムの持ち主です。それにムサさんは、いつも俺を励ましてくれた」

その努力も、人格も、どんな選手にも負けない。ムサはエースのなかのエースだ。

「褒めすぎですよ、走」

とムサは照れたが、満場一致で二区を走ることが決定した。

三区と四区を走る双子についても、反対意見は出なかったし、当人たちも乗り気だった。

「三区って、海沿いを走る道でしょ。景色がいいよな」

とジョータ。

「小田原でカマボコ買っていい？」

とジョージ。

五区は神童でいいとして、問題は六区、山下りのユキだ。

「なんで俺を六区にする」

と、ユキは清瀬に説明を求めた。

「このあいだの試走で、きみは姿勢が安定していた。ふつうは、あれだけの急斜面を駆け下りると、へっぴり腰になるものなんだが」

清瀬はちらりと、あぐらをかいたユキの脚を見た。「それにきみは……、脚が太い」

「なに？」

「いや、褒めてるんだ。とにかく足腰が丈夫じゃないと、六区は話にならないから」

「頑丈だけが取り柄みたいに。そんなこと言って、俺が怪我《けが》でもしたらどうするんだ」

「いいじゃないか。きみは司法試験に合格済みだ。卒業後に、本気で陸上をやる機会もないだろう」

ニコチャンが、「おいおい、そんな無責任で残酷なこと……」と口を出したが、ユキは案外平然と、「それもそうか」と清瀬の言葉を受け入れた。理にかなっていれば、どんな冷徹な意見も飲みこんでみせる。ユキの性格を見事に把握した説得法だ。走は改めて、清瀬の人間操縦術を畏怖《いふ》した。

「七区のニコチャン先輩と、八区のキングだが」

と、清瀬は話を進めた。「復路のこのあたりまで来ると、選手がばらけて、一人きりで走る局面も出てくると思う。まえにも後ろにも、ほかのチームの選手が見えない。そういうときでも、ニコチャン先輩とキングなら、あせらず油断せず、確実に自分のペースで走れるだろう。シード権争いも激しくなってくるから、地味だが重要な区間だ」

「シード権、獲《と》るつもりなの？」

ジョージがおずおずと尋ねた。

「当然だ」

と、清瀬は断じた。「さて、裏の二区、復路のエース区間とも言われる九区には、走をエントリーする。アンカーの十区は、箱根駅伝に出ると言いだし、きみたちを巻きこんだ俺が、責任をもって締める」

清瀬は、自分と走については、簡単な説明にとどめた。だが走は、箱根駅伝にかける清瀬の思いを、充分に感じ取っていた。九区と十区で、自分たちがどんな走りを見せなければならないのかも。

走は清瀬を見た。清瀬は黙って、走にうなずきかけた。

「以上。なにか疑問や意見のあるものは？」

挙手するものはだれもいなかった。清瀬の確信に引きずられる形で、全員が、箱根駅伝をいよいよ具体的なものとして考え、闘志を湧《わ》き立たせていた。

「よし。二十九日の区間エントリー発表まで、いま話したことはもちろん部外秘だ。それぞれ自分でイメージトレーニングし、走る区間をよく研究しておいてほしい」

清瀬は酒の入ったコップを手に取り、さて飲もう、と言った。「俺たちなら、絶対にうまくいく。双子」

呼びかけられて、ジョータとジョージは顔をあげた。

「頂点を見せてあげるよ。いや、一緒に味わうんだ。楽しみにしてろ」

清瀬は恐れを知らぬ王様のように微笑《ほほえ》んだ。

飲み会が佳境に突入してから、走は清瀬にそっと近づいた。

「ハイジさん、脚の調子がよくないんじゃないですか」

「なぜ？」

清瀬は穏やかに問い返し、コップに手酌で酒をついだ。走は言葉に詰まった。清瀬が弱音を吐くわけがない。だが、走の胸には疑念が渦巻いていた。

ハイジさんはユキ先輩に、「卒業後に、本気で陸上をやる機会もないだろう」と言った。あれは本当は、自分のことじゃないんですか？　あなたは、もう走れなくなってもいい覚悟で、今回の箱根駅伝に臨もうとしてるんじゃありませんか？

想像するだけで怖かった。走れなくなるのは、走にとって死ぬのと同じだ。清瀬にとっても、そうだと思う。それなのに清瀬は、

「きみが心配するようなことは、なにもないよ」

と笑ってみせるのだ。「ほら、走も飲め」

走はなにも言えず、清瀬がついでくれた酒を、不安ごと一息に飲み干した。清瀬は、袖口《そでぐち》のほつれたドテラを羽織っていた。もうすぐ、すべての季節を竹青荘の住人たちとともに過ごしたことになる。

清瀬とはじめて会った夜を、走は思い出す。なにもかもがはじまった夜を。懐《なつ》かしいような、待ち遠しいような、不思議な感覚が胸にきざした。

竹青荘の住人たちは、十二月に入ってからもひたすら練習をつづけ、ボロアパートで

全員そろって、静かな年越しをした。

大晦日《おおみそか》には近所の寺に除夜の鐘をつきにいき、元旦《がんたん》には清瀬の作った雑煮を食べた。緊張は刻一刻と高まっていったが、それさえも心地よかった。一人ではなかったからだ。竹青荘にいれば、ずっと一緒に練習し、生活してきたものの気配を、感じることができた。

一人ではない。走りだすまでは。走りはじめるのを、走り終えて帰ってくるのを、いつでも、いつまでも、待っていてくれる仲間がいる。

駅伝とは、そういう競技だ。

そして、一月二日。

箱根駅伝がはじまった。

それは、十人で挑んだ一年間の戦いの、終着点だった。同時に、箱根駅伝があるかぎり語りつがれる十人の、最初で最後の、激しい戦いのはじまりだった。

九、彼方《かなた》へ

一月二日、午前七時四十五分。

東京箱根間往復大学駅伝競走のスタートが、十五分後に迫っていた。

スタート二十分前の点呼を済ませ、王子《おうじ》は再び、地下鉄の通路に下りようとする。もっと朝早い時間帯には、地上の歩道を走って体をほぐすことができた。いまは無理だ。東京大手町《おおてまち》にある読売新聞東京本社ビル前には、箱根駅伝のスタートの瞬間を見ようと、大勢のひとが詰めかけていた。

各大学の応援部、関係者、晴れやかな表情で正月を迎えた駅伝ファンは、読売新聞本社ビルから、皇居内堀沿いに和田倉門《わだくらもん》あたりまで、途切れることなく歩道に何重にも人垣を作っている。鳴り響く太鼓と各校の校歌。冷たいビル風になびく色とりどりの旗と幟《のぼり》。高まる興奮とざわめき。

「どこに行くんだ」

と、つきそいの清瀬《きよせ》が王子を引きとめた。「もう体は温まっただろう。レースがはじまるまえに疲れてどうする」

「そうですけど、走ってないとなんだか不安で」

王子は足踏みした。「こんなに観客がいるとは思ってなかったし」

王子の口から、「走っていないと不安」などという言葉を聞く日が来るとは思わなかった。清瀬は安心させるように笑ってみせた。

「きみは充分に練習してきた。大丈夫だ。トイレには行ったか？」

「何度も」

選手と関係者のために、読売新聞社の通用口が開放されていて、トイレを借りたり控え室で着替えをしたりできるのだ。「二区を走る選手で、いつ行ってもすっごく混んでるんですよ」

「緊張してるのは、きみだけじゃないってことだ。心配はいらない」

ビル風で体が冷えてはいけない。清瀬は王子を、新聞社のビルの裏手につれていった。ここならひとが少ない。清瀬と王子は、並んで軽く走った。

ビルの壁には、午前七時に発表になった、最終エントリーが貼《は》りだされていた。

「六道《りくどう》は、藤岡《ふじおか》さんを二区に起用しなかったね」

王子が不思議そうに首をかしげる。六道大は、区間エントリーで藤岡を補欠枠にまわした。藤岡は主将で、六道でも一番の実力の持ち主だ。故障したという噂《うわさ》も聞かないし、体調でも悪いのか。各大学が注目するなか、今朝の往路最終エントリーにも、藤岡の名はなかった。

「たぶん、九区か十区に入れるつもりだろうな」

と清瀬は言った。

六道大は、慎重に状況を見極めようとしているようだ。今回の大会で、六道大の連覇を止められるものがいるとすれば、それは房総大《ぼうそうだい》だと目されていた。房総大は区間エントリーで、往路に勝負をかける姿勢を明確に打ちだしてきている。

房総大の精鋭ばかりをぶつけられては、いくら六道大といえども、往路は相当厳しい戦いになるだろう。もしかしたら、往路の優勝は房総大に譲り、復路優勝および往復の合計タイムで決まる総合優勝を手にする作戦なのかもしれない。六道大が、芦《あし》ノ湖《こ》についたときの順位、房総大とのタイム差によって、藤岡を復路のどの区間に投入するか決めようとしているのは、まちがいなかった。

「だがいまは、六道大のことなんか考えるな」

清瀬は王子の肩を軽く押しやった。「そろそろスタート地点に戻ろう。俺が言ったこと、覚えてるな？」

「うん」

王子は力強くうなずき、膝下《ひざした》まである厚手のベンチコートを脱いだ。寛政大《かんせいだい》の黒と銀のユニフォームを着た王子に、集まっていた見物客は道を明けた。

もう寒さは気にならない。第一走者である王子の左肩から、襷《たすき》がかかっている。黒地に銀糸で「寛政大学」と刺繍《ししゅう》してある襷。左官屋《さかんや》の奥さんが、予選会を通過したときから、コツコツと作ってくれていたものだ。

大切な襷に、王子はそっと触れた。十人でつないで、明日またこの場所に戻る。絶対に途中で襷を途切れさせたりはしない。

走るときに邪魔にならないよう、清瀬が襷の長さを調整し、余った部分を王子の短パンのウエストに挟みこんだ。

「王子、今日まで無理につきあわせてすまなかった」

と清瀬は言った。応援部の奏《かな》でる音楽がいっそう大きくなる。「選手はスタートラインについて」と、係員の呼ぶ声がする。

「ハイジさん。僕はそんな言葉を聞きたいんじゃないよ」

王子は笑った。「鶴見《つるみ》で待ってて」

王子はベンチコートを清瀬に預け、一区を走るほかの十九人とともに、スタートラインに立った。

東京大手町、午前八時。快晴。気温一・三度。湿度八十八パーセント。北西の風一・一メートル。

一瞬、あたりが静まり返り、スタートの号砲が鳴った。

王子は走りだした。振り返る必要はない。寛政大学のはじめての箱根駅伝は、この道を進むことによってだけ作られていくものなのだから。

レースは清瀬の読みどおり、ゆっくりしたペースで展開した。左手に東京駅を見ながら、和田倉門前を過ぎる。見物客の歓声がうねり、ビル風とともに後方にちぎれ去っていく。一団は横に広がったまま、湿った路面を進んだ。一キロ三分〇七秒ペースだ。これなら王子もついていける。

幅の広い道路のせいか、走っても走ってもあまり進んでいないように感じられた。周囲では、だれが一番先に飛びだすのか、様子をうかがいあい、牽制《けんせい》しあう気配がしている。「このままゆっくり行け」と王子は念じた。

ビルの隙間《すきま》を吹き抜ける風のせいで、気温よりも体感温度が低い。王子は清瀬の言いつけを思い出し、帝東大《ていとうだい》のやや大柄な選手の後ろについた。場所取りで余計な体力を使っては、ただでさえスピードにハンデのある王子には不利になる。風をしのげる好位置を確保し、王子はとにかく集団についていくことに専念した。

芝《しば》五丁目の交差点から第一京浜に入っても、ペースはほぼ変わらなかった。五キロの通過が十五分三十秒だ。

各大学の監督は、それぞれ監督車に乗って選手の後方からついてきていた。入《い》りの一キロとラスト一キロ、そして五キロごとに、スピーカーを通してマイクで選手に声をかけることが許されている。だが、五キロ通過地点までで指示を出す監督はいなかった。うかつに声を出せないほど、集団には緊張感があった。

六道大と房総大の選手が主導権争いをしているが、スパートをかけようとしては、再び集団に飲みこまれることの繰り返しだ。一区は二十一・三キロあり、しかも箱根駅伝ははじまったばかりだ。ここでスパートに失敗してバテては、あとの区間を走るものに迷惑がかかる。思いきってしかけられない心理が、集団のなかに渦巻いていた。

王子は先導車もテレビカメラの存在も忘れ、夢中で、しかし余裕の表情を装《よそお》って、必死に前進した。

そのころ清瀬は、東京駅からJRで品川《しながわ》に出て、京浜急行に乗りかえたところだった。王子のベンチコートを抱え、ラジオのイヤホンを耳につっこむ。テレビの音声を拾った清瀬は、まだ集団がばらけていないと知って、「よし!」と小さく叫んだ。周囲の乗客から注目を浴びるが、気にしていられない。

テレビのアナウンサーと解説者が、スローペースに困惑したように話している。

「レースにまったく変化がありませんね」

「力のある選手はもっと積極的に、記録を狙《ねら》うつもりでしかけていってもいいと思うんですが」

「余計なことを言わなくていい」

清瀬は思わず毒づく。スローペースでいいんだ。だれもしかけるな。できるだけこのまま、集団で行ってくれ。

携帯が鳴った。表示を見ると、監督車に乗っている大家からだ。王子が脱落しはじめたのかと、清瀬は急いで通話ボタンを押す。

「どうしたもんかなあ、ハイジ」

と、大家はのんびりと言った。

「どうしました」

「もう少ししたら十キロなんだが、俺は王子になんと声をかければいい?」

「つらそうなんですか」

清瀬は携帯電話を握りしめた。

「いいや? さっき八ツ山橋《やまばし》を過ぎたが、よく食いついていってる。あいかわらず、集団は横一線のままだ」

「じゃあ、なにも言わなくていいでしょう」

八ツ山橋は八キロ地点手前だ。線路を高架で越えるため、ゆるやかなアップダウンがある。そこを過ぎてまだ横一線なら、一区の最大の難所、六郷橋《ろくごうばし》まではこのまま行くはずだ。王子、耐えろ。清瀬は心のなかで呼びかけた。

「しかし、黙って車に乗ってるばかりってのは、監督としてどうだろう」

大家は退屈しているようだ。「これじゃ俺は、箱根までドライブしてるみたいなもんだ」

「どっしり構えていてくだされぱいいんです。王子がつらそうになったら、励ましを」

「なんて？　校歌はだめだぞ。俺は音痴だ」

「いまどき、校歌で選手を励ます監督はいませんよ」

清瀬はため息をついた。「じゃあ、俺からの伝言を頼みます。『きみに伝えたいことがある。だから、這《は》ってでも鶴見まで来い』と」

王子がその伝言を聞いたのは、十五キロ地点でのことだった。マイクを手にした監督車の大家が、ダミ声で怒鳴ったのだ。

伝えたいこと？　聞いてやろうじゃないか。

呼吸は苦しくなってきていたが、王子は再び気持ちを奮い立たせた。給水を受け取ることにも成功し、その際に短距離陸上部員から、「この一キロ、三分ちょうど」という情報を得た。ペースが上がっている。やはり、勝負は十七・八キロ地点にある六郷橋だ。

十二キロ過ぎにも、レースが動きそうな局面があった。ユーラシア大の選手がしかけて、集団が縦に長くのびかけた。だが、六道大と房総大がすかさずついていき、ほかのものも引きずられるように追いかけた。結局そこでは、集団から脱落するものはだれもいなかった。

こうなったら、六郷橋ですべてが決まる。全員が暗黙の了解のうちに、そう考えていることがわかった。

六郷橋は多摩川《たまがわ》にかかる、全長四百四十六・三メートルの大きな橋だ。橋に差しかかるための上り坂と、橋から下りるための下り坂がある。二十キロ近く走ってきたところでのアップダウンだから、体力的にきつい。

いよいよ六郷橋の坂を上りはじめると、急に脚が重くなった。こんなに傾斜をきつく感じるなんて。王子は喘《あえ》ぎ、腕を振ってなんとか体を進めようとする。

そのとき、集団のリズムに変化が生じた。力のある選手の呼吸が、ふと静かになり、「来る」と王子が気づいた瞬間、横浜大《よこはまだい》の選手がスパートをかけた。房総大、六道大の選手があとにつづく。

集団はあっというまにばらけ、縦にのびた。あいつら、なんて体力なんだ。王子は呆然《ぼうぜん》と、どんどん後続との距離を離していくトップ集団を見送るしかなかった。ついていきたくても、とても無理だ。六郷橋の下りに入り、トップ集団はますますスピードに乗っている。

「あせるな。六郷橋までついていけたら、タイム差はそんなに出ない。あとは自分のペースで走りきることを考えろ」

スタート前に、清瀬から指示されたことが脳裏に蘇《よみがえ》る。

そうだ、僕はまだ陸上をはじめたばかりなんだ。他人がどんなスパートを見せようと、自分の全力で走っていくしかないじゃないか。

先頭の選手の姿からは、もう百メートルほどの距離がある。でも王子は諦《あきら》めず、悲観せず、辛抱強く走った。

はじめたばかり、だって？　じゃあ僕は、これからも陸上をつづける気でいるのか。

巻きこまれて、こんなに苦しい思いをしてるっていうのに。

王子は酸素を求めて口を開け、呼気にまぎれて小さく笑った。

正面から、柔らかくあたたかい朝日が射《さ》した。


鶴見中継所で、走《かける》とムサは身を寄せあい、携帯テレビの液晶画面に見入っていた。商店街の電気屋が、無償で貸しだしてくれたものだ。

「ああ、王子さんが引き離されました」

ムサが悲しそうに言い、画面から消えていく王子を少しでも長く見ていたいとばかりに、走の手のなかのテレビを覗《のぞ》きこむ。

「でも、トップとのタイム差はそれほどないはずです」

王子の勇姿をしっかりと目に焼きつけ、走は顔を上げた。「ムサさん、二区で追いあげましょう」

「はい。頑張ります」

そろそろ、一区の走者が鶴見中継所に到着しはじめるころだ。ムサはかぶっていた毛糸の帽子を脱ぎ、マフラーを取った。気温三・三度。風はほとんどなく、晴れているが、ムサにとってはつらい寒さだ。ムサは走と相談し、手首から肘《ひじ》上まであるアームカバーを着用して走ることにした。これなら、暑くなったらはずし、ランニングのユニフォームだけになることができる。

「水分を摂《と》りましたか。寒いと思っても、走ってるうちに脱水症状を起こすとまずいですよ」

「これ以上飲むと、途中で立ちションせねばなりません」

とムサは笑った。ムサが「立ちション」などという言葉を使うのははじめてだ。「似合わないです」と走も笑った。

走の持っている携帯テレビが、アナウンサーと解説者の声を伝える。

「二区は各大学が、エースまたはエース級の選手を投入しています。一万メートル二十八分台の選手が、なんと二十八人中十一人。留学生も四人がここで登場です」

「房総大のマナス選手、甲府学院大《こうふがくいんだい》のイワンキ選手、西京大《さいきょうだい》のジョモ選手、そして寛政大のムサ選手ですね」

名前が出たので、ムサと走はテレビを見た。自分たちの姿が映しだされている。びっくりして見まわすと、いつのまにか背後からテレビクルーが近づいてきていた。ムサはテレビカメラに向かって、ぎこちなく微笑《ほほえ》む。

「寛政大のムサ選手は、ちょっと異色の存在です。理工学部の国費留学生で、なんと去年の春までは、陸上経験がなかったそうですよ。寛政大は十人だけで箱根に挑んでいますが、ほとんどの選手が陸上未経験でした」

「それでここまで来たんですから、信じられませんよ。たいしたものです」

画面はスタジオに切り替わり、解説者がしきりにうなずいている。「かなり苦労して練習したんだと思いますね」

「個性豊かな寛政大チーム。はじめての箱根でどんな走りを見せるのか、注目です」

CMになり、テレビクルーも離れていった。ムサは自分が紹介されたので、また緊張しだしたようだ。いけない、なんとか気を紛らわせないと、と走は思った。

走の携帯が鳴った。五区を走るために、小田原《おだわら》中継所で待機している神童《しんどう》からだ。走は通話ボタンを押してすぐに、携帯をムサに渡した。

「ムサ、テレビに出ていたね」

と神童が言った。ひどくくぐもった声だ。

「風邪の具合はいかがですか」

ムサは心配そうに言い、走も携帯に耳を寄せる。神童は大晦日《おおみそか》に発熱し、今朝になっても体調がすぐれなかった。

「僕は平気だよ。ムサこそ大丈夫？　いまので緊張してるだろう」

「はい、少し」

とムサは答える。神童には鶴見中継所の様子が見えるのだろうか。走は、ムサと神童の絆《きずな》の深さに驚いた。

「ねえムサ。楽しいことを考えるんだ」

神童は鼻声で言う。「これが終わったら、僕たちやっと正月だね。僕は冬休みのあいだに、一度実家に帰ろうと思ってるんだけど、ムサも一緒に行かないかい」

「いいのですか。ご家族で過ごすのでしょう」

「両親は、ムサが遊びにくるのを待ってるよ。なんにもない田舎だから、雪だるまを作るぐらいしか、することがないけれど」

「ユキダルマってなんですか」

「そうか、作ったことないんだ。じゃ、決定だね。一緒に帰省しよう」

「はい」

ムサはうなずいた。「ありがとうございます、神童さん」

電話を切ったムサは、もう迷いも怯《おび》えもない目をしていた。沿道の応援が一段と大きくなる。ランナーの姿が見えてきたのだろう。走はムサと、道路に近づいた。

ベンチコートを抱えた清瀬が、京急鶴見《つるみ》市場《いちば》駅のほうから走ってくる。清瀬は走とムサを見つけ、「まにあったか」と大きく息を吐いた。

「ムサ、調子はどうだ」

「良好です」

ムサは強く請けあう。清瀬はムサの表情とシューズの紐《ひも》をチェックし、乱れがないことをたしかめた。

「よし。王子はたぶん、最下位でここに来る。だがきみは動揺せず、いつもどおり走ればいい」

「最下位なら、これ以上悪くなりようがないから、気が楽です」

ムサはおどけてみせた。「それに、私は追われるよりも追うほうが性に合う」

「その意気です」

と、走はムサのベンチコートを受け取った。

六道大の選手が、トップで鶴見中継所にやってきた。鶴見中継所は、第一京浜沿いの交番前に設けられている。なんの変哲もない並木道で、平坦《へいたん》な直線のため、次々に走ってくる選手がよく見えた。

連絡を受けた係員が、あわただしく大学名を呼びあげる。その順で一区の走者が来るので、二区の走者は中継ラインまで出てチームメイトを待ち受けるのだ。

六道大の襷《たすき》が、一区から二区の走者へリレーされた。大手町をスタートしてから、一時間四分三十六秒後のことだった。つづいて横浜大、房総大、ユーラシア大の順に、ほとんどタイム差なく襷が受け渡された。終盤まで団子状になっていたため、大接戦だ。

ムサは屈伸した。走は道路に身を乗りだす。次々に一区の走者が来て襷を渡し、二区の走者が鶴見中継所から飛びだしていく。王子の姿はまだない。六道大が通過してから、三十秒。

「王子さんです！」

大会車両の陰に、歯を食いしばって走る王子が見えた。係員が、まだ中継所に残っていた大学の名をいっせいに呼ぶ。ムサは「行きます」と道路に出て、中継ラインに立った。

ムサは王子に向かい、手をあげた。王子は必死に腕を振って走っていたが、ムサの姿に気づき、思い出したように襷を肩からはずした。短パンのウエストのゴムが、叱咤《しった》するように脇腹《わきばら》を軽く弾《はじ》く。

もう少し、もう少しだ。

「王子さん！　王子さん！」

ムサと走が叫んでいる。走の隣で清瀬が、じっと王子の到着を待っている。

中継ラインを越えた王子は、走りはじめたムサの手に、握りしめていた襷《たすき》を渡した。襷は王子とムサを一瞬つなぎ、すぐに王子の指先からすりぬけていった。

心臓が苦しい。目を開けていることもできない。この荒い呼吸音は自分のものなのか。

王子は立ち止まり、まえのめりに倒れこみそうになって、だれかに抱きとめられたことに気づいた。

「さっき、大手町できみに言ったことは取り消す」

清瀬の声が、すぐそばでした。「俺はきみに、こう言いたかったんだ。ここまで一緒に来てくれて、ありがとう」

「合格」

と王子はつぶやいた。


走と清瀬は京浜急行で横浜まで出て、JRで小田原に向かった。人手不足なので、先まわりして芦ノ湖に向かい、五区を走る神童を迎える手はずになっていた。

鶴見中継所にへばった王子を残すのは気がかりだったが、当の王子はこう言った。

「二人とも、僕のことはいいから、箱根に行って。僕はもう、走り終わったんだ。歩けるようになったら、勝手にホテルに行くよ」

王子は横浜駅近くのホテルでテレビを見て、レース状況を把握する役目を担《にな》っている。清瀬と走も翌日の出番に備え、今夜じゅうに箱根から戻って、同じホテルに宿泊する予定だ。

水分補給した王子が、なんとか身を起こせるようになったので、走と清瀬は鶴見中継所をあとにした。

清瀬が大手町から持ってきたベンチコートは、また王子が着ている。いまは走が、ムサのベンチコートを運んでいた。山を登ってきた神童は、これを着ることになる。人手もぎりぎりなら、ウェアもぎりぎりなのだった。

正月二日の東海道線は、箱根駅伝を追いかける客や、初詣《はつもうで》に行くらしい家族客で、座席がほぼ埋まっていた。走はボックスシートにひとつ空きを見つけ、清瀬を座らせた。清瀬はベンチコートのポケットから、メモ帳とボールペンを取りだした。

「王子のタイムは」

「一時間〇五分三十七秒でした」

腕時計のストップウォッチ機能で確認し、走は答えた。清瀬はメモ帳にデータを書きこんでいく。

「すぐまえを行く動地《どうち》堂大《どうだい》とのタイム差は十一秒。トップ六道大との差も、一分〇一秒か。チャンスはまだいくらでもあるな。王子は大健闘した」

寛政大の襷《たすき》が鶴見中継所で王子からムサに受け渡されたのは、出場二十チーム中、二十番目。予選会出場選手で編成された関東学連選抜チームは、選手個人のタイムは公式記録として残るが、チームとしての順位はつかない。だから寛政大は、順位は十九位ということになるが、一区を走り終えた段階で、名実ともにまごうかたなきビリであることに変わりはない。

だが清瀬の言うとおり、ひっくり返すことの可能なタイム差だ。スローペースな展開が、王子と寛政大に幸いした。まだレースははじまったばかりだ。

携帯テレビは走が持っていたが、車内では映りが悪い。「こっちを試してみろ」と清瀬に言われ、ラジオを受け取る。音声を拾おうとつまみをひねっているところで、清瀬の携帯に着信があった。戸塚《とつか》中継所で、三区を走るジョータのつきそいをしているキングからだった。

「ハイジ、すげえことになった！　テレビを見ろ！」

「見られないんだが」

と清瀬は言った。

花の二区では大波乱が起こっていた。

トップを行くのは、六道大と房総大。その二校を、鶴見中継所を九番目で襷リレーした真中大《まなかだい》が、猛然と追いあげてきた。鶴見で二位だった横浜大は、反対に大幅に順位を落としていた。

三《み》つ巴《どもえ》になった先頭集団の、意地と気迫がぶつかりあうデッドヒート。しかしそのころ、下位集団でも目の離せない動きがあった。

鶴見中継所では十八番目だった城南文化大《じょうなんぶんかだい》が、区間記録に迫るペースで疾走していたのだ。当然、城南文化大の前後を走っている大学も、追いつかれまい、遅れをとるまいとして、ハイペースを維持した。

最後尾で鶴見を出発したムサは、動地堂大、城南文化大の選手に追いすがり、いよいよ併走しようとしていた。「一キロ」のプラカードを掲げ、係の学生が沿道に立っている。ムサは腕時計を確認した。最初の一キロを、二分四十八秒で入っていた。

このペースで、二十三キロある二区を走りとおすことなど不可能だ。後半に苦しくなるのは目に見えていたが、ここでひるんでいては順位を上げることなどできない。ムサは動地堂、城南文化の選手にやや遅れて、帝東大を抜き去った。鶴見で七十メートルあった帝東大との差を、一気に縮めたことになる。

沿道はものすごいにぎわいを見せていた。「黒山のひとだかり」とは、こういうことなのですね、とムサは思った。共催の新聞社が配った小旗を持つ人々が、どこまで行っても歩道に並んでいる。どのひとも晴れやかな表情で、一瞬で通りすぎる選手に声援を送ってくれる。予選会も上尾《あげお》シティハーフマラソンも比較にならないほどの盛りあがりだ。

これが箱根駅伝。しかも、そのエース区間を走るということなのだ。

ムサはうれしかった。この国で生まれたのではないし、自分を歓迎していない人々もいる。それはわかっている。でも、いまこの瞬間、私はなんと自由で平等な場所にいるんだろう。併走する選手も、姿を見ることもできないほど前方にいるトップを走る選手も、たしかに同じ時間と空間を分けあっている。

ひたすら練習を積み、走るための一個の肉体と化して、いま同じ風を肌に受けている。藤岡が言ったことは正しかった。理工学部の留学生のままでは、きっとこんな興奮と一体感は味わえなかった。真摯《しんし》に走りと向きあったものだけが知る、血の沸騰《ふっとう》するようなざわめきは。

ひときわ歓声が大きくなり、ムサはようやく、自分が横浜駅前を通過したことに気づいた。八・三キロ地点だ。いつのまにここまで走っていたのだろう。頭上を覆《おお》っていた高速道路の高架が、右手に大きくカーブを描いて離れていく。ひらけた空から、薄い日《ひ》射《ざ》しが降りてくる。ムサは乾きはじめた路面のうえで、城南文化と動地堂との併走をつづけた。

リズムに乗ったムサの頭からは、五キロ地点で大家から「ペースを抑えろ」という指示があったことも、この先に二区の難所、権太坂《ごんたざか》が控えていることも、すっぽりと抜け落ちていた。

「速すぎる」

清瀬はラジオのイヤホンを耳から引き抜き、大家に電話をかけた。

「はーい、こちら監督車」

「五キロでムサに、ちゃんと伝えてくれましたか？」

「こわい声出すない、ハイジ。伝えた、伝えた、伝えました。でも聞きやしないんだから、しょうがないだろう」

「十キロ地点でもう一度、抑えるよう声をかけてください」

電話を切った清瀬は、座席の硬い背もたれに後頭部を預けた。眉《まゆ》を寄せ、まぶたをきつく閉ざしてため息をつく。

「完全に雰囲気に呑《の》まれてる」

走は背もたれに手を載せ、わずかに身をかがめて、車窓を流れ去る景色をたしかめた。

「今日は風がなくてよかったですね。まだ海は見えないな」

清瀬が目を開け、「なにをのんきなことを」というように見上げてくるのがわかった。

「ムサさんはきっと、手遅れになるまえに気づきますよ。信じましょう」

走は窓の外を見たまま言った。清瀬はまたイヤホンを片耳に押しこみ、

「それしかないな」

とつぶやいた。

箱根駅伝十区間中、鶴見から戸塚《とつか》に至る二区は、二十三キロという最長の距離を誇る。しかも十四キロ過ぎからは、一・五キロも上りがつづく権太坂が控えていた。権太坂を越えても細かいアップダウンがあり、二十キロからのラスト三キロに、再び上り坂が来る。

二十三キロという距離といい、終盤になっての起伏の多さといい、「花の」と形容されるにふさわしい、難度と派手さを兼ね備えたコースだ。ランナーは、総合的な走力はもちろんのこと、プレッシャーと苦しさをはねのける強靭《きょうじん》な精神力と粘りを要求される。レース展開を読むクレバーな頭脳と、コースの起伏にあわせて走りを切り替える器用さも必須《ひっす》だ。

ムサは、横浜駅過ぎまでの比較的平坦《へいたん》な道のりを、順調にリズムに乗って走った。その勢いのまま権太坂に突っ込んでいき、上りはじめて四秒経《た》ったところで、「あ、権太坂」と気がついた。重りをつけたように、脚が進まなくなったからだ。ムサもあわて併走していた城南文化と動地堂の選手との差が、どんどん開いていく。

ていこうとして、それが不可能なことを悟った。

私はなにをしていたんだろう。冷たい風が顔に当たっていることを、ムサはようやく自覚した。ぴったりしたアームカバーが、汗を吸収していつのまにか湿っていた。

どうやら頭に血がのぼっていたようです。開けた掃きだし窓から、カーテンを揺らして部屋に風が通ったときのように、周囲の様子がムサの目と耳に飛びこんできた。国道一号沿いにぽつぽつと建ち並ぶ、小さな個人商店。途切れることのない壁を作る見物客の、大きな歓声。平和な正月の、郊外の風景だ。

鶴見中継所で、走とテレビを見たではないか。二区を走るうちの十一人が、一万メートル二十八分台のタイムを持っている。城南文化と動地堂の選手もそうだ。あの二人にまともについていこうとしても、自滅するだけだった。

選手のタイムから結果を推測しやすい競技に、なんの面白味があるのか、と双子《ふたご》は言った。でもそれはちがいます。ムサは思う。実力差が、タイムという単純な数値で明確になりやすいとしても。これはトラック競技ではなく、駅伝だ。襷《たすき》を渡され、次につなぐために、私はいま走っている。平坦なトラックをいっせいに走りだす一万メートルとは、わけがちがう。この起伏ある二十三キロは、東京と箱根を往復するうちの、たった十分の一にすぎないのだ。十人で作りあげる巨大なレースの、ほんの一部分だ。

これから先の未知の展開を導きだす、二区は序章にすぎない。私は気負わず、序章にふさわしい走りをすればいい。つまり、冷静に、堅実に、少しでも順位を上げること。スピードではかなわなくても、じっくりとレースを読み、好機をうかがうこと。まずは、十五キロ地点でしっかり給水しよう、とムサは考えた。寒い寒いと思っていたけれど、ハイペースで走ってきたこともあって、かなり汗をかいている。それから……、そうだ。ムサは、清瀬から与えられていた注意を思い出した。

「権太坂の下りは、慎重に行け。上りは、それまでが順調に走れていれば、リズムのまま進んでいくことができるだろう。だが、だからといって下りも調子づいて突っ込むと、確実にへばるぞ。権太坂の下りでは、やや抑え気味にして体力を温存する。二区の本当の勝負どころは、ラスト三キロの上り坂だ。そこまで我慢して追っていけ」

わかりました、ハイジさん。ムサは一人うなずき、黙々と権太坂を上っていった。権太坂最高点は、海抜五十六メートル。横浜駅前は二・五メートルだから、五十メートル以上を一息に駆けあがることになる。

最高点の手前が十五キロ地点だ。給水のゼッケンをつけ、寛政大のジャージを着た短距離部員が、ムサに大会支給のドリンクボトルを掲げてみせた。

「いま十八番目。まえに七人固まってる。行けるぞ」

併走したわずかなあいだに、手際《てぎわ》よく情報を伝えてくれる。ムサはうなずき、口に含むようにしてゆっくりと水分を補給した。腹が重くならない程度に飲み、ボトルを道路の脇《わき》に投げ捨てる。

十八番目ということは、無我夢中で走っているあいだに、帝東大以外にもう一チーム抜いたらしい。給水係は七人固まっていると言ったが、そのうちの二人は、城南文化と動地堂だろう。彼らはきっと、もっとまえに行ってしまう。残りの五人は、はたしてどのチームか。

権太坂のゆるやかな下りを利用して、ムサは前方を透かし見た。ゴボウ抜きを演じる動地堂大の選手をとらえるために、中継車が一台ついている。十五キロ地点での指示を与えるため、各校の監督車の動きもあわただしい。車が邪魔でよくわからないが、たしかに何人かが競《せ》りあっているようだ。

ムサはややセンターラインに寄り、角度をつけた。車の陰から、ユーラシア大の緑と白の縦縞《たてじま》のユニフォームが見えた。

ユーラシア大？　たしか、鶴見中継所を四位で出発したはずですが。

ムサはここではじめて、順位に大きな地殻変動が起きていることを悟った。

こんなに後方まで下がってきているということは、走りに余裕がない証拠だ。体調不良か、プレッシャーか、とにかくリズムに乗れていないのだ。

中継車はどんどん遠くなっていく。動地堂と城南文化が、集団から抜けだしたのだろう。残りの五人に追いつくことは可能だ。ムサはそう判断した。追い越すこともできる。

あせらず、少しずつ距離をつめていこう。

背後の監督車から、大家のしわがれた声がした。

「ムサー！　興奮した競走馬みたいに、鼻息荒くキンタマ縮みあがらせてんじゃないだろな！」

スピーカー越しの声は、しばらく途絶えた。車に同乗する監視員から、どうやら注意を受けたらしい。咳払《せきばら》いとともに、再び大家は言った。

「ハイジの注意したことを、覚えているかねムサくん！　覚えていたら、その場で三回前転したまえ」

どうして、こんなデタラメなひとが監督なんでしょうか。ムサは笑った。笑うことで肩の力が抜け、ますます冷静に脳が冴《さ》えていくのを感じた。

ムサは右手を軽くあげ、監督車に向けてＯＫサインを送ってみせた。

戸塚中継所では、ジョータとキングがビニールシートに座り、携帯テレビを見ながら話していた。

「下位のチームは、なかなか映らないなあ。ムサはどうしただろ」

「しょうがないよ、トップ争いがすごいもん」

画面のなかでは、真中大がついに、六道大と房総大を突き放しはじめたところだった。

「でもムサさんならきっと大丈夫だよ」

　そのときちょうど、画面に十五キロ地点通過順位が出た。寛政大は十八番目。選抜チームを除くと十七位につけている。カメラが切り替わり、下位チームの攻防を映しだした。ムサが、まえを行く五人の選手にどんどん迫っている。

「ほらね！」

「よっしゃあ」

　ジョータとキングは、喜んで握手を交わした。

「座ってる場合じゃねえぞ、ジョータ。こりゃもしかすると、ムサはけっこう早くここに来るかもしれない」

「俺、走るまえにはじっとしてたほうがいいみたいで」

　ジョッグはとうに終えたジョータは、座ったままストレッチをするにとどめた。「キング先輩さあ、そういえば就職活動はどうなってるの」

「なんでいま、そんな話すんだよ」

「べつのこと話してないと、キンチョーしちゃうんだもん」

「俺がイヤな汗かくっつうの、その話題は」

　キングはふてくされたが、いまは三区を走るジョータの心を、平穏に保つのが使命だ。しぶしぶと答えた。

「なんにもしてないよ。この生活で、どこに就職活動する暇があんだよ」

「えー、どうすんの。就職浪人？」

「留年するしかないのかなあ」

キングは膝《ひざ》を抱え、ため息をついて空を見上げた。冬の青空に、薄く白い雲がかかっている。

「親は許してくれっかな」

こぼれたため息は、雲と同じ質感でわずかに漂い、空中に溶けた。

「留年、留年」

ジョータが体育座りの姿勢で、尻《しり》を支点に上体を前後に揺らす。「じゃあさ、来年もまた、一緒に箱根に出ようよ」

「アホ、年が明けたばっかなのに、もう来年の話かよ。俺は出ねえぞ。またシュウカツできないじゃないか」

キングはジョータの提案を高速で却下し、そしてふと、口をつぐんだ。「……おまえ、出る気なのか来年も」

「出るよ」

ジョータは立ちあがった。「出るに決まってるじゃん」

ジョータの目は、かつてないほど真剣な色をしていた。こいつ、やる気だ。出番を目前に控え、燃え盛るジョータの闘志を感じ取り、キングも奮い立った。

「よっしゃ」

キングもビニールシートから腰を上げ、膝をのばした。「最後にちょっと流そうぜ、ジョータ」

ジョータとキングは、ひとでごったがえす戸塚中継所のなかを、行ったり来たりと走りだした。


ラスト三キロの地獄の上り坂を、ムサは意地だけで走っていた。

ユーラシア大を、坂の手前で振りきった。いまムサと併走しているのは、東京学院《とうきょうがくいん》大学、あけぼの大学、北関東《きたかんとう》大学、そして学連選抜チームの選手だ。まえを行く選手の姿を、とらえることはできない。それだけ距離があいてしまっているのか、大会車両や地形に阻《はば》まれて見えないだけなのか、わからなかった。

とりあえず、併走する四人の選手の動向をうかがうだけで手一杯だ。ここで遅れを取るわけにはいかない。できればスパートをかけ、この集団から頭ひとつ抜けだして、三区のランナーに襷《たすき》を渡したい。だれもがそう考え、仕掛けどころを計っていることが伝わってくる。

ここまで来て、集団から最初に脱落したくない。

体力も精神力も限界を迎えていたが、その執念だけで、スピードを落とさずに進んでいるような状態だった。

戸塚中継所は、上り坂の途中にある。あと五百メートル。防音壁のために、左手の景色がさえぎられる。だが歩道にあふれた観客が、中継所が近いことを教えている。ムサは、すぐまえを行く学連選抜の選手が、自分以上に汗をかいているのを見た。併走するどの選手も、荒い呼吸だ。もちろん、ムサも。

ここで行くしかない。ムサは学連選抜の選手をかわし、集団の先頭に出た。最後の、渾身《こんしん》のスパートだった。

戸塚中継所で、ジョータにこの襷《たすき》を渡せさえすれば。あとはもう倒れて起きあがれなくてもいい。区間記録には遠く及ばないタイムだけれど、でもこれが私にできる全力の走りだ。その走りを、残り数百メートルにぶつけずに、いつだれに見せる。

顎《あご》が上がり、長距離走者にふさわしくない無様なフォームになっていたが、なりふりかまっていられない。中継所が見える。ジョータがゆっくりと手をあげたのが見える。ムサはぐっと前傾姿勢になり、ダッシュした。いつはずしたのか定かでないが、ジョータに向けて差しのべた拳《こぶし》には、寛政大の襷が握られていた。

「エースの走りだったよ」

襷を受け取った手で、ジョータがムサの腕を二度叩《たた》いた。走り去るジョータの軽やかな足音を、ムサは昏倒《こんとう》したアスファルトから直接聞いた。

次に気がつくと、ムサはビニールシートのうえに寝かされていた。ラーメン屋と中古車販売店の駐車場らしい。戸塚中継所は、地味な場所にあるんですね、とムサはぼんやり思った。あたりは大会関係者と、走り終えた選手とそのつきそいのざわめきで満ちている。意識を手放していたのは、ほんのわずかなあいだだったようだ。

「目ぇ覚めたか？」

キングの泣きそうな顔が、視界いっぱいに現れた。「よくやったなあ、ムサ」

キングの説明を受け、ムサは状況を把握した。ムサは最後の競りあいに勝ち、十三位で戸塚中継所に到着したのだった。七チームをかわし、二十三キロを一時間十分十四秒で走り抜いた。二区を走った二十人のなかで、十二番目のタイムだ。

十三位に浮上したといっても、十二位の新星大《しんせいだい》からは二十七秒の遅れを取り、十四位の東京学院大とは六秒しか差がない。まだまだ気が抜けないポジションだが、ムサの頑張りのおかげで、寛政大にも希望が見えてきた。

「ジョータのやつ、おまえの走りを見て、張り切ってたよ」

キングは、ずっと外にいて赤くなった鼻をこすった。

よかった。私は、いい走りができたんですね。

ムサは唇を震わせ、黙ってうなずいた。なにか言えば、言葉とともに涙があふれてきてしまいそうだった。

　ＪＲ小田原駅に降り立った走と清瀬は、箱根登山鉄道に乗り換えるため、構内を歩いていた。

「そうか、わかった。お疲れさま」

　清瀬はキングとの会話を終え、携帯電話をぱくりと閉じた。「ムサはすぐ目を覚ましたそうだ。これから二人で、藤沢《ふじさわ》のホテルに向かうと言っていた」

「そうですか」

　走は安堵《あんど》した。戸塚中継所で倒れこむムサをテレビで見て、ずっと気が気でなかったのだ。キングも動転していたらしく、携帯を鳴らしてもしばらく出る気配がなかった。やっとキングから報告の電話があり、ムサの無事を知ることができたのだった。

「走るまえに、ジョータに電話してやらなくてよかったんですか」

　切符を買い、改札を通る。清瀬は電光掲示板で、電車の発車時刻を確認した。箱根湯《はこねゆ》本《もと》まで乗り入れる小田急線が、十分ほどで来るようだった。

「双子はまあ、放っておいても平気だろう。不安があれば、自分から電話してくる性格だからな」

　それもそうか、と走は思った。並んで階段を下りる。ホームには、晴れ着を着たひともちらほらといた。

「それよりも問題は、神童の体調だ」

電車が来るまえにと、清瀬はまた電話をかけはじめた。「ユキさんですか」と走が聞くと、清瀬はうなずき、電話が通じたのか、

「俺だ」

と言った。走は横合いから清瀬の携帯に手をのばし、勝手にボタンを操作して手ぶら機能に切り替えた。雑踏のなかだから、まあいいだろう。首をかしげる清瀬の手をつかみ、携帯を眼前に捧《ささ》げるように持ち替えさせる。

「神童の具合はどうだ」

「わからない」

とユキの声が答えた。「顔色も見えないし、絶対に熱を計らせてくれないし。まあ、よくはないんだろうね」

「顔色が見えないというのは、どういうことだ」

清瀬は眉《まゆ》を上げた。「ちゃんと神童につきそってるんだろうな」

ユキは五区を走る神童とともに、小田原中継所にいるはずだ。すぐ近くまで来たのに様子を見にいけず、清瀬は歯がゆさを感じているようだった。

「神童は隣にいるよ」

とユキは言った。「でも、鼻より下をタオルで覆《おお》って、そのうえにマスクしてるんだ。しかも風邪用マスクと、花粉用のカラス天狗《てんぐ》みたいなマスクの、二段重ね。顔色というか、顔自体があんまり見えてない。息できてるか、神童」

神童はどうやら、つきそうユキに風邪を移さないよう、万全の防疫《ぼうえき》態勢を自分に課しているらしい。携帯電話を受け渡す気配がし、

「もしもし」

と神童の声がした。身代金《みのしろきん》を要求する誘拐犯みたいに、くぐもって不明瞭《ふめいりよう》な声だ。

「熱は何度あるんだ」

清瀬が単刀直入に尋ねても、神童は「全然。平熱ですよ」と答えるばかりだ。

「走、そこにいますか」

神童に指名され、走は「はい」と携帯に一歩近づいた。

「できたら途中で、マスクを買っておいてほしいんだ。いましてるやつは、ユキ先輩に預けちゃうからね」

「平熱なら、そこまで用心深くなる必要はないじゃないか」

と清瀬が言い、

「なんでハイジさんに聞こえてるの」

と神童の声が動揺を見せた。手ぶら機能なんです、と走は心のなかで説明し、

「わかりました。買っときますから、安心してください」

と声に出して答えた。

「神童、できるだけ水分を摂《と》っておけ」

と清瀬は指示した。「走りながら漏らしたとしても、脱水症状を起こすよりはいい」

「どっちもいやですよ」

神童は笑い、通話は切れた。

「便利な機能があるもんだな」

清瀬が自分の携帯を眺める。走は手ぶら機能を解除してやり、

「知らなかったんですか」

と聞いた。

「まったく気づいてなかった」

じゃあ、なんのボタンだと思ってたんだろう。走は首をひねりつつ、ホームの売店に走る。マスクを買って清瀬のもとへ戻ると、ちょうど箱根湯本行きの電車が来たところだった。

清瀬はうつむきかげんに、電車に乗りこむ。

「無理して走らなくていい、と言えないのがつらいな」

走はマスクをポケットにしまい、清瀬のあとに黙ってつき従った。

ジョータにとって、双子の弟のジョージは、まさに魂の片割れだった。ジョータとジョージの両親は、息子たちを混同することが決してなかった。双子は幼いころ、ジョータがジョージの、ジョージがジョータのふりをして、よく大人をからかった。だが双子の親だけは、ジョータとジョージをまちがえない。あれは不思議だった、とジョータは思う。鏡を見ていて、たまに自分ですら、ジョータなのかジョージなのかわからなくなることがあったほどなのに。

双子の両親は、息子たちを比べることも絶対にしなかった。比べようもない、まったくべつの人間。そして、等しく大切な自分の子どもたちとして、かわいがってくれた。親として当然の態度だが、その当然の態度を貫けないひともいるということを、ジョータは成長してから知った。子どもたちを比較し、自分の所有物のようにしか考えられない親もいる。そういうひとが俺たちの親じゃなくてよかった、とジョータは思う。似た顔だとしても、宿る魂はちがう。

その事実を、ジョータがすんなりと、当たり前のこととして受け止められたのは、親がそう接してくれたからだ。ジョータは双子の弟を、自分に一番近いところにいる、自分とはまったくちがう人間として、ごく自然に愛している。

ジョータとジョージは、いつも一緒だった。同じ部屋で寝起きし、同じ学校に通い、同じようにサッカーをした。喧嘩《けんか》の数と同じだけ仲直りし、共通の友人たちと遊んだ。ジョータはジョージのことなら、ほとんどすべて知っている。食べ物の好みも、右の足首に小さなホクロがあることも、いつだれとはじめてキスしたかも。でも、ジョージが自分とはまったくちがう性格であることも知っている。

ジョータとジョージには友だちが多い。周囲からは、明るくて楽しい人間だと思われていると思う。それはまったくそのとおりだし、そう思われることになにも不満はないが、自分に関して言えば、その表現は少しちがうとジョータは感じる。

ジョージのほうが、俺よりも無邪気だ。

ジョージは本当に、いるだけでその場の雰囲気をなごませる。ジョージが怒っても笑っても、それはなんの計算もない、素直な感情の発露だからだ。

ジョータはそこまで天真爛漫《てんしんらんまん》ではない。「こうしたら、ひとに好かれるだろうな」と計算して行動することもある。どちらかといえば、ジョージのように屈託のないひとのほうが少数派だろう。だからこそ余計に、ジョータは双子の弟のことが好きなのだ。

ジョージはまだ気づいていないと思うけど、とジョータは考える。そろそろ、べつの道を行くときが来た。いつも一緒に、同じことをしてきた俺たちだけど、いつまでもこのままではいられない。

浜須賀《はますか》の交差点から南下し、湘南《しょうなん》海岸道路に入る。海沿いの道を走ると、風が正面から吹いてきた。

ジョータとジョージは、学力も運動能力も、ほぼ同じようなものだった。だから、同じ高校に通い、サッカー部でともにレギュラーとして活躍していたのだ。

でも、走ることはジョージのほうが向いている。

いまは、タイムにそうちがいはない。だがジョータは、ジョージのことをだれよりも知っているからこそ、気づくことができた。

俺はたぶん、ここまでだけど、ジョージはもっと速くなる。俺が見ることのできない世界へ、行くことができる。それだけの素質があるし、走るのが好きでたまらないみたいだから。

多くのひとから愛され、だれのことも等しく好きでいられるジョージ。そんなジョージが、走ることに対して見せた熱意と執着は、ジョータにとって驚きだった。

どうせすぐに飽きてしまうと思ったのに、ジョージは毎日毎日、走りに打ちこんだ。清瀬ですら気づいていないようだが、ジョージはたまに、深夜にこっそり自主練している。ジョータを起こさないように静かに布団《ふとん》を抜けだし、一時間ほど表を走って帰ってくる。

部屋に二人でいるとき、ジョージはしょっちゅう走の話をする。今日の走の走りはすごかったね。どうしたらあんなふうに走れるんだろう。少しでも走に近づこうと、「兄ちゃん、俺のフォームをチェックしてよ」と、畳のうえでポーズを取る。そういうときの、ジョージの目の輝き。

ジョータとジョージは、同学年の気安さもあって、走としばしば喧嘩する。ジョータからすると走は、純粋だからこそアンバランスな存在に見えた。それがときに苛立《いらだ》たしくて、つい突っかかってしまう。

でもジョージは、そういう走に憧《あこが》れている。走を認めてしまう自分自身に照れがあるから、反発してみせているだけだ。

大人になったんだなあ、ジョージ。ジョータはさびしくもうれしく思うのだ。双子の弟にとって、これまで一番のライバルは、いつだってジョータだった。お互いがお互いの目標であり、影響しあって生きてきた。そんなジョージが、ついに走というライバル、目標を見つけたのだ。

走らなければ、知ることはなかった。まだまだ一緒に、同じものを見ていられた。だけどもう、ここまでだな、ジョージ。

ジョージの熱意に引きずられるように、ジョータも走ってきた。竹青荘《ちくせいそう》の住人たちと、とうとう箱根駅伝に出るところまで来た。そしてジョージは、まだ先を目指すだろう。ジョータがどうやっても追いつけない、彼方《かなた》まで。

まあいいさ、とジョータは思う。ジョージが俺の大事な弟だということに、変わりはないんだから。弟の独り立ちを歓迎してやらなきゃいけない。俺にできるのは、いま精一杯走ることだ。これから時間をかけて、さらに高みを目指そうとしているジョージに、はなむけしてやることだ。

いつか、ジョージが勝つといい。何年かかろうとも、走みたいに、走以上に、速く強い、だれにも負けないランナーになるといい。そのとき自分がなにをしているのか、ジョータにはまだわからない。だが、いまと変わることなく、弟を心から応援しているのはたしかだ。

走っていると、防砂林に視界がさえぎられてしまい、海が見えない。交通規制された道路のうえを、潮《しお》の香りだけが風に乗って渡る。

地味だって言うけどさ、とジョータは思う。むちゃくちゃきついよ、このコース。

戸塚から平塚《ひらつか》に至る三区は、つなぎ区間だと思われがちだ。東俣野《ひがしまたの》で国道一号からそれ、南下。七キロ地点にある藤沢駅近くを過ぎると、地味な町なかの道になる。浜須賀の交差点で右折し、国道一三四号、通称湘南海岸道路に入ってからは、ひたすら単調な景色がつづく。人家があまりなく、駅からも遠い道なので、このあたりでは沿道の応援の人垣も、さすがに途切れることがある。

期待されただけやる気が出てくるジョータとしては、だれも見ていないところで走るのは苦手だった。湘南海岸道路に出るまでは細かいアップダウンがあるのに対し、海沿いになると道がほぼ一直線で平坦《へいたん》だというのも、走りにくい原因だった。気温は五・七度。左手には防砂林。そのうえから、冬にしては強い日射《ひざ》しがジョータを照らす。風はあいかわらず前方から吹きつけてくる。よく晴れているから、正面に富士山が見えてもおかしくないが、確認する余裕はない。

やっぱり、箱根駅伝はテレビで見るもんだよなあ、とジョータは思う。おせちでもつまんで、ゴロゴロしながらさ。三区のあたりでは、海と、延々とのびる道と、富士山とを、ヘリで空撮した映像で楽しむってのが、お約束なのに。正月気分の盛りあがる、穏やかで晴れがましい風景だ。

ところが実際に走ると、このつらさはどうだろう。

戸塚中継所でムサから襷《たすき》を受け取って、ジョータの箱根駅伝はいきなり上り坂ではじまった。戸塚では十七番目に襷を受けた北関東大の選手が、猛然とジョータを追い抜いていったが、気にしない。ジョータより六秒遅れで出発した東京学院大にも追い越されたが、あせりはなかった。俺はアップダウンのある道は苦手なんだよ、とジョータは思った。

北関東大の選手は、出場者のなかでもトップクラスのタイムを持っている。ジョータはちゃんと、同じ区間を走る選手のデータを、ユキに見せてもらっていた。意地になって、あの選手と互角に戦おうとしても無理だ。東京学院大のやつは、俺を追い越すときに、すでに呼吸が荒かった。いずれ追いついて、また追い抜き返すことができるだろう。湘南海岸道路は見通しがいい。ジョータは、まえを行く東京学院大と新星大、そして、順位を落としつつあるらしい前橋工科大《まえばしこうかだい》と城南文化大の選手の姿を、はっきりととらえていた。

十五キロの給水ポイントで、「まえとの差、縮んでるよ!」と声をかけられた。よし行ける。脚にいっそう力がみなぎったように感じられた。それまで沈黙を守っていた監督車から、大家の声がした。

「ジョータ! おまえ集中しとるか? なんかべつのこと考えてないか?」

考えてた。ジョージのこととか、いろいろ。なんでわかったんだろ、とジョータは首をひねる。フォームに乱れでも出ていたのか?

「ハイジから伝言だ。なにを見ても動揺するな。以上」

ハイジさんか、とジョータは納得した。大家さんにわかるわけがないと思ったんだよね。清瀬が携帯テレビでジョータの走りを見て、活を入れるべきだと判断したのだろう。だけど、動揺するようななにが、行く手に待ち受けているのか、それがわからない。

ジョータはわくわくした。清瀬には本当に性格を読まれていると思うが、ジョータは刺激があると知らされると、そこに行ってたしかめてみずにはいられないのだ。いくら清瀬に反抗しても、結局は掌《てのひら》で遊ばされている感じがあり、それが少し癪《しゃく》だが、愉快だった。

まずは東京学院大と新星大を抜き去った。

十八・一キロ地点に、相模川《さがみがわ》にかかる湘南大橋がある。防砂林が途切れ、ジョータはようやく、広がる大海を目の端にとらえることができた。真水と海水がぶつかり、まじりあって、河口近くには白く大きな波が立っている。

城南文化大と前橋工科大の選手に、そろそろ追いつけそうだ。橋を渡りきったところで、勝負をかけよう。ジョータはそう思い定め、さらに前方を見やった。

東体大《とうたいだい》だ。

これまで姿を見ることができなかった、東体大の青地に水色のラインが入ったユニフォームが、そこにあった。

まだ届かない。でも、近づくことはできる。少しでも距離を詰めて、ジョージに託すことはできる。走を苦しめ、竹青荘の住人たちに因縁をふっかけてくる、東体大の榊《さかき》。

ジョータはいつも、榊を腹立たしく思っていた。榊にうまく言い返せずに黙りこんでしまう走を、気の毒に感じた。俺も実は、相当ねちっこくて屈託ある男だが、榊みたいな陰険野郎ではないね。

東体大のほかのメンバーに恨みはないが、榊のいるチームだという一点で、あいつらは俺たちのライバルだ。けちょんけちょんにやっつけてやるべき敵だ。もちろん榊とちがって正々堂々と、走りで勝負してみせる。

ジョータは鼻息も荒くスパートした。城南文化大と前橋工科大に並ぶ。相手もそう簡単に抜かせてはくれない。だがもう、ジョータは併走する選手のことは気にしなかった。まえを行く喜久井大《きくいだい》と東体大の姿だけを視界に走る。

二十キロ地点の表示があった。二十一・三キロある三区も、もうすぐ終わりだ。動揺するようなことって、そういえばなんなんだろう。ジョータはふと思い、ラスト一キロに差しかかって、その意味を知った。

直線道路のため、一キロ手前から平塚中継所が見えはじめたのだ。目標物があると逆に、走っても走ってもまだ着かない、という気持ちになる。あせってはだめだ。とにかくここで粘って、併走する選手を突き放し、ちょっとでもいいタイムでジョージに襷《たすき》を渡さなければ。

しかしさらに、ジョータをびっくりさせることが起きた。中継所の手前二百メートルになって、かたわらの歩道を、葉菜子《はなこ》が自転車で疾走していることに気づいたのだ。

人垣の向こうで、葉菜子は必死に自転車を漕《こ》いでいた。

「ジョータくん、あとちょっとだよ！」

歓声に混じって、ジョータは葉菜子の声をはっきりと聞き取った。

葉菜ちゃん、きみはいつも、「頑張って」とは決して言わないね。もうこれ以上頑張りようがないほど頑張っていると、きみはちゃんとわかってるからだ。どうしてそんなに、俺たちを応援してくれるの。

ジョータは、自分を見上げて微笑《ほほえ》む葉菜子の表情を思い浮かべ、あやうく「あ！」と声をあげるところだった。

それは天啓のように、ジョータのうえに降ってきた。

葉菜ちゃんって、もしかして俺のこと好きなのか？

そう考えると、葉菜子が竹青荘に来るたびににやにやしていたユキとニコチャンの態度も、毎度毎度、やけに熱心に葉菜子を送るよう勧めたムサの言動も、腑《ふ》に落ちた。

え、でも待てよ。葉菜ちゃんのことは、いつも俺とジョージの二人で送ってた。葉菜ちゃんもそれで全然不満そうじゃなかった。

いったい葉菜ちゃんは、俺たちのどっちを好きなわけ？

ジョータはうれしさと疑問で混乱し、混乱したまま気づかぬうちに、城南文化と前橋工科を完全に抜き去っていたのだった。

その少しまえ、平塚《ひらつか》中継所ではジョージとニコチャンが、自転車に乗って走り去っていった葉菜子を、呆然《ぼうぜん》と見送っていた。

「行っちゃったね」

「行っちゃったなあ」

葉菜子は平塚中継所で、ニコチャンとともにジョージにつきそっていたのだが、いよいよジョータが近くまで走ってきたことを知って、飛びだしていってしまった。見物客の一人が引いていた自転車を、「すぐ返しますから」と半ば強引にもぎ取って。

「いい子だよなあ、おい」

とニコチャンは言った。葉菜子は平塚中継所でもいつもどおり、ジョージが居心地よくレース前のひとときを過ごせるよう気を配っていた。ニコチャンと協力して毛布や飲み物を運び、ストレッチをするジョージと、緊張がまぎれるような会話を交わす。

ニコチャンは、さっぱりした気だてのいい葉菜子のことを、すっかり気に入っていた。息子の嫁にぴったりの娘さんじゃないか、うんうん、という気分だ。だけど問題はなあ。ニコチャンは無精髭《ぶしょうひげ》をこする。双子のうちのどっちを好きなのかってことだ。

ジョージにつきそうことを決めたからには、ジョージのほうを好きなんだろうと思ったのだが、葉菜子はジョータのことも応援にいってしまった。しかも、じっとしていられないとばかりに、見ず知らずのひとの自転車をぶんどってまで。

どっちなんだよ。もしかしてどっちもか？

そんな思いにかられ、ニコチャンはジョージに「いい子だよなあ、おい」と話を振ったのだが、ジョージときたら、

「うん、そうだね」

とにこにこしている。

こいつ、やっぱりわかってねえ。

ニコチャンはため息をつき、平塚中継所に次々とやってきたトップ集団に、意識を戻した。真中大、六道大、房総大の順だ。六道と房総の一騎打ちになるかと思われた往路だが、意外な健闘を見せる伏兵の存在に、見物客も沸き立っている。

その後方にも、ほかの大学の選手の姿が、どんどん大きくなって迫ってきていた。

「兄ちゃんだ、兄ちゃんが抜いたよ！」

ジョージがはしゃぐ。ニコチャンも、「どれ」と道路に身を乗りだした。黒と銀のユニフォームを着たジョータが、城南文化と前橋工科の選手を抜いたところだった。歩道で自転車を漕ぐ葉菜子ですら、併走しつづけるのが難しいスピードだ。そのあいだにも、中継所には上位のチームの襷《たすき》がリレーされていく。

「おー、走ってる走ってる」

ニコチャンは、ジョージの背を叩《たた》いた。「もうすぐだぞ。準備はいいか」

「オッケーオッケー。兄ちゃんばっかりにいいカッコさせないよ。俺も走っちゃうもん

ね」

　ジョージは明るく言い、足首をまわしてほぐした。寛政のまえを行く喜久井大と東体大とは、まだかなり距離がある。

「ジョータが順位を上げたからって、無理はするな。実力とタイム差からして、そうそう抜くことはできねえ。まえのチームとの距離を縮められたら御《おん》の字と思って、行くことだ」

「わかった」

　ジョージはうなずき、係員の呼びだしに応《こた》えて、中継ラインに出た。ニコチャンも脇《わき》に立って、ジョータの到着とジョージの出発に備える。

　東体大が九位で平塚中継所に来た。大手町をスタートしてから、三時間十九分五十八秒が経《た》っていた。東体大に遅れること十秒で、喜久井大が十位で襷《たすき》リレー。そして喜久井大から十五秒後に、ジョータがジョージに寛政大の襷を渡した。

　ここまで、三時間二十分二十三秒。寛政大はとうとう、十一位まで順位を上げてきた。三区、二十一・三キロを走ったジョータのタイムは、一時間〇四分三十二秒で区間十位という好成績だった。

　しかしニコチャンには、それを喜ぶ余裕がなかった。鬼気《きき》迫《せま》る形相で走ってきたジョータが、ジョージに襷を渡しながら、

「葉菜ちゃん、もしかしたら俺たちのこと好きかも！」

と言ったからだ。

「ええっ、うそー！」

という叫びをあとに残し、ジョージは走り去っていった。中継所に居合わせた人々の視線が痛い。

「おまえら、真剣にやる気あんのか」

ニコチャンは走り終えたジョータの肩を抱き、隠れるように中継所の奥に引きずりこんだ。

「あるってば」

ジョータは膝《ひざ》に手をつき、ぜえぜえと息を整えた。「なんでいままで、教えてくれなかったの」

「葉菜ちゃんがおまえらを好きだってことをか？」

「うん。それとも俺の勘違い？」

「そうじゃあねえだろうな。しかしなんで、よりによっていま気づくかねえ。ジョージが動揺したらどうすんだ」

「なにがですか？　なにかあったの？」

澄んだ声音に振り向くと、葉菜子が立っていた。自転車は持ち主に返したらしい。額に浮かんだ汗をぬぐい、「すごかったね」とジョータに笑いかける。しゃがみこんでいたジョータが、首筋まで赤くなった。ぎこちなく立ちあがり、「うん、ありがと」と、葉菜子の顔をまともに見ることもできないでいる。おいおい、ジョータがこの状態ってことは、ジョージも……。ニコチャンはぽりぽりと頭を掻《か》いた。

「ハイジに電話だな、こりゃ」

葉菜子がきょとんと、ニコチャンを見た。

走《かける》と清瀬は箱根湯本の駅前で、芦ノ湖行きのバスを待っていた。交通規制が敷かれるまえに、箱根の山を登りきらなければならない。同じことを考える人々は多いらしく、山に至る一本道は渋滞していた。

「十一位ですよ、ハイジさん！」

寒さを紛らわすために足踏みしながら、走は携帯テレビの音量を上げた。平塚中継所の模様を伝えるアナウンサーの声も、興奮気味だ。

「平塚中継所をトップで襷《たすき》リレーしたのは、真中大！　箱根四連覇を狙《ねら》う六道大は、二十九秒遅れで二位につけています。三位は房総大。トップとの差は五十秒ありません。いやあ、三区が終わって、予想外の展開になってきましたね、谷中《やなか》さん」

解説者の谷中が、あとを引き取る。

「はい。今大会は六道と房総の一騎打ちになるかと思われていましたが、真中ががっちり絡《から》んできました。このあとの四区、そして山上りの五区でどんな動きがあるのか、これは楽しみです」

「四位から十位まで、動地堂大、大和大《だいわだい》、甲府学院大、西京大、北関東大、東体大、喜久井大と、箱根常連校が順当に占めていますからね。往路の順位だけではなく、明日の復路、そして総合優勝も、どこが手にするのか、まったく予断を許しません」

「注目は十一位の寛政大ですよ」

谷中は感に堪えない様子でうなった。「一区では最下位だったのに、その後着実に順位を上げてきていますからね。十人しかいないチームとのことですが、どの選手も地力がある。選手の特性に合った、うまい起用法をしていますし。これはもしかするとシード権獲得圏内、いや、最終的にはもっといい順位に入る可能性がありますよ」

「意外と言ってはなんですが、意外な健闘を見せております、寛政大。しかし谷中さん。寛政大は、四年生が三人いますよ。もしシード権を獲得できたとして、来年はどうなるんでしょう。メンバーがたりなくなってしまいますが」

谷中は「そうですねえ」と笑った。

「十人しかいないチームが出場したのは、少なくとも箱根駅伝がテレビ放映されるようになってからは、例がないと思いますね。シード権を獲《と》ったら、四年生には留年してもらうしかないんじゃないですか」

「いや、それはまずいですよ」

アナウンサーも楽しそうだ。谷中は少し真剣な声になった。

「留年は冗談として、まあ、大丈夫でしょう。寛政大のこの活躍を見て、入部したいと思う新入生がきっといますよ。強豪校もあっていいですが、まったく走ったことのなかった若いひとたちが、走るチャンスを与えられるような大学もあっていい。箱根駅伝は、世界に通用するランナーを育てると同時に、日本の長距離界の裾野《すその》を広げるためにある大会なんですから」

「いいことを言うな、谷中さん」

と清瀬はつぶやいた。

「だれなんですか、このひと」

「きみは本当に、陸上選手のことをあまり知らないんだな。三十年ぐらいまえに、大和大のエースだったひとだ。マラソン日本代表で、オリンピックにも出た。いまは実業団の顧問をしているはずだ」

「へえ」

世界を舞台に走っていたひとは、やっぱり言うことが違うな、と走は思った。

画面にちょうど、四区を走るジョージの姿が映しだされた。

「なぜジョージは、にやけながら走ってるんだ？」

「ほんとだ。しまりのない顔ですね」

「そういえば、平塚でジョータも、なんだか力んで赤くなってたな」

「緊張するタイプでもないのに、どうしたんでしょう」

走が首をかしげたとき、清瀬の携帯に着信があった。清瀬は今度はためらいなく、手ぶら機能のボタンを押す。

「よう、ハイジ。ちょっとまずいことになったぞ」

ニコチャンからだ。

「どうしたんですか」

走が思わずそう声を上げると、ニコチャンは少し混乱したようだった。

「あれ、走の番号にかけちゃったか？」

「俺の携帯ですよ」

清瀬は手ぶら機能を説明する気はないらしい。「なにがあったんですか」

「うーん、走にも聞こえてるのか。だとすると、言っちゃっていいのかねえ」

「いいから、言っちゃってください」

清瀬の発散する苛立《いらだ》ちのオーラを感知したのか、ニコチャンは話しはじめた。

「双子がな、葉菜ちゃんの気持ちに気づいたんだよ。それで、走り終わったジョータもふにゃふにゃ、走りはじめたジョージもふにゃふにゃってわけだ」

清瀬がちらっと走を見た。なんで俺を見るんだよ、と走は思った。

「いまさら？」

と、清瀬はため息まじりに携帯に向かって言う。

「そう、いまさら。どうする？」

「どうしようもないでしょうね、気づいてしまったものは。ジョージの走りを見て、必要ならこっちで対処を考えます」

「了解。じゃ、俺はこれからジョータと、小田原の宿に行く。葉菜ちゃんは横浜でいいのか？」

葉菜子は、王子のいる横浜のホテルに泊まることになっていた。四区を走り終えたら、ジョージも横浜に戻って合流する手はずだ。

「それは変更なしで」

「ジョータに伝えることは？」

「なにも。完璧《かんぺき》な走りでしたから」

「そう伝えとく」

通話を切ると、清瀬は「さて、走」と首の骨を鳴らした。

「今夜、横浜のホテルで喧嘩《けんか》したりするなよ。俺と王子では、きみたちの乱闘を捌《さば》くには心もとないからな」

「喧嘩？　なんでですか？」

走は真面目《まじめ》に問い返す。清瀬はそんな走をまじまじと眺め、

「最後まで気づかないのは、きみなんだな」

と笑った。「やっとバスが来たようだ。行こう」

「なんなんですか、ハイジさん。ねえ、ちょっと！」

旧道をまわって芦ノ湖へ行くバスに、走と清瀬は乗りこんだ。二人がけの座席に並んで腰を下ろす。狭い道を遠まわりしながら登っていくルートだが、国道一号とちがって渋滞はしていないので、かえってよかったかもしれない。

山に阻《はば》まれ、テレビもラジオも、電波をうまく受信できなくなってきた。

「芦ノ湖に着くまでは、情報が入らないな」

清瀬は水脈を探すみたいに、ラジオのアンテナをあちこちに向けていたが、やがて諦《あきら》めたようだ。イヤホンを耳からはずし、窓に肩をもたせかけた。

「ジョージが邪念を払って、走りに集中してくれるといいんだが」

「邪念って、そんな」

走は苦笑する。葉菜子の気持ちが、ようやく双子に通じたのだ。いいことではないか。

そうだ、いいことだ。それなのに俺は、どうしてなんとなくモヤモヤするんだろう。うまく走れなくてあせっているときみたいに、胸が苦しい。細胞が不完全燃焼して、体の内側に無用な熱ばかりが溜《た》まる感じだ。

走は黙りこみ、頰に注がれる清瀬の視線に耐えた。きっとまた、からかわれるんだろうなと覚悟する。早く走りたかった。言葉にならない曖昧《あいまい》な感情から、早く解き放たれて風を感じたい。

暖房であたためられたバスのなかの空気は、眠たいのに眠りの淵《ふち》に落ちきれないときに似て、ぼんやりと居心地が悪い。走は清瀬の視線を避けるように、腰をずらしてシートに深く沈んだ。

「ジョージの意識を、レースのほうに向けさせる必要がある」

と清瀬は言った。予想に反して真摯《しんし》な声音だったので、走は目を上げた。清瀬は窓の外を見ていた。杉の木が窓ガラスに触れそうなほど近くにある。

「きみだったら、ジョージになんと声をかける？」

「そうですね……」

走は少し考え、答えを言った。

どういうことなんだろう。葉菜ちゃんが俺を好きってホントかな。

ジョージの頭のなかは、葉菜子のことでいっぱいだった。それってどういう意味？　俺たちのうち、兄ちゃんは「俺たち」って言ってたっけ。それとも、「葉菜ちゃんは友だちとして俺たちのどちらか、と言いたかったのかな。それとも、「葉菜ちゃんは友だちとして俺たちのことを好きでいてくれてる」ってことかな。だとしたら、やだなあ兄ちゃん。そんなこと、俺はとっくに知ってたよ。俺だって葉菜ちゃんのこと、友だちとしても好きだし。できれば、もっと仲良くなりたいなあなんて思ってたわけだし。

えー、でもでも、葉菜ちゃんがホントにそういう意味で、俺のこと、まあ兄ちゃんのことかもしれないけど、俺のこと、好きだとしたら？　どうしよう、俺すごくうれしいんだけど。やっぱりここは思いきって、俺から告白してみるべき？

いろいろ思いめぐらすと、走るジョージの顔面は際限なくにやけていくのだった。べつのことに気を取られているせいで、ジョージの走りは散漫になっていた。大磯《おおいそ》から国道一号に戻り、東海道の松並木を過ぎたことにも、まったく気づかなかった。景色はただ流れ去るだけで、機械的に体を動かしてまえに進んでいる状態だ。

平塚から小田原に至る四区は、二十・九キロある。箱根駅伝の区間のなかでは、距離が短いほうだが、五区の山上りに好位置で襷《たすき》を渡すためにも、気を抜くことはできない。二宮《にのみや》、国府津《こうづ》と国道一号を走り、小田原の城下町に入るまでは、相模湾にそそぐ細い川が、何本も流れている。小さな橋をいくつか渡らねばならず、そのたびに細かいアップダウンがあった。

ジョージは平坦《へいたん》な道よりも、少し起伏があったほうが、リズムに乗って走れるタイプだった。おかげで、集中しきれていない脳みそでも、なんとかペースを保って進むことができていた。

まえを行く喜久井大と東体大を追おうという気迫に、いまのジョージは欠けていた。平塚中継所で襷《たすき》を受け取ったときから、二校とのタイム差は広がっても縮んでもいない。ジョージはただひたすら、葉菜子の気持ちを知りたいと、そればかりを考えて走っていた。

四区は、前半と後半で様相が変わる区間だ。小田原の市街地に入るまでは、比較的温暖で走りやすい海沿いの道だが、市街地を抜け、いよいよ箱根の登山口に差し掛かると、気温が一気に下がる。山から吹き下りてくる冷たい風を、真正面から浴びて走らねばならない。ラスト三キロは、だらだらとした上りになる。特に最後の一キロは、すでに山上りがはじまっていると言ってもいいような、完全な上り坂だ。

事前に調べた地形についても、試走の経験も、ジョージの頭からは抜け落ちていた。レースを組み立てるどころではない。

葉菜子のことが気になってたまらなかった。

ジョージはどちらかというと、ひとに好かれるほうだ。これまでも何人かの女の子と、つきあってきた。どの子のことも、ジョージはもちろん好きだったが、いつもなんとなくうまくいかなくなり、最後は自然消滅してしまう。

原因は、そっくりな兄がいることにある。

たとえば、彼女が家に遊びにくる。ジョージが玄関で出迎えると、その子は必ず、「えーっと、ジョージくん？」と言う。ジョータと同じ制服を着て、高校の廊下を歩いているときもそうだ。彼女は背後から声をかけてくることをしない。双子のまえにまわって、一瞬ジョータとジョージを見比べてから、ジョージのほうに話しかける。

似ていることは事実なのだから、彼女の微妙な間《ま》がいやだったわけではない。ジョータとのちがいを、なんとか見いだそうとされるのがいやだったのだ。

自分の望みが贅沢《ぜいたく》で傲慢《ごうまん》なものだということを、ジョージはちゃんとわかっている。ジョージは、自分と外見が似た兄がいることに、不満はなかった。子どものころはむしろ、わざとジョータと同じように振る舞い、友人たちを混乱させることを楽しんでいた節もある。

それでも、とても好きな女の子のまえでは、「ジョージ」であることを必死にアピールしてきたつもりだ。一瞬の空白を感じ、ジョータとのちがいを探されるたびに、ジョージは少し傷つく。俺がきみをだますようなことをすると思うのか、と聞いてしまいたくなる。

女の子にはまったく悪気はないのだし、自分がこの件に関しては敏感に反応しすぎなのだと気づいていたから、もちろん実際にはなにも言ったりしない。

ジョージは、大切な兄であるジョータと自分を、だれかに比べられたりしたくなかった。ただ、「よく似た顔の兄がいるひと」として、自分自身を自然に認めてほしかった。それだけだ。

葉菜子はその点、少し変わっていた。

ジョータとジョージを、決して取り違えたりしない。同じジャージを着ていても、背中を向けていても、呼吸するみたいに戸惑いなく、正確に双子を呼びわける。かといって、ジョータとジョージの性格のちがいを指摘したこともない。たとえば、清瀬と走の性格のちがいを、わざわざ指摘するものがいないように。

「葉菜ちゃん、どうして俺たちのことを見分けられるの」

ジョージは不思議に思って、そう聞いたことがある。葉菜子は質問の意味がよくわからなかったらしい。

「見分ける？」

と首をかしげた。

「俺と兄ちゃんって、双子のなかでもけっこう似てるほうだと思うんだけど。大学の友だちも、よく俺のこと兄ちゃんだと勘違いして声をかけてきたりするよ」

「竹青荘のひとたちは、まちがえないでしょ？」

「それはまあ、一緒にいる時間が多いからね」

ふうん、と葉菜子はなにか考えているようだった。八百勝《やおかつ》に葉菜子を送る道の途中だった。葉菜子を挟む形で歩いていたジョータも、葉菜子の答えを黙って待っている気配がした。

「見分けるとか、考えたことなかったから、わかんないな」

と、やがて葉菜子は言った。「はじめて見かけたときから、ジョージくんとジョータくんは仲のいい兄弟で、私にとっては二人が一緒にいるのが当たり前だし。二人とも、その……かっこいいし」

あー！　ジョージは走りながら叫びそうになった。

そうだ、葉菜ちゃんたしかに、俺たちのこと「かっこいい」って言った！　やっぱり俺たちのこと好きなんじゃないかな。どっちを好きなのかは、はっきりしないままだけど。

葉菜ちゃんの好きな相手が、兄ちゃんであろうと俺であろうと、もうどっちでもいいや、とジョージは思った。似た部分もちがう部分も、そのまま受け止めてくれているらしい葉菜子が、自分にとって特別なひとであることに変わりはないからだ。

でもなあ。ジョージは思考の海にまた沈んでいく。葉菜ちゃんは走のことを好きなんじゃないかと、俺は思ってたんだけど。

葉菜子に好意を抱いているのに、ジョージがいまいち積極的な態度に出られなかったのは、そのためだった。

夏合宿でも、竹青荘に遊びにきたときも、葉菜子は走とよく話していた。走の走る姿は、とてもきれいだ。同性相手にきれいだと感じるのも変なもんだな、と思ったが、ジョージは走の走りを見てはじめて、スポーツに真剣に打ちこむものの力と美を知った。

走は陸上バカで、社会に適応する能力も高くはなさそうだけど、とても純粋な部分を持っている。走は俺みたいに、すぐにひとと仲良くなることはできない。でも少しでも相手と自分を知ろうとして、いつだってうんうんうなりながら言葉を探してる。

走の生きかたは、走の走りに似ているんだ。力強くまっすぐで、見るものに希望と期待を抱かせる。

だからジョージは、喧嘩《けんか》をしつつも、走のことが好きだった。走のように走れたら、どんな世界を見ることができるんだろうと、いつも想像した。葉菜子は陸上競技そのものの魅力に取りつかれているようだったから、きっと、そんな走のことを好きなんだろうと思っていた。

走だって、葉菜ちゃんのこと嫌いじゃないみたいだし。

「こら、ジョージ！　聞いてんのか、おい！」

大家の怒声に、ジョージはハッと我に返った。

あれ、ここどこだ？　ジョージはあたりを見まわす。前方に、東体大と喜久井大のユニフォームが見える。酒匂川《さかわがわ》にかかる大きな橋を渡っているところだった。十五キロ地点だ。もうすぐ小田原の市街地に入る。

いつのまにここまで来たんだろう。沿道の歓声がいまさらのように耳に入り、ジョージは驚いた。

「ジョージ！」

再び監督車の大家に怒鳴られ、ジョージは「聞いている」という合図に、右手を振ってみせた。レースに集中しなくては。給水のボトルを受け取り、ジョージは頭に振りかけた。ひんやりと口の端を伝った水滴を舐《な》め取る。

「なんかようわからんが、走から伝言だぞ」

と大家は言った。「『好きなら走れ』。以上」

えらそうに。ジョージは笑いを嚙《か》み殺した。自分で自分の気持ちに、全然気づいてないくせにさ。

でも、そうだね走。いまは走ろう。好きだから。楽しくて苦しかったこの一年に、出会ったすべてのひとのために。心からの応援も、心ない中傷も、すべて受け止めて弾《はじ》き返せるほど強く。俺たちが好きな「走る」ということを、いまは満喫しつくそう。

ほかのことは、全部それからだ。

ジョージは小田原の、穏やかな昔ながらの街並みを疾走した。街道沿いには、近所の人々が大勢出ていて、声援を送ってくれる。この町のひとたちはずっと、正月には箱根駅伝の選手たちを応援してきたんだな。ジョージはそう感じた。ふだんは走ることと縁遠くても、このときばかりは自分のことのように、町を走る選手を一心に見つめる。

箱根駅伝に出られてよかった。真剣に走ることを知って、よかった。

小田原本町《ほんちょう》の交差点を右折したとき、ジョージは喜久井大の選手についに並んだ。濡《ぬ》れた髪の毛を、箱根からの風が冷やしていくが、それさえも心地いい。東体大の姿も、完全に視野に入っている。

箱根登山鉄道のガード下をくぐり、左手に早川《はやかわ》の流れを見ながら、ジョージはいよいよラスト一キロの上り坂に差し掛かった。苦しい。前半をぼんやりと走ったせいで、リズムに乗りきれない。

すぐ右横を、箱根湯本まで乗り入れている小田急のロマンスカーが通過する。

清瀬の言葉を思い出した。

「きみの価値基準はスピードだけなのか。だったら走る意味はない。新幹線に乗れ！飛行機に乗れ！　そのほうが速いぞ！」

あのときは、清瀬が走になにを言いたいのか、よくわからなかった。だけどいまはわかる。箱根に行きたいのなら、冷凍ミカンでも食べながらロマンスカーに乗ればいい。そうすれば楽だし速い。

でも、ちがうんだ。俺が、俺たちが行きたいのは、箱根じゃない。走ることによってだけたどりつける、どこかもっと遠く、深く、美しい場所。いますぐには無理でも、俺はいつか、その場所を見たい。それまでは走りつづける。この苦しい一キロを走りきって、少しでも近づいてみせる。

ジョージは喜久井大に競《せ》り負けなかった。がむしゃらに食いついて、厳しくなる傾斜にめげずに体を進めた。

小田原中継所のある箱根登山鉄道風祭《かざまつり》駅のほうから、奇妙な音楽が聞こえてきた。

「なんだか背後がうるさいようなんだが」

と清瀬が言った。

ユキは片耳を掌《てのひら》でふさぎ、携帯電話の通話口に向かって声を張りあげる。

「チクワやハンペンが舞い踊ってるんだよ。それより、そっちの天気はどう？」

風祭駅の駅前にある中継所は、小田原のカマボコ会社が経営する店の駐車場に設けられていた。中継所には大勢の見物客が集まり、カマボコ会社のマスコットキャラクターらしき着ぐるみが音楽に合わせて踊っている。陣太鼓も打ち鳴らされ、お祭り気分は最高潮に達しようとしていた。

四区を走る各校の選手が、中継所に近づきつつある。ユキは神童につきそって、もうすぐ小田原中継所にやってくるだろうジョージを待っているところだった。

国道一号は箱根登山鉄道の線路と早川の流れに挟まれ、箱根湯本へ、そしてその先の山のほうへとのびている。

「こっちはかなり冷えるな」

と清瀬が電話越しに情報を伝えた。「いまは四度ちょっとあるが、雲が出てきているし、もっと気温が下がるかもしれない」

風祭のあたりと芦ノ湖とでは、二度ぐらいは気温がちがうということだ。やっぱり神童は長袖《ながそで》のシャツを着たほうがいい、とユキは判断した。

「神童の具合はどうだ」

「いまトイレに行ってる。あ、戻ってきた。替わるよ」

ユキは、「神童、ハイジから」と呼びかけ、携帯電話を持った手を振った。店のトイレから出て駐車場を歩いてくる神童に、見物客は道を譲った。出走する寛政大の選手だから、というよりも、出で立《い》ちが異様だからだろう。神童はあいかわらず顔の下半分をタオルで覆《おお》い、マスクを二つ重ねてつけていた。熱のせいで足取りがふらついている。

「これでヘルメットをかぶっていたら、『安田講堂写真集』に映ってそうだな」と思いながら、ユキは携帯電話を神童に手渡した。

電話に出た神童は、「はい、大丈夫ですよ」と、まったく大丈夫ではなさそうな、熱に掠《かす》れた声で言った。清瀬と少しのあいだ会話し、神童は通話を切った。

「ハイジはなんて？」

「絶対に給水をしろと」

もうほかに言えることはない。ユキも神童も、清瀬の心情はわかっている。神童が棄権したら、そこで寛政大学の箱根駅伝は終わる。芦ノ湖までなんとしてもたどりつくしかなかった。

「神童、ユキ」

雑踏のなかから呼ぶ声がする。振り返ると、八百勝と引き綱をつけたニラが歩み寄ってきた。この二日間は竹青荘の住人たちが出払ってしまうので、八百勝がニラの面倒を見てくれている。ニラは神童とユキに気づき、盛大に尻尾《しっぽ》を振った。

「ジョージはいま、喜久井大と十位争いをしているみたいだよ」

と八百勝は言った。八百勝は午前中から、ニラとともに小田原中継所付近に陣取っていた。神童は決意を秘めて、静かにうなずく。神童の体調が悪いことは明らかだったので、八百勝も「大丈夫かい？」などと無駄なことは尋ねない。神童がニラの頭をなでてやるのを、黙って見守るだけだった。

陣太鼓の音がひときわ激しくなる。房総大の選手が、トップで襷《たすき》をリレーした。次に来たのは、大和大だった。平塚では五位だったのに、順位を上げている。箱根の王者、六道大の姿は見えない。番狂わせに、観客はどよめいた。

大和大から遅れること二十秒で、真中大が小田原中継所に入った。さらに七秒後、四位に転落した王者・六道大が、ようやく五区の選手に襷を渡した。

神童はベンチコートを脱ぎ、ユキに預けた。ランニングのユニフォームの下に、銀に近い灰色の長袖Tシャツを着ている。箱根の山を登るにつれて、気温はどんどん下がる。長袖を着用している選手は、他大学にもちらほらと見受けられた。

「行くか」

ユキは預かったベンチコートを持ったまま、神童とともに中継ラインに近づいた。甲府学院大、動地堂大、北関東大の順で、襷が受け渡されていく。ここまでで、トップ房総大とのタイム差は約四分半だ。五区の山上りで、逆転もありうる。どの大学が往路優勝するか、展開を読みにくい接戦になっていた。

神童はマスクとタオルをはずした。

「これは袋に入れて密封して、八百勝さんに渡してください。風邪の菌がついてるから、ユキ先輩は絶対に持ってちゃだめです」

そんなに神経質にならなくても、とユキは思ったが、神童は真剣な表情だ。実戦を目前にして、ナーバスになっているのだろう。少しでも気がかりを残しては、いい走りができない。

「わかった」

とユキは素直に承諾しておいた。

西京大と東体大の選手が中継所に到達した。「次、喜久井と寛政が来ます」と、係員の声が響く。ユキは言おうか言うまいか迷ったすえに、中継ラインに足を踏みだそうとした神童を呼びとめた。

「つらかったら、途中で棄権してもいい」

神童は驚いたように振り向き、ユキの顔をじっと眺めた。張りつめ、ぎりぎりのところにある神童の心身に、ひびを入れる言葉だったかもしれない。それでもユキは、言わずにはいられなかった。

熱で潤《うる》んでいた神童の眼球が、その瞬間だけ冴《さ》え冴《ざ》えとした光を宿した。ユキは神童のまっすぐな視線を受け止め、言葉を重ねた。

「そうしたとしても、だれも責めない。だめだと思ったら、お願いだからすぐに棄権してくれ」

「はい」

神童は微笑《ほほえ》み、中継ラインに立った。

ジョージが喜久井大の選手と並んで、渾身《こんしん》の走りを見せている。どちらも譲らない。最後の数歩は呼吸さえも止めて、二校は同時に中継ラインを越えた。

「神童さん!」

襷《たすき》に刺繡《ししゆう》された「寛政大学」の銀色の文字が、風に翻《ひるがえ》った。神童は無言で襷ごとジョージの手を一瞬握り、小田原中継所から走りでていった。

「神童さんの手、すごく熱かった」

二十キロ以上を走った俺よりも。山のほうへ消えた神童の背を、ジョージは愕然《がくぜん》として見送る。俺は馬鹿《ばか》だ。どうして、もっと集中して走れなかったんだろう。神童さんが風邪を引いていること。それでも俺を信じて待っていること。俺は知っていたのに、どうしてもっといい位置で襷を渡すことができなかったんだ。

寛政大は、大手町を出発してから四時間二十四分四十七秒後に、小田原中継所で襷をリレーした。喜久井大と同着十位。

ジョージの区間記録は一時間〇四分二十四秒で、四区、二十・九キロを走った選手のなかでは十一番目のタイムだった。三区、二十一・三キロを走ったジョータの区間記録が、一時間〇四分三十二秒で十位だ。距離からしても、ジョータとジョージの実力を考えても、ジョージはもっといいタイムで走れたはずだった。

とうとう寛政大が十位につけたが、ジョージには悔いばかりが残っていた。

そんなジョージを、ユキは「おつかれ」とねぎらった。ジョージが自分の走りに満足できていないのはわかったが、ほかの人間が安易に慰めたり励ましたりすることはできない。端《はた》から見れば、ジョージは寛政大チームの希望をつなぐような、大活躍をした。納得がいかないと感じる部分は、ジョージ自身がなんとか折りあいをつけていくしかない問題だ。

「ユキ先輩。俺、悔しいよ」

ジョージはそれだけ言って、唇を嚙《か》んだ。

「俺もだ」

うなだれるジョージの頭を、ユキはつかんで軽く揺さぶった。「神童を止められなかった。止めずにはいられなかったんだけど、やっぱりだめだった」

ユキはジョージを、喧噪《けんそう》から離れたところでたたずむ八百勝とニラのもとに誘導する。

「顔を上げろ。おまえはちゃんと走ったんだから」

うつむいたままのジョージに、ユキは囁《ささや》いた。「どんなに必死になったって、届かないときもある。でも、だからこそいいんじゃないか」

終わらない。終わりようがない。寛政大の箱根駅伝も、ジョージの後悔と喜びも。届かなかったと感じるかぎりは、無限に「次」があるのだ。

ジョージは掌で目もとをこすり、「そうだね」と背筋をのばした。

ユキは翌日の出走に備えて芦ノ湖へ。ジョージは横浜のホテルへ。八百勝とニラは、明日の夜に予定されている打ち上げを準備しに、軽トラックで商店街へ。するべきことをするために、それぞれの持ち場へ向かおう。

レースはつづき、チャンスはまだまだ残されている。ジョージは八百勝とニラに手を振り、ユキとともに風祭駅のほうへ歩きだした。


体の底から寒気がし、それなのに汗だけは皮膚を流れる。湿ったTシャツが風で冷え、それなのに体の表面だけは火照《ほて》りが取れない。一歩を踏みだすたびに衝撃で頭痛がし、鼻がつまって呼吸もままならない。

神童は朦朧《もうろう》とした状態で、箱根の山上りに挑んでいた。頭部を透明な緩衝剤《かんしょうざい》で覆われたように、音も体感も遠かった。

苦しい、つらい、苦しい、つらい。そのふたつの言葉だけが脳髄に渦巻き、背骨を下りて体内に満ちる。だが不思議なことに、走りやめようとは思わないのだ。

最初の一キロを、神童は三分三十秒で入った。上り坂とはいえ、遅いペースだ。小田原中継所で同時に襷《たすき》を受け取った喜久井大の選手は、もう姿も見えないほど先に行ってしまった。

三・四キロ地点にある箱根湯本の温泉街を抜けると、景色は峡谷《きょうこく》といった様相を呈しはじめる。

函嶺洞門《かんれいどうもん》のトンネルで、小田原で後発した横浜大の選手が追い抜いていった。川に面したトンネルは、右手のコンクリート壁が格子状《こうし》になっている。射《さ》しこむ光が作る黒白の影のなかを、コマの抜けたフィルム画像のように、横浜大の選手はぎくしゃくと駆け去っていく。神童はそれを見送るしかなかった。

古い家並みの残る塔之沢《とうのさわ》温泉郷から、カーブがいくつもつづく。道は曲がりくねりながら、少しずつ高度を上げていった。神童はかすむ目で、なんとかコース取りをする。カーブの内側から内側へと、なめるようにコースを選ばなければ、必要以上の距離を走ることになってしまうからだ。

脚がだるくて痛かった。熱のために、関節が炎症を起こしはじめているのかもしれない。本格的な勾配《こうばい》は、まだこれからだというのに。箱根登山鉄道が走る出山《でやま》鉄橋の下をくぐり、神童はふらつきながらも、止まることなく上りつづける。神童のスピードは、一キロ三分三十五秒まで落ちていた。

早川に沿って山を上り、七・一キロ地点で大平台《おおひらだい》のヘアピンカーブに差しかかった。伴走する車のエンジン音も、重いうめきを上げる。僕だけじゃないんだな。神童はぼんやりと思う。機械ですら、この山道は苦しいんだ。

宮ノ下《みやのした》温泉郷に入り、富士屋ホテルのまえを通過する。年末年始を老舗《しにせ》の温泉宿で過ごした人々が、狭い道の両脇を埋めつくしていた。神童はずるずると順位を落とし、ここまでですでに三校に抜かれていた。だが見も知らぬ観客たちは、「寛政がんばれ!」と大きな声援を送ってくれた。テレビで寛政大の紹介を見て、弱小チームの活躍に期待しているのだろう。

神童は声に押されるように、宮ノ下の交差点を左折した。見上げるのもいやになるほどの勾配が、行く手に待ちかまえていた。

十キロ地点にあるのが、小涌園《こわきえん》だ。標高は六百十メートル。小田原市内が標高四十メートルだから、五百メートル以上の標高差を、一気に駆けのぼった計算になる。それでもまだ終わりではない。十五キロ過ぎにある国道一号の最高点は、標高八百七十四メートル。五区、二十・七キロのあいだには、東京都庁の三倍もの標高差があるのだ。

五キロ地点では沈黙を守っていた監督車から、はじめて大家が呼びかけてきた。

「神童、碁《ご》というものはな」

なんの話だ。気づかぬうちに、耳まで熱に浮かされはじめたんだろうか。神童は、スピーカーを通して割れがちな大家の声に、しばし神経を集中させた。

「どんなタイミングで投了《とうりよう》するかが、難しいんだ。強ければ強いほど、自分が負けていると気づいたときに、ではどうやって負けを認めるべきか、一生懸命に考えるもんだ。

なんとか逆転できないか必死に勝負をかけて、それでも相手に弾《はじ》き返されてしまったら、そこで投了する。碁盤が全部埋まってなくても、だぞ。それを責めたり、戦いを途中で投げだしたと言ったりするようなものは、だれもおらん。むしろ、いいタイミングで投了すれば、『投げ場を得た』と敗者も讃《たた》えられる。勝ちにいこうとする態度を、ぎりぎりまで貫いたからだ」

神童は、大家の言わんとするところを察した。

「つらいか、神童。つらかったら、両手をあげろ。すぐにでも俺は車を降りて、おまえを止めてやる」

両の拳《こぶし》を体側《たいそく》で握りしめ、神童は首を振った。これは駅伝だ。十区間すべての選手が走り終えないかぎり、決して完成することのない戦いだ。投了はありえない。たとえ見苦しくても、投げ場を失うことになっても、走る。脚が動くうちは。いや、倒れたって、這《は》ってでも芦ノ湖にたどりついてみせる。

神童の決意を見て取ったのか、大家はもうなにも言わず、マイクのスイッチを切った。

小涌園まではカーブのおかげで、かろうじて走りのリズムをつかめた。曲がるたびに、少しずつでも上っていっている実感を得られた。しかしここから先は、カーブが減り、沿道の見物客もほとんどいなくなる。道路脇に雪が溶け残るさびしい風景のなかを、ひたすら黙々と、国道一号の最高点を目指して上るほかない。

恵明学園《けいめいがくえん》正門前を過ぎる。高度が上がって、吐く息の白さが際立《きわだ》ちはじめた。気温は三度。南東の風、三・〇メートル。空はよく晴れている。

故郷では両親が、神童の走りを心配しながらテレビで見ていることだろう。大丈夫、これが終わったら帰る。ムサと一緒に、箱根駅伝がどんなに楽しくて素晴らしい大会だったかを、伝えに帰るよ。

十五キロ地点で給水した神童は、「いま十七番目。トップとの差、そろそろ十分」という情報を得た。いつのまにか、さらに二校に抜かれていたらしい。腫《は》れて狭まった喉《のど》に、水を流しこむ。少しは楽になるかと思ったのに、水は胃に落ちるはるか手前で温《ぬる》んでしまった。

トップと十分以上のタイム差がついたチームは、復路が繰り上げ一斉スタートになる。それはなんとかして避けたい。ユキをはじめとする、復路を走るメンバーの士気にかかわる。

道は一度下り坂になり、そこから最高点に向けてまた上る。神童は突き進んだ。体力はすでに、ほとんど失われていた。痙攣《けいれん》しはじめた大腿部《だいたいぶ》を、励ますように拳で叩《たた》く。

芦ノ湖のきらめきが見えてきた。

湖へ至る、最後の下り坂だ。体がまえに動いているのか、もはやそれすらも定かではない。横を駆け抜けていく足音がした。また一校が、神童を追い越したのだ。

上りから下りに走りをシフトチェンジできず、スピードが上がらない。もどかしさがこみあげる。負けたくない。どれだけ無様《ぶざま》だろうと、何校に抜かれようと、ここで自分に負けるようなことだけはしたくない。その思いが、神童の脚を動かしていた。

元箱根《もとはこね》で見物客の歓声を聞き、十九・一キロ地点の大鳥居をくぐったところで、神童の意識は途絶えた。

湖畔にある恩賜《おんし》公園の緑も、湖の向こうにそびえる富士山も、最後の直線で鳴らされる応援部の太鼓の音も、神童の目と耳に届くことはなかった。苦痛すらも、もう遠い。靄《もや》のかかった脳みそのなかで、まえへ、まえへ、とただその言葉だけが、呪文《じゅもん》のように木霊《こだま》していた。

走《かける》と清瀬が芦ノ湖に着いたのは、正午を少しまわったころだった。再び電波を拾うようになった携帯テレビが、四区の後半を走るジョージの姿を映しだす。

清瀬は、監督車の大家と、小田原中継所にいるユキに電話し、それぞれに伝言や指示を与えた。走はそのあいだ、少し離れたところで湖を眺めていた。

つい数時間前までビルとアスファルトの世界にいたことが、信じられないような景色だ。湖はなだらかな山に囲まれて空を映し、張りつめた薄氷のように銀色に輝く。さざなみを立て、海賊船を模した遊覧船が湖をゆっくりと横切っていく。それを見下ろす富士山は、純白の雪をまとい、遠近感を狂わせるほどはっきりと姿を現している。作り物めいて見えるほど、平穏で美しい眺望だ。

だが、箱根駅伝往路のゴールにして復路のスタート地点である芦ノ湖の駐車場は、雄大な自然とは裏腹に騒然としていた。五区のランナーの到着を待つ見物客や関係者で、駐車場は早くもごった返している。湖を渡る風で冷えこみが厳しいが、駐車場に集まった人々は、協賛会社が販売するビールや、地元住民が炊《た》きだしをしてくれる豚汁などを手に、巨大な特設ビジョンに見入る。

画面には、山道を走る選手たちが映しだされていた。何台もの中継車が連携して、トップからビリのほうまで、まんべんなく映像を送るように苦慮しているのがうかがわれた。山に入ってから、全選手がいよいよ縦にばらけてきたのだ。

トップを行くのは、小田原中継所を一位で襷《たすき》リレーした房総大だった。あとを追うのは、山に入ってから遅れを取り戻した六道大。途中で番狂わせはあったが、レース前のおおかたの予想どおり、往路の一位は房総大、二位は僅差《きんさ》で六道大というところに落ちつきそうだ。

三位には、小田原を二位で通過した大和大が堅実につけていた。小田原では三位だった真中大は、大幅に順位を落としている。

注目の的となっているのは、喜久井大だ。小田原では寛政と同着十位だったのに、山上りでどんどん順位を上げ、芦ノ湖へ至る最後の下りで、ついに五位になった。ハードな上り坂をこなしたあとだというのに、スピードがまったく衰えない。五区の区間新記録が打ち立てられるのは、ほぼまちがいなかった。このペースで最後までいけば、前人未到の一時間十一分三十秒を切ることも可能だろう。

走は思わず、拳を握った。特設ビジョンには、五区を走る喜久井大の稲垣《いながき》という選手が映しだされている。まだ二年生だ。

なんて軽やかに走るんだろう。体重や重力をまったく感じさせず、それでいて力強い。傾斜などないかのように脚を運んでいる。表情にはまだまだ余裕があり、このまま富士山にだって登っていけそうなほどだ。

六道の藤岡だけじゃない。こういう選手が、箱根にはいるのだ。いままでまったく無名だったのに、彗星《すいせい》のように現れて、走りとはなにかを体現してみせる選手が。

走は悔しかった。同時に、喜びも感じた。走りたい。早く俺を走らせてくれ。藤岡も、あの稲垣という選手もまだ見ぬ高みを、俺に味わわせてくれ。

画面が切り替わり、神童が映った。神童も稲垣とは逆の意味で、五区の注目選手になっていた。大幅に順位を落とし、寛政大は現在十八番目。神童は体調不良のためにほとんど気絶寸前で、ふらふらと蛇行しながらも必死に体を進めている。

「神童さん……」

うつろな目で、それでも前方を見据えようとする神童の表情に、走のなかから言葉がごっそりと抜け落ちた。だれも助けることのできない場所で、神童は戦っている。自分自身のために。そして、これまで一緒に走ってきた竹青荘の住人たちのために。

走りとはひたすら、個人的な行為だと走は思ってきた。いまでもそう思っているし、その思いに絶対にまちがいはないと確信している。

だが、結果や記録とはまったくちがう次元で、神童が走りを体現していることもたしかだ。

強さ。ふと走は思う。清瀬が言った強さとは、これなのかもしれない。個人で出走するレースだとしても、駅伝だとしても、走りにおける強さの本質は変わらない。苦しくてもまえに進む力。自分との戦いに挑みつづける勇気。目に見える記録ではなく、自分の限界をさらに超えていくための粘り。

走は認めざるをえなかった。神童さんは強い、と。たとえば走が五区を走っていたら、寛政はもっと順位を上げることができただろう。だがそれがすなわち、神童よりも走のほうが勝《まさ》っているということにはならない。

神童は強い。そして走が目指すべき走りのありかたを、身を以《もっ》て示している。

どうして俺は、俺たちは、走るんだろう。

走は特設ビジョンを凝視しつづけた。

こんなに苦しくてつらいのに、どうして走りやめることができないんだろう。もっと強く吹いてくる風を感じたいと、体じゅうの細胞が蠢《うごめ》く。

「走」

いつのまにか、すぐ後ろに清瀬が立っていた。「宿に連絡して、布団《ふとん》を敷いておいてもらえるよう、頼んでくれ。それから、懇意の医者がいたら、待機していてくれるように」

「はい」

神童は脱水症状を起こしている。ゴールまでたどりつけるかどうかすら賭《か》けだ。走は急いで携帯電話を取りだし、湖畔の宿の番号にかけた。清瀬は大会係員のところへ、担架の手配を頼みにいった。

歓声と応援歌が一段と大きくなる。

大手町を出発してから、五時間三十一分〇六秒。ついに房総大の選手が、東京箱根間往復大学駅伝競走往路のゴールテープを切った。その一分三十九秒後に、六道大が二位でゴール。

走は清瀬とともにゴール脇《わき》に立った。寛政大のユニフォームはまだ見えない。

「大家さんが棄権をうながしても、神童はうなずかなかったそうだ」

清瀬はつぶやいた。「無事ならばいい。無事にここまで来てくれれば、タイムも順位も、もう……」

　山を走り終えた選手が、一人また一人とゴールする。待ちかまえていたチームメイトにつきそわれ、ねぎらいの声をかけられながら、駐車場の奥に消えていく。

　喜久井大学は、五位で往路を終えた。稲垣は一時間十一分二十九秒という、五区の区間新記録を出した。区間二位の六道大の選手が、一時間十二分十五秒だったことからしても、来年以降、稲垣の記録を破る選手が出るかどうか、難しいところだ。それほどの大記録だった。

　棄権への恐れを胸に神童を待つ清瀬と走にとっては、快挙に沸く喜久井大の一団が、なおさら遠いものに感じられた。

　東体大は、十一位でゴールした。五時間三十八分五十三秒。トップとの差は、七分四十七秒。さらに上位へと、復路に充分に望みをつなげる位置だ。

　特設ビジョンから、アナウンサーの声が聞こえてくる。

「房総大がトップで往路のゴールを果たしてから、そろそろ八分が経《た》とうとしています。十分が経過すると、それ以降に到着した大学は、明日の復路が繰り上げ一斉スタートとなります。はたして、今年は何校が十分の壁に阻《はば》まれるのか。芦ノ湖ゴールから目が離せません！」

　そのあいだにも、真中大、帝東大、あけぼの大がゴール。少し空いて、城南文化大が十五位でゴールに入った。五時間四十分五十六秒だった。

「ここまでだな」

特設ビジョンを見ていた清瀬が、けわしい表情になった。「十分が経つ」

特設ビジョンには、なんとか十分の壁を越えようとひた走る、学連選抜チームの選手が映しだされている。見物客のひしめく湖畔の道を走り、信号で右折して短い直線を駐車場まであと少し、というところだ。

だがそこで無情にも、房総大がゴールしてから十分が経ってしまった。見物客から落胆の悲鳴が漏れる。選抜チームの選手は一瞬天を仰ぎ、それでもすぐにきりっとまえを向いて、全力でゴールを走り抜けた。五時間四十一分三十三秒。二十七秒届かなかったために、復路を繰り上げ一斉スタートすることが決まってしまったのだ。

「神童さんです！」

走は特設ビジョンを指した。ユーラシア大の選手の後方に、よろめきながら走る神童の姿があった。走と清瀬は、人垣のあいだからゴール地点に飛びだした。

ユーラシア大が十七番目に、五時間四十二分三十四秒でゴール。そして寛政大のユニフォームを着た神童が、とうとう信号を折れ、ゴール前の直線に差しかかった。

神童は音を頼りに、かろうじて進む方向を判断しているような状態だった。ふらつくたびに、詰めかけた見物客が息を呑《の》む。

走は走っていって、神童を支えたかった。ゴールまで四十メートルもない。もういいと言って、医者のところへ抱えていきたかった。でも、それは許されていない。走る選手に手を触れた時点で、失格になってしまう。ここまでたどりついた神童を、ただただ見守り、その名を呼ぶしか、できることはなかった。

「神童！」

「神童さん、こっちです！　もう少し！」

清瀬と走は、周囲の喧噪《けんそう》に負けないよう、声を張りあげた。神童が残る気力と体力のすべてを振り絞ったのがわかった。

最後の五歩を、神童は地面を踏みしめてまっすぐに走り、ゴールラインを越えた。そのままくずおれようとする神童を、走と清瀬が二人がかりで抱きとめる。体が発火したみたいに熱い。

「担架をお願いします！」

清瀬が叫ぶ。呆然《ぼうぜん》としていた係員があわてて、丸めた布担架を持って近寄ってくる。

走はペットボトルの水を神童の頭から振りかけ、頬を軽くはたいた。

「神童さん、水！　飲めますか、飲んでください！」

かすかに動いた唇に、走はペットボトルの口を押し当てた。

神童は首を振って、それをいやがった。求めていたのは水ではなかった。神童はなにかを言おうとしていた。覗《のぞ》きこむ走と清瀬に、必死に伝えようとしていた。

謝罪の言葉を。

神童を担架に寝かせようとして、走はそのことに気づいた。

「どうして……」

走は神童の頭を抱きかかえた。そんな言葉を言わせたくなかった。

「神童さんは走り抜いたんです。それだけでもう、充分じゃないですか。俺たちには
……」

走ることだけがすべてだ。

寛政大の黒と銀の襷《たすき》は往路百七・二キロを越え、いま、芦ノ湖に届いた。それ以上に望むものなど、なにもない。

出場二十チーム中、寛政大は十八番目で往路を終えた。大手町を出発してから、五時間四十二分五十九秒後のことだった。トップとの差は十一分五十三秒。

「芦原《あしはら》旅館にお願いします。すぐに医者に見せたい」

清瀬が係員に頼み、神童の横たわる担架が、しずしずと持ちあげられた。

往診した旅館の近所に住む医師は、

「よく走ったねえ」

とあきれたように首を振った。「ひどい風邪だよ。そこに疲労と脱水症状のダブルパンチを食らって、ノックアウトってところだ。ま、若いし体力もあるから、肺炎までにはならんでしょう。一晩ゆっくり休ませてあげなさい」

医師は点滴が終わるのを見届け、帰っていった。走と清瀬が、神童の看病にあたった。監督車で到着した大家と、交通規制が解除になり、やっと芦ノ湖まで来ることができたユキも、枕元《まくらもと》に集結した。

神童はこんこんと眠りつづけ、午後三時過ぎになってから、旅館の一室でようやく目を開けた。第一声は、「マスク」だった。

買っておいたマスクを走がポケットから出すと、神童はそれを装着し、布団のうえにゆっくり身を起こした。

「すみません。僕のせいで迷惑を」

「いや、謝るのは俺のほうだ」

神童の言葉を、清瀬が強くさえぎる。「俺の読みが甘かった。対外交渉を全部任せてしまって、きみが疲れているのはわかっていたのに……。無理をさせた」

放っておいたら、清瀬と神童は互いに永遠に謝りつづけていそうだ。だれのせいでもないとどうやって納得させればいいのか、走は困惑した。

「まあまあ」

と大家が、うつむく清瀬と神童に声をかける。年の功で、この場を収めることを言ってくれるのかもしれない。走は期待した。大家はおごそかに言った。

「とにかく、明日は厳しい戦いになるな」

ちっとも場を収めないばかりか、傷口に塩を塗りこむような発言だ。走は憤然として、

「ならないです」

と大家をにらんだ。

「『俺が走るんだから』と言いたそうだな、走」

大家は揶揄《やゆ》し、居住まいを正した。「予測不能な厳しさは、レースにつきものだ。俺が言ってんのは、つきそいのことよ。レース前の選手の心身をサポートするのは、重要な役割だぞ。神童がこの調子だと、六区を走るユキの世話は、だれがする。俺は監督車に乗らなきゃならんし……」

「心配ご無用、ですよ」

それまで黙っていたユキが、口を開いた。「つきっきりで面倒を見てもらわなきゃ走れないほど、俺の精神はヤワじゃありませんから。神童は安心して休んでいればいい」

「いいえ」

と神童は首を振る。横になろうとしないので、走はずっと持って歩いていたムサのベンチコートを、神童の肩にかけてやった。神童はコートの胸元を握り、しっかりした口

調で言った。

「一晩寝れば、よくなります。明日の朝は、僕が責任を持ってユキ先輩のお世話をしますよ」

大家はしばらく神童の表情をうかがっていたが、「よし」とうなずいた。

「じゃ、ユキのことは予定どおり、神童に任せるとしよう。いいな、ハイジ」

「……はい」

清瀬はうつむく。走はあえて明るい声を出した。

「そうと決まったら、みんなに電話しましょう。神童さんを心配して、連絡を待ってますよ」

走の携帯から、横浜にいる王子とジョージに。ユキの携帯から、藤沢にいるムサとキングに。清瀬の携帯から、小田原にいるジョータとニコチャンに。それぞれ連絡を取って、通話口に顔を寄せ、十人で同時に会話することになった。

「神童さん、大丈夫ですか！」

「待ち時間が長すぎるよ。僕、持ってきた漫画を全部読み終えちゃったんだけど」

「ジョータのやつが、腹減ったってうるさくてかなわねえ。カマボコ買いにいっていいか？」

「あー、ずるい！　俺のぶんも買っておいて兄ちゃん」

「いっせいにしゃべるのはよせ」

と、清瀬が携帯電話に向かって一喝した。「まずムサ。神童は無事だ」

ユキが携帯を神童に渡した。神童とムサはお互いの健闘を称《たた》えあう。清瀬は次に、走の携帯に向かって、「王子」と呼びかけた。

「そっちに勝田《かった》さんは到着したか？」

「さっきチェックインしましたよ。あとで僕とジョージの部屋に顔を出すって言ってたけど」

「双子が、勝田さんの気持ちに気づいた」

「へえ」

「俺と走が行くまで、ジョージと勝田さんをなるべく二人きりにするな」

「どうして？」

王子の声は、明らかに事態をおもしろがっている。

「ジョージが浮き足立って告白でもしたら、明日の戦いに影響があるかもしれないだろ」

清瀬は言いながら、ちらっと走に目をやった。またなんで俺を見るんだよ、と走は思った。

「了解」

と王子はくすくす笑った。

「さて、全員、携帯のそばに集合」

清瀬が号令をかける。走は、三機の携帯をすべて手ぶら機能にし、神童の布団《ふとん》のうえに並べた。通話口の向こうで、それぞれの場所にいる住人たちが、携帯のまわりに身を寄せる気配がした。

「みんな、今日はよく頑張った」

清瀬は話しはじめた。「寛政大は十八番目で往路を終えた。決していい位置ではないが、復路にまだまだチャンスはある」

「おーう」

通話口から、やる気をわざと押し殺したような、間延びした返事が届いた。意地っ張りというか、照れ屋なひとが多いからな、と走はおかしく思う。

「明日走るものは、くれぐれも寝冷えと食い過ぎに気をつけること。俺からは以上だ」

「以上なのかよ」

とキングの声がした。「もっとこう、有益なアドバイスはないのか？」

「ないよ」

清瀬は微笑《ほほえ》んだ。「ここまで来たら、力を出しきるために自分で集中するしかない」

「明日で終わりなんだねえ」

と、しみじみと言う声がする。ジョージだ。それを聞きつけたジョータが、

「ばっか、おまえ、しんみりしちゃうじゃないか」

と鼻をすすったようだ。

走は、並んだ携帯電話へ思いをこめて告げた。

「明日、大手町で会いましょう」

「大手町で！」

そこで再会したとき、竹青荘の住人たちはどんな表情をしているのか。

楽しみだ、と走は思った。こういう気持ちになったことは、いままでなかった。だれかに会えるのをこんなに楽しみにしたことは。だれかが待つ場所へ、早く走ってたどりつきたいと願うことは。

いままでなかった。走る喜び。苦しみを凌駕《りょうが》してなお、胸に燃える理由。再び会うために。会って、ともに走ったことを喜びあうために。

明日も戦う。全力をもって。

東京箱根間往復大学駅伝競走は、まだ折り返し地点を迎えたところだった。

走と清瀬は、芦ノ湖の旅館をあとにした。これから横浜のホテルまで戻らなければならない。体力を温存しろ、と大家が金をくれたので、二人はタクシーで山を下り、小田

原駅へ向かった。

車のなかで、清瀬はずっと無言だった。復路のレース展開について考えているのだろうか。邪魔をしないよう、走も黙っていた。

カーブのつづく山道は、すっかり夜の色に塗りつくされている。木々のあいだからときおり、下界に広がる街の灯が見える。

「冷えますねえ。明日は雪になるかもしれない」

と、タクシーの運転手がつぶやいた。

雪が少しでも降ったら、路面は凍結する。積もるほどであれば、箱根の山道は曲がりくねったゲレンデのようになるだろう。坂道を一気に駆け下りねばならないユキ先輩は、大丈夫だろうか。

ひんやりと外気を伝える窓ガラスに、走は顔を寄せた。仰ぎ見た夜空は、厚く白い雲に覆《おお》われていた。

小田原から東海道線に乗る。通勤客がいない日の電車は、オレンジ色の明かりに照らされて静かに揺れた。走はボックスシートに、清瀬と並んで腰を下ろした。

「今日はあまりジョッグができなかったですね」

「そうだな。ホテルに着いたら、まわりを少し走ろうか」

高揚と緊張の一日を乗り切ったためか、会話も途切れがちになる。走はなんだか眠くなってきた。電車の走るリズムに合わせ、気づくと首がぐらぐら揺れてしまっている。そのまま本格的に眠りの世界に引きこまれそうになったとき、隣から清瀬に小さく呼ばれた。

「はい？」

顔を上げて横を見ると、清瀬は膝《ひざ》のうえで祈るように組んだ両手に、じっと視線を落としていた。

「きみの名前は、きみにぴったりだな」

走は戸惑った。なぜ急に、清瀬がそんな話題を振ってきたのかわからない。

「俺の親父《おやじ》も、陸上をやってたんですよ。高校を出て働くようになってからは、全然走ってないみたいだったですけど」

「お父さんが、きみに走ることを勧めたのか？」

「いや、特には」

走が父親の期待を感じるようになったのは、中学に入って本格的に陸上をはじめてからだ。スポーツ推薦で入った高校の陸上部を退部して以来、走は父親とまったく会話していない。箱根駅伝に出場することが決まっても、連絡はなかった。

ハイジさんは、なにを言いたいんだろう。

「どうしたんですか？」

と走は聞いてみた。

「やはり、十人だけで箱根に挑むのは無謀だったな」

と、清瀬は微妙に話題をそらした。「箱根の山には、魔物が棲《す》むと言われているのに……。俺の意地のせいで、神童に、いや、きみたち全員に負担をかけることになった」

清瀬が大きなため息をついたので、走は動揺した。

よくわからないけど、ハイジさんが弱気になっている。

どうしよう、どうしよう、と走は必死に考えをめぐらせ、「いまさらですよ」と言った。言った直後に、これではフォローにならないと、なおさら混迷が深まった。

「いえ、だからつまり、メンバーが十人しかいないのは、最初からわかりきってたことだって意味で」

走はしどろもどろになりながらも、懸命に言葉をつづけた。「わかっていて、ここまで来たんじゃないですか。それに、俺たちは十人だけじゃない。商店街のひとたちも、大学の友だちも、協力して応援してくれてる」

「そうだな。そうだった」

清瀬はまたため息をついた。今度のそれは、新鮮な空気を体内に導き入れるための、深呼吸に似ていた。

「走。俺の父は郷里で、高校の陸上部の監督をしているんだ」

「へえ、そうなんですか」

清瀬はいつも論理的かつ合理的なのに、今夜にかぎっては話題の選択に脈絡がない。走は怪訝《けげん》に思いながらも、相槌《あいづち》を打った。

「俺にとって『走る』ということは、当たり前の、生まれたときから定められた行為だった」

うつむき加減の清瀬の横顔が、暗い車窓にほの白く浮かびあがった。清瀬がなにを言おうとしているのか、走は全神経を集中させて聞き取ろうとした。

「俺の両親は見合いで結婚した。父が母と結婚しようと思った決め手は、母が年を取っても太りそうになかったからだそうだ」

「は?」

清瀬は口端だけで笑った。

「肥満の遺伝子は走る人間にとって大敵、というわけだ。父は、母の両親にも会って、太らない体質であることを確認した。すべては、走りに適した子どもを作るためだ。ちょっとすごいだろ?」

「……かなりすごいですね」

走も実は、道行く女性や、テレビに出ているアイドルを見て、なにが一番気になるかといえば、肉づきだ。走るからには、太ることは罪だ。自分が常に気にしている部分だからこそ、女の子を見てもまず、余計な肉がついていないかどうかをチェックしてしまう。この世のだれよりも自分の体重に一喜一憂しているのは、口先ばかりのダイエットに励む女性ではなく、長距離の選手なのではないかと思うほどだ。

だが、そんな走だって、生まれてくる子どもの体型にまで思いを馳《は》せたことなどない。好きになった女の子がぽっちゃりしていたとしても、それが理由で思いを封じたりはしないだろう。太らなそうな女と結婚する、という発想は信じがたかった。

「おかげさまで俺は、たしかに食べても食べても太らない体質だよ」

清瀬は両手で顔をこすった。「父は悪いひとではないんだが、一事が万事、その調子なんだ。陸上バカってやつだ」

ひとのことは言えないので、走は黙っていた。清瀬は手を膝に戻し、なにも置かれていない網棚に目をやった。

「俺は父の勤務先の高校に入学し、父の指導のもとで走った。父は、走がいやがる徹底管理型の監督だ。毎日毎日、ひたすら走らされた。でも俺は、なにも言えなかった。脚に違和感があっても。きみとちがって、『こんなのはおかしい』と父に言う勇気がなかったんだ」

電車が小さな駅のホームに停まる。だれも乗り降りするものがないままにドアが開閉し、また走りだす。

「俺が高校のときに監督と喧嘩《けんか》したのは」

走は声を振り絞った。「勇気なんかじゃないです。ただ、自分の感情をコントロールできなかっただけで」

「俺は走りに対して真摯《しんし》じゃなかった」

と清瀬は言い、再びうつむいた。「大人の言うとおりに、適当に距離だけ走っていれば速くなるものだろうと、たかをくくっていたんだ。きみみたいに、魂の底から走ることを追求してはいなかった。俺にできた小さな反抗は、強い陸上部のない、自分の行きたい大学を選ぶことぐらいだった」

掌《てのひら》で右膝を撫《な》でる。そこに過去の痛みがすべて埋まっているかのように、ゆっくりと。

「走れなくなってはじめて、走りたいと心から思った。今度こそ、だれかに強制されるのではなく自分の頭で考えて、走ることを真剣に望むひとと一緒に、夢を見たいと思った」

「ハイジさん……」

「アオタケの住人は、うってつけの人材だった。俺は証明したかったんだ。弱小部でも、素人《しろうと》でも、地力と情熱があれば走ることはできる。だれかの言いなりにならなくても、二本の脚でどこまででも走っていける。俺は、箱根駅伝でそのことを証明したいと、ずっと願ってきた」

走は目を閉じた。清瀬の決意と、大学に入ってから抱えつづけていたのだろう四年ぶんの思いが、冷たく激しい波のように打ち寄せてくる。

「夜の町を走るきみが、俺の横を通り過ぎていったとき」

清瀬は静かに言った。「見つけたと思った。俺の夢が形になって走っている、と叫びたかった。自転車を漕《こ》ぐうちに、きみが仙台城西高《せんだいじようせいこう》の蔵原走だとすぐわかった。わかっていて、俺は行き場のないきみを巻きこむことにしたんだ」

どうしていま、そんなことを言うんです。走は清瀬の潔癖さを、滑稽《こっけい》だとも残酷だとも感じた。

自由に、楽しそうに走っていたから声をかけたのだと、仙台城西高の蔵原だなどと気づきもしなかったと、嘘《うそ》をつきとおしてくれてよかったのに。

「ハイジさん」

走は目を開け、清瀬を見た。「俺の居場所も、行くべき道も、全部あんたが教えてくれた。ハイジさんが、俺に考えることを教えてくれたんです」

電車が減速しはじめた。横浜駅が近い。走は立って清瀬の腕を取り、座席から引っ張りあげた。

「俺がそれを感謝してるってことを、知っていてください」

走と清瀬は横浜駅に降り立ち、ひとでごった返す地下道を、東口に向かって歩いた。

「ねえ、ハイジさん」

大切な秘密を打ち明けるように、走はひそやかに言った。「俺たち明日、走りましょうね。いままで最高、っつうぐらいに」

どんな思惑や真実が明らかになっても、築きあげた信頼と情熱がいまさら消え去ることはない。

どんな魔物が行く手に立ちはだかろうとも、もう決して逃げたりひるんだりしない。夢が形になる日だから、あとは心のままに走るのだ。

「そうだな。そうしよう、走」

二人は顔を見合わせ、ちょっと笑った。そしてどちらからともなく、ホテルまでの道を駆け抜けていった。

十、流　星

一月三日、午前五時。

ユキは芦原《あしはら》旅館の薄暗い一室にいた。寛政《かんせい》大学のユニフォームとジャージに着替え、ベンチコートを手にする。

ユキが起床してから、すでに二時間が経過していた。旅館の好意で、深夜といってもいい時間の朝食と入浴をすませ、腹に入った食べ物が程良く消化されたところで、ユキは一晩を過ごした客室に戻ってきた。

眠ったのか眠らなかったのか、自分でもよくわからない夜だった。だが、頭はすっきりと冴《さ》えている。興奮と緊張が鋭い刃《やいば》となって身を削り、なんだか体が軽く感じられる。

いいテンションだ、とユキは思う。司法試験に合格したときも、こんな感じだった。論文試験の問題を読んで、答えを書く。おもしろいほどに問題の意味が脳みそに染《し》みこみ、どう答えればいいのか考える先から、解答用紙は文字で埋まっていった。まるで自動書記みたいに。それまでインプットしつづけたものを、あんなにスムーズにアウトプットできたことはない。意識がクリアになって、第六感まで働いているような快感だった。

あのときと同じ高揚と集中の瞬間が、自分の心身に訪れようとしているのがわかる。箱根駅伝の復路のスタートは、午前八時だ。これから三時間かけて、ユキはゆっくりとウォーミングアップする。テンションをますます上げていくために。二時間は緊張をほぐしながらまったりし、残りの一時間で集中してアップするのが、ユキのやりかただった。司法試験に臨んでいたころから、このペースで集中の密度を上げることを、ユキは好んだ。

客室の六畳間は、敷かれた三組の布団《ふとん》でいっぱいだ。マスクをした神童《しんどう》は、かすかな寝息を立てている。そっと額に手を当ててみると、まだ少し熱い。大家は歯ぎしりをしながら熟睡中だ。

二人を起こさぬように、ユキは自分が使っていた布団を軽く畳んで隅に寄せた。窓辺に立ち、そっとカーテンをめくる。旅館のこぢんまりとした庭はうっすらと雪で覆《おお》われ、闇色《やみいろ》の空は灰のような雪片を落としつづけている。

ユキはスキーに行ったことがなかった。寒い季節にわざわざ寒い場所で、足に板をくっつける気が知れない。そんなことをする時間を勉強にまわしたほうがましだと思ったし、なにより、母親と二人の生活で、遊びに使う余計な金はなかった。

雪の積もった急坂を駆け下りるなんて、俺にできるだろうか。いまさら六区を走れませんとは言えない。こんなことなら、スキーぐらい経験しておくべきだったか。

窓ガラスはユキの吐息に触れ、すぐに白く曇った。ユキと神童と大家の発散する体温で、室内はほのかにぬくもっている。

俺だけじゃない、とユキは自分に言いきかせる。ここ数年、正月の箱根の道路に積雪があったためしはない。ほとんどの、いや、たぶん出走する選手の全員が、雪化粧した箱根の山道を下ったことなどないはずだ。だから大丈夫だ。経験不足はみんな同じ。俺は走れる。走れる。

暗示をかけるように内心で唱え、ユキは床の間に置いてあった寛政大の襷《たすき》を手に取った。それは、往路を走った五人の汗を吸い、まだ湿り気を帯びているようだった。

襷を丁寧に畳んでジャージのポケットに入れ、ユキは静かに客室を出た。

廊下を通って玄関に行くと、旅館の女将《おかみ》が新聞を手にしていた。

「あら、もう着替えたんですか」

「はい。これからウォーミングアップします」

「外で？」

いまだに暗い表を見やって、女将は心配そうに眉《まゆ》をひそめる。「いま、マイナス五度ですよ」

外に出るつもりでいたユキは、あっさりと考えを改めた。もう少し気温が上がってからでないと、寒さで筋肉が硬直してしまう。

「ここをお借りしていいですか」

だれもいないロビーを指すと、女将は快く「どうぞ」と言った。

「新聞、読みます？　今日は早めに配達してくれるよう、頼んでおいたんですけど」

新聞を読みながら、ユキはロビーの床に座ってストレッチをはじめた。息を吐いて、ゆっくり全身の筋と関節をほぐしていく。

紙面には、箱根駅伝往路の話題が大きく載っていた。房総大《ぼうそうだい》が僅差《きんさ》で往路を制したこと。復路で六道大《りくどうだい》が逆転できるのか、総合優勝をどの大学が手にするのか、予断を許さぬ混戦状態にあること。

「十人だけの挑戦」という見出しで、寛政大のことにも触れられていた。ふらふらになって、山道を必死に走る神童の写真も掲載されている。ユキは両脚を開いて上体を倒しながら、記事を読んだ。

「メンバーが十人のみの寛政大は、五区でまさかのブレーキ。大幅に順位を下げ、十八番目で往路を終える結果となった。しかし、復路に一年の蔵原《くらはら》、四年の清瀬《きよせ》と、エース級の選手を擁し、まだ巻き返しの機会は十二分にある。小さなチームの偉大な挑戦の行方に注目だ」

記事の末尾には、(布)と署名があった。布田《ぬのだ》さんだ、とユキは思う。夏休みに白樺《しらかば》湖《こ》まで来た布田記者は、ずっと寛政大を見守りつづけてくれている。チャンスはまだ十二分にある。自分たちではそう信じていたが、第三者にも言ってもらえる、この心強さといったらどうだ。ユキは新聞をロビーのラックに入れ、黙々とストレッチに励んだ。

六時になったところで、神童がロビーに現れた。ムサのベンチコートを羽織り、マスクをしている。神童は「おはようございます」と掠《かす》れぎみの声で言い、ユキの背中を押してストレッチを手伝った。

「寝てていいのに」

「ユキ先輩はそうやって遠慮するだろうと思って、ムサにモーニングコールを頼んでおいたんですよ」

神童もユキの隣に腰を下ろした。「雪になりましたね」

「ああ」

ロビーの窓越しにひらひらと舞う雪を、並んで座った二人は眺めた。

「調子はどうですか」

「いいね。神童は?」

「僕もだいぶよくなりました」

ユキは腹筋をはじめた。神童がユキの足首を軽く固定する。

「本当のことを言うと」

と、ユキはつぶやいた。「まずいぐらい緊張してきた。できることなら逃げだしたい」

「僕もそうでしたよ」

と、神童はマスクの下で笑った。「音楽を聞いてみたらどうですか？　ユキ先輩の荷物から勝手に持ってきたんですが」

神童が差しだしたｉＰｏｄを受け取り、イヤホンを耳につっこむ。しばらくは気に入りの曲を聞いていたが、今日ばかりは音の世界も、ユキの慰めにはならなかった。

「だめだ」

ユキはイヤホンをむしりとる。「走ってるときに、俺の趣味じゃない音楽が、脈絡なくエンドレスで頭のなかをまわりそうな気がする。しかもよりによってノリの悪い曲が！　大きなのっぽの古時計とか！」

「嫌いなんですか？」

「辛気《しんき》くさいものは好きじゃない」

「いい歌だと思いますが」

と神童は言い、ユキは「ふん」と鼻を鳴らして立ちあがった。足首をまわすユキを見上げ、神童は提案する。

「どんな曲が頭のなかで流れても、アップテンポに編曲しちゃえばいいんじゃないですか」

「神童。きみはすごいな」

ユキはつくづく感心した。「俺は不安でいっぱいだ。坂道で転ぶんじゃないかとか、シューズの紐《ひも》が切れるんじゃないかとか、悪いことばかりが思い浮かぶ」

「ユキ先輩は区間賞だって狙《ねら》えますよ」

「なんでそう思う」

「先輩はこれまで、やると言ったことは必ず成し遂げたからです。司法試験も、箱根駅伝も、先輩はやると言って、そのとおりにした」

神童は目だけで微笑《ほほえ》んだ。「だから今度も言ってください。区間賞を狙うと」

神童の静かな迫力に押されるように、ユキは「狙う」と言った。

「はい、もう大丈夫です。ユキ先輩は絶対にいいタイムで走ります」

満足そうにうなずく神童を見下ろし、ユキは思わず笑ってしまった。

「俺が昨日、いかに役立たずだったかわかった」

とユキは言った。「きみもレース前のこのプレッシャーを味わっていただろうに、俺はこんなふうにきみを支えることができなかった」

「どんなに支えてもらっても、プレッシャーを跳ね返すのは、結局は自分しかいませんよ」

　神童も立って、「そろそろジョッグをしましょう」とユキを促す。二人は玄関でシューズを履き、外に出た。朝日の気配はどこにもないが、山で鳥が鳴いていた。細かい雪が、乾いた感触で頬に触れた。

「でも昨日、ユキ先輩は僕が走りだす最後の最後の瞬間まで、そばにいてくれたでしょう。僕はそれで、ずいぶん力づけられました」

　神童はマスクを下ろし、冷たい空気を胸に吸いこんだ。「だから、今日は僕がそばについてます。先輩がスタートするまで、ずっと」

　ユキは返す言葉を持たなかった。ただうれしくて、またマスクをつけ直す神童を見ていた。

「じっとしてると寒いですね。走りましょう」

「そういえば、大家さんはどうした」

「朝風呂《あさぶろ》に行くって言ってました」

「観光気分だな、あのひと」

「歯ぎしり、すごかったですよねえ」

　ジョッグをしながら、他愛もないことをしゃべる。雪の降る暗い湖畔の道に、ユキと神童の吐く白い息が揺れて流れた。

走《かける》は落ち着かない気分でいた。

清瀬の様子がおかしい。朝食後にジョッグに誘ったのに、「先に行ってくれ。俺はいろいろ連絡するところがあるから」と断られてしまった。

ハイジさんが朝のジョッグをしないなんて、絶対に変だ。昨夜もよく眠れていなかったみたいだし。もしかして、脚が痛いんじゃないだろうか。

ぐるぐると考えながら、三十分ほど横浜駅周辺を走り、「やっぱりホテルに戻ろう」と走は決めた。ウォーミングアップは、中継所に行ってからでもまにあう。ジョッグを途中で切りあげるなど、どんなに体調が悪くても走はしたことがなかったが、いまは清瀬のことが心配だった。なにか無理をするつもりではないか。悪い予感に急《せ》き立てられるように、走はホテルへ駆け戻った。

小さなビジネスホテルのロビーでは、ジョージがテレビの天気予報を見ながら、スポーツ新聞を広げていた。ロビーを横切り、エレベーターのボタンを押した走に気づき、ジョージは「早かったね」と近づいてくる。

「今日はめずらしく、ジョッグの時間が短いじゃない」

「ハイジさんは?」

「部屋だと思うよ。王子《おうじ》さんと葉菜《はな》ちゃんは、一緒に荷物の整理をしてる。俺は追い払われた。なーんか、俺のことを葉菜ちゃんに近づかせまいとする意思を感じるんだよねー」

ジョージは不満そうに唇をとがらせたが、走はもう聞いていなかった。エレベーターに乗り、五階まで上がる。「なんかあったの？」と、ジョージもついてきた。

寛政大は客室を三つ取っていて、走と清瀬の部屋は廊下の一番奥、隣がジョージと王子の部屋、エレベーターに近いのが葉菜子の部屋という並びだった。

エレベーターを下りた走は、廊下で一人の男とすれちがった。三十代後半で、手には底の広い黒い鞄《かばん》を提げている。往診鞄みたいだなと思った走は、はっとして振り返った。男の乗りこんだエレベーターのドアが、ちょうど閉まるところだった。

いまのは泊まり客じゃない。医者だ。走は直感した。きっと、ハイジさんの脚を診《み》にきた医者だ。

走は猛然と廊下を走り、カードキーで奥の部屋のドアを開けた。

「ハイジさん！」

二つ並んだベッドの窓際《まどぎわ》のほうに、清瀬は座っていた。走の剣幕に驚いて顔を上げた清瀬に、走は飛びかかった。

「脚見せてください、脚！」

勢いに押され、清瀬はベッドにひっくりかえった。走はかまわず、清瀬のジャージのズボンの裾《すそ》をめくりあげようとした。

「ちょっと落ち着け、走！ 説明するから！」

取っ組みあう走と清瀬を、ジョージが部屋の戸口であきれ眺めていた。騒ぎに気づき、王子と葉菜子も隣の部屋から廊下に顔を出した。

「なにごと？」

葉菜子に聞かれ、ジョージは首をかしげてみせる。

「さあ。よくわかんない」

清瀬はようやく走を引きはがし、「入ってきてくれ」と、戸口にいるものに向かって手招きした。横浜に宿泊したものたちは一室に集い、ベッドや椅子《いす》など、思い思いの場所に腰を下ろした。

「ハイジさん。さっきまで、この部屋に医者がいたでしょう」

走はベッドに座りこみ、清瀬を問いただす。

「いた」

しかたないな、というように清瀬は認めた。「いつも診てもらってる先生だ。往診をお願いしておいたんだ。痛み止めを打ってもらった」

「故障したっていう脚、治ってなかったんですか」

王子が驚いて尋ねる。葉菜子にいたっては、清瀬が故障を抱えていたことすら初耳だ。

信じがたいという表情で、ジョージと顔を見合わせている。

「どうするんですか？」

走は声が震えないようにするのが精一杯だった。

「もちろん走る」

「そんな無茶をして平気なんですか」

「いま無茶をしないで、いつするんだ」

「もし……」

走は言葉にするのをためらった。言葉にすることで現実になってしまうような気がして、こわかった。

「もし、今日無茶したせいで、これからずっと走れなくなったら、どうします」

ジョージが息を飲み、王子がうつむくのがわかった。葉菜子は身じろぎもせず、走と清瀬のやりとりの行方を見守る。

走はじっと清瀬を見据え、返答を待った。

「とてもつらいだろうな」

清瀬の声は静かだったので、そのことをもうずっと考えていたのだとわかった。「でも後悔はしない」

止められない、と走は思った。自分が清瀬の立場だったとしても、やはり走ることを選ぶだろう。

走は覚悟を決めた。だったら、俺にできるのはひとつだ。ハイジさんになるべく負担をかけないようにすること。俺が九区で、できるだけタイムを稼げばいい。

部屋を覆《おお》った沈黙を、清瀬の携帯の着信音が砕いた。清瀬は短い会話で電話を切った。

「神童からだ。芦《あし》ノ湖《こ》で最終エントリーが発表になった。六道大は予想どおり、九区に藤岡《ふじおか》を入れてきたそうだ」

ジョージは期待と心配をにじませ、走に視線をやった。走は小さく、「よし」とつぶやく。血が勢いよく体じゅうを流れ、喜びと闘争心となって心臓を鼓動させる。ついに同じ場所で戦える日が来た。春の東体大《とうたいだい》記録会では、藤岡の背中を追うだけだった。あれから自分がどれだけ速く強くなったのかを、ようやく試せるときが来たのだ。

「走、競《せ》り負けるな」

と清瀬は言った。走は決意をこめてうなずいた。

時刻は午前七時をまわっていた。

もうホテルを出なければならない。ここからは別行動だ。走とジョージは戸塚《とつか》中継所へ。清瀬と王子は鶴見《つるみ》中継所へ。葉菜子はゴール地点である大手町《おおてまち》へ。

王子が走に、

「ジョージがつきそいでいいの？　僕が行ってあげようか」

と尋ねたが、走はやっぱり質問の意図がよくわからなかった。

「どうしてですか？　予定どおりでいいですよ」

せっかくの気づかいを無にされても、王子は気を悪くするふうでもなく、「まったくもう」とでも言いたそうに、笑って軽く首を振った。

横浜駅の構内まで来たとき、清瀬は走に「さっきの話だが」と話しかけた。

「事態はきみが思うほど深刻じゃない。痛み止めが効いているし、再起不能になるようなことはないよ」

「本当ですね？」

「俺が嘘《うそ》をついたことあったか？」

「けっこうありました」

清瀬は少しのあいだ空《くう》をにらみ、これまでの所業を思い起こしているようだったが、

「大丈夫、今度は本当だ」

と笑った。「鶴見できみの走りを見るのを、楽しみにしてる」

清瀬になにかを伝えたい気がした。感謝と不安と決心を。だがそれは、どんなに言葉を費やしても形になりきらない気持ちだったので、走はただ、

「一秒でも早く、襷《たすき》を渡してみせますから」

とだけ言った。

一行はちょっと手をあげてひとときの別れの挨拶《あいさつ》をし、それぞれの場所に向かうために、ホームへの階段を上った。

午前八時。

芦ノ湖から号砲とともに、まずは房総大の選手が走りだした。一分三十九秒後に、六道大の選手がつづく。

往路で芦ノ湖にゴールしたときのタイム差を取って、各大学の選手が再び襷《たすき》をかけ、次々に芦ノ湖を出発していく。今度は東京大手町を目指して、箱根駅伝の復路がはじまるのだ。

往路トップの房総大と、タイム差が十分以上ある大学は、房総大が復路のスタートを切ってから十分後に一斉スタートとなる。今回の大会では、学連選抜チーム、ユーラシア大、寛政大、東京学院大《とうきょうがくいんだい》、新星大《しんせいだい》の五チームが一斉スタートを余儀なくされた。

寛政大は、房総大とのタイム差が十一分五十三秒ある。十分後に一斉スタートといっても、もちろん余った一分五十三秒が切り捨てられることはなく、総合タイムに自動的に加算されていく。切り上げ一斉スタートのために、復路では選手が走っている見た目の順番と、タイム上の順位がちがう、という事態が発生する。

復路を走る、特に下位チームの選手は、目に映るレース展開だけではなく、ややこしいタイム計算も頭に置いたうえで、実質的な順位を少しでも上げるべく、冷静に戦いに挑まなければならない。

俺には向いてる、とユキは思う。ユキはだれかと競うのではなく、データをもとに傾向と対策を練り、そのなかでどうやって自分が力を発揮して目標を達成するか、を考えるほうが好きだった。箱根駅伝の六区、山下りは、ユキの性格に合う。見た目の順番に惑わされず、時間という見えない敵を相手に、技術を駆使して曲がりくねった坂道を駆け下りればいいのだから。

神童は宣言どおり、出発までの時間、ずっとユキのそばに控えていた。ストレッチを手伝ったり、寒さで硬くならないようにふくらはぎをマッサージしたり、さりげなく会話を持ちかけてきたりと、なにくれとなく世話をしてくれる。おかげでユキは、心を落ち着かせてレースに意識を集中することができた。

いよいよ出発のときが近づき、ユキはベンチコートを脱いで神童に預けた。芦ノ湖の気温はマイナス三度。まだ粉雪が舞っている。路面には雪が積もり、轍《わだち》が凍結している。ユニフォームの下に長袖《ながそで》のTシャツを着ていても、圧力となって押し寄せる寒さを防ぎきれるものではない。風がないことだけが救いだ。

房総大とのタイム差どおりにスタートできる、最後のチームが城南文化大《じようなんぶんかだい》だった。係員に呼ばれ、一斉スタートするチームがあわただしくラインに並ぶ。

ユキはかたわらの人垣を見た。神童は見物客の波に飲みこまれそうになりながらも、しっかりとユキを見守っていた。

「大手町で」

とユキは言った。歓声にまぎれ、声は届かなかったかもしれないが、神童はうなずいた。

城南文化大の十秒後、合図とともに五チームの選手は同時に走りだした。ユキの眼鏡は一気に温度を上げた体熱で曇り、吹きつける寒風ですぐに明瞭《めいりょう》な視界を取り戻す。路面には薄く雪が積もり、平坦《へいたん》な場所を歩くのにも神経を払わねばならない状態にある。だが、そこを走るとなれば、足もとをしっかり確認している余裕もない。一歩を踏みだすごとに、シャーベットのような積雪が脚に跳ねる。最新機能を満載した軽いシューズをもってしても、路面を蹴《け》る足裏がわずかにすべるのを防ぐことはできなかった。

湖畔の道から国道一号の最高点までの、最初の四キロ強はおおむね上り坂だ。同時に出発した五校のなかから、ユーラシア大の選手がまえに出た。ユキは迷わずついていく。腕時計を確認すると、一キロ三分二十秒を切るペースだった。

上りで、路面の状態が悪いことを思うと、やや速すぎる。でも、ここで食いついていかなかったら、寛政大が復路で順位を上げることなどできない。それに、とユキは考える。六区に起用されたもので、一万メートルの記録が二十八分台なのは、六道大の選手一人しかいなかったはずだ。つまり、六区の選手はそれほどスピード力を重視されていない、ということだ。

最高点から先は、箱根湯本《はこねゆもと》の町に出るまで、六区のほぼすべてが下り坂だ。平地でのタイムがそれほどよくなくても、下り坂なら、勢いに乗ればいやでもスピードは出る。大切なのは、起伏によって走りを切り替える器用さと身体的なバランス感覚、恐れを知らずに坂を駆け下りられる思いきりのよさだ。

最初の上りを多少のハイペースで入っても、体力は充分に温存できる。そう判断したユキは、ひるまなかった。

湖畔から離れ、山への道を上る。最高点の手前で一度、小さなアップダウンがある。その最初の下りに差しかかりながら、ユキは再度腕時計を見た。清瀬の指示は、「上りは一キロ三分二十秒ペースで」というものだったが、ユキはいま、一キロ三分十五秒ペースで来ていた。

行ける、と確信した。体が軽く、アップダウンに応じて、意識せずとも足運びを切り替えられた。

先に出発した城南文化大を吸収し、六校で形成していた下位集団から、東京学院大と新星大が早くも振り落とされようとしている。

ユキはまえを行くチームをひとつでも多く抜くことしか考えていなかった。もう寒さも気にならない。一息に最高点まで上りつめる。

十五キロ近くもつづく下り坂が、散る雪の彼方《かなた》に延々とうねって待ち受けていた。

戸塚中継所に着いた走は、ジョージとともに携帯テレビを熱心に覗《のぞ》きこんだ。画面には、五キロ地点であるフラワーセンター正門前を通過するユキたちの姿が映しだされている。

「速すぎないか？」

「でも、六区は五キロ十三分台で走るのが、普通のペースだって聞いたよ？」

ジョージはいつもどおり屈託なく言ったが、走の不安は解消されなかった。それは、本格的に下りに入ってからのペースだ。下り坂一辺倒になれば、スピードを殺すのは走っている本人にも難しい。下りのリズムに体が乗り切ったら、百メートルを十五秒台で駆け下りるのも不可能ではない。二十・七キロという長い距離を走るにもかかわらず、場所によっては短距離走なみの速度が出るのが、六区なのだ。

だが、最初の五キロには上り坂もあったし、路面の状態も悪いというのに、十六分で来ている。ユキの走力からしても、これは明らかにオーバーペースではないかと、走には思えた。

「ハイジさんに電話してみる」

ジャージのポケットから携帯電話を取りだした走に、

「心配性なんだからなあ」

とジョージはちょっと肩をすくめてみせた。

「はい、清瀬」

屋外のざわめきとともに、電話はすぐに清瀬の声を伝えてきた。清瀬もすでに、鶴見中継所に到着しているらしい。

「ラジオを聞いてますか?」

「王子の携帯に、テレビ機能がついていた。王子もさっき気づいたんだが。それを見てる。最近の携帯はすごいんだな」

「はい。って、そうじゃなく……」

王子のマイペースぶりと清瀬の機械オンチぶりに、走はめまいを覚えた。「ユキ先輩の走り、ちょっと速すぎないですか」

「ああ。大家さんに電話したいところだが、無駄だろうな。箱根の山道では、監督車が選手に密着して走ってないから」

「どうするんですか」

「どうしようもない。あとは下りだ。いまさらペースを落とすのは馬鹿《ばか》のすることだし、ユキがすべって転ばないように祈るしかないだろう」

あらゆる懸念《けねん》をふっきったようで、清瀬は軽やかな笑い声を発した。「それより走、ちゃんとジョッグとウォーミングアップをしておけよ。俺はこれから、ニコチャン先輩とキングにも連絡を取らなきゃいけないから、またあとでな」

通話は切れ、走はため息をこぼした。

「平気だってば」

ジョージが走の手から携帯を取った。「走はもうちょっと、俺たちを信じなきゃ」

「信じる、か」

走は足首をまわし、ジョッグの準備をしはじめた。「そういえば勝田《かつた》さんも、そう言ってた」

「は、葉菜ちゃんが」

ジョージは一気に赤くなり、「なんで、葉菜ちゃんの話題を出すの」と聞いてくる。

「なんでって？」

「それ、わざとなのか天然なのか、どっちだよ」

要領を得ない走の返答にしびれを切らし、ジョージは改めて走のほうに向き直った。

「あのね、俺は葉菜ちゃんのことが好きだ」

「知ってる」

「知ってんの！　どうして！」

「昨日、ニコチャン先輩が電話でそう言ってたから」

離れていても、竹青荘《ちくせいそう》にいるときと変わらず間抜けか。ジョージはぶつぶつ言い、

「走はどうなんだよ」

と、一番聞きたかったことを口にした。「俺が葉菜ちゃんに告《こく》ってもいいのか？」

どうして俺に確認を取る必要があるんだろう。どうも竹青荘の住人たちは勝手に、俺が勝田さんのことを好きだと思ってるみたいだ。そこまで考えた走の心を、寝入りばなの落下感に似た衝撃が襲った。

俺、勝田さんのことが好きだ。

双子《ふたご》のことを笑えない鈍さだが、あまりにも静かに、当たり前に胸のうちにありつづけた感情だったから、これまで自覚できなかった。

走はいつも、葉菜子の姿を大切に記憶にとどめていた。一緒に歩いた夜に、葉菜子がしていたマフラーの色。夏の雲が湧《わ》き立つ空の下で、練習を眺める葉菜子の横顔。はじめて葉菜子を見たときの、商店街を自転車で漕《こ》ぎ抜けていく薄い背中。

走は葉菜子を見ていた。そしてそのすべての時間、葉菜子の視線と思いはひたすら双子に向けられていた。

「そうだったのか」

やっと明確になった自分の気持ちに、走は驚いた。

突然ボーッとし、ついで一人うなずいた走を、ジョージは気味悪く思ったようだ。おずおずと尋ねられ、

「……なにが？」

「いや」

と走は首を振った。「告白してみたらいいんじゃないかな」

強がりではなく、晴れ晴れとした気分だった。葉菜子はきっと、ジョージの思いを知って喜ぶだろう。もしかしたら、ジョータからの告白に対しても同じように喜び、そこで一悶着《ひともんちゃく》あるかもしれない。だがそこまでは、走の関知するところではなかった。

これは勝負ではない。葉菜子の心は、葉菜子のもの。ジョージの心は、ジョージのもの。走の心が、走だけのものであるのと同じように。だれも奪ったり曲げたりすることのできない、あらゆる尺度から解き放たれた領域だ。

速度とも勝敗とも関係ない、穏やかだけれど強い感情が自分のうちにあったことに、走は満足を覚えた。そういう感情を教えてくれた葉菜子が、ますます大切な存在に思えてきた。葉菜子の恋が成就《じょうじゅ》するなら、走もうれしい。

それに、俺は長距離走に慣れている。じっとチャンスを待つのは得意だ。いま、葉菜子の気持ちが双子に向いているからといって、未来永劫《えいごう》そうだとは言い切れないだろう。

「そっか、やっぱり言ったほうがいいよね。うわー、どうしよう。緊張する」

肝心なところで気長な走が、はじめて自覚した恋心を牛の反芻《はんすう》なみに噛《か》みしめているとは気づきもせず、ジョージはなんの屈託もなく、葉菜子に告白する決意を固めた。

ユキは快調に箱根の山を下っていた。

はじめのうちは、凍った雪ですべることを警戒して轍《わだち》を走ろうとしたのだが、そうするとカーブでのコース取りがうまくできない。すべることを気にするあまり、余計な力が入って、筋肉に負担がかかっては元も子もない。結局、ユキはいつもどおりの走りとコース取りを心がけることにした。

下り坂を走るのは楽しいんだな、とユキは思う。こんな加速を生身の体で感じられるなんて。正面から顔に当たる柔らかな雪片にすら、小石みたいな痛みを覚えるほどのスピードだ。全身でバランスを取りながら、傾斜の導くままに脚を進める。転倒に対する恐れは、スピードの快感のまえに、少しも脳裏をよぎらなかった。

小涌園《こわきえん》前が、六区の十キロ地点だ。テレビの中継ポイントでもある。天候も悪く、早朝であるにもかかわらず、このあたりでは沿道に見物客が出て、声援を送ってくれていた。ユーラシア大の選手につづき、ユキは右にカーブした。新星大の選手が立てる、水っぽい足音がすぐ後ろに聞こえる。

ユキはもちろん知るよしもなかったが、アナウンサーと解説者の谷中《やなか》は、中継映像を見て各校の選手の走りを論評していた。

「下位チームの十キロ地点の映像が入ってきています。いかがですか、谷中さん」

「いやあ、かなりのハイペースです。六区の区間賞は、現在十二位から着実に順位を上げている真中大《まなかだい》かと思っていましたが、下位チームのなかから出る可能性もありますね」

「手もとのデータでは、六道大の田村《たむら》くん以外は、六区の選手は一万メートルの公認記録が二十九分台ですが」

「山下りに関しては、平地でのタイムはそれほどあてになりません。一万メートル二十九分台の力があれば、あとはもう度胸です」

「度胸、ですか」

「はい。選手が体感するスピードと傾斜は、画面で見る以上のものがあります。両手を離して、急な下り坂で自転車を漕ぎまくっているようなものですよ。しかも今日は、足もとが悪い。冷静にバランスを取って、なおかつ勢いを殺さない度胸が肝心です」

「下位チームのなかで、どの選手が区間賞に近いと思われますか?」

「まだわかりませんが、寛政大の岩倉《いわくら》くんがいいですね。非常に下半身が安定している。上体に無駄な揺れがないし、悪路にもかかわらず、まったく腰が引けていません。下りのお手本のような見事な走りです」

「なるほど。あとは、箱根湯本から先、平坦《へいたん》な道になったときの粘り次第でしょうか。十キロの中継ポイントでした」

高度が下がるにつれ、雪は雨まじりのみぞれに変わってきた。路面も、シャーベット状の濁りで覆《おお》われている。ユキは、自分が横断歩道の横幅を二歩でまたぎ越してしまったことに気づいた。

いまの横断歩道の幅は、たぶん四メートルはあった。そこを二歩で踏み越えたってことは、一足で二メートルも進んでるわけか。ユキは改めて驚いた。すごい加速だ。勢いに乗り、文字どおり飛ぶように駆けているせいで、歩幅も広がっているのだ。チラッと腕時計を確認する。この五キロのあいだ、一キロあたり二分四十秒で下るペースだった。

一キロを二分四十。平地では、ユキには出せないタイムだ。こんなペースを平地で五キロも持続できるのは、ユキの知るかぎりでは、走ぐらいのものだ。

道端の杉の枝が、真っ白な雪を載せて重そうにしなっている。幹は黒く濡《ぬ》れ、山は一晩のうちに、単色のうつくしい世界に変わっていた。それらの風景は目の端に映ったとたんに、後方へ流れる。映画のフィルムよりも速く、なめらかに。

そうか、これはふだん、走が体感している世界だ。ユキは胸が詰まる思いがした。

走、おまえはずいぶん、さびしい場所にいるんだね。風の音がうるさいほどに耳もとで鳴り、あらゆる景色が一瞬で過ぎ去っていく。もう二度と走りやめたくないと思うほど心地いいけれど、たった一人で味わうしかない世界に。

走が、ときに行き過ぎと思えるほど走りに没頭する理由を、ユキははじめて理解できた気がした。こんな速度で走ることを許されたら、たしかに中毒のように耽溺《たんでき》してしまう。もっと速く、もっとうつくしい瞬間の世界を見てみたい、と。それはたぶん、永遠にも似た一瞬の体感なのだ。だが、危うすぎる。生身の肉体で挑むにはあまりにも苛酷《かこく》な、うつくしすぎる世界だ。

俺はいま、箱根の山道の力を借りて、そこへ至る門を遠くから眺めたにすぎない。ユキはそう考えた。そして、これ以上近づこうとは、やはり思えないんだ。

清瀬の熱意に巻きこまれ、ユキはこの一年、走ることを中心に生活してきた。でもその生活も、今日で終わりだ。俺には俺の生きかたがある。瞬間の美と高揚を目指し、心身を日々研《と》ぎ澄ますのではなく、汚濁にまみれていても、ひとのなかで生きる日々を選びたい。そのために司法試験を突破し、弁護士になろうとしている。

今日でおしまい。だけど最初で最後に、このスピードを味わえてよかった。山道を疾走しながら、ユキはうっすらと笑みを浮かべた。走、あまり遠すぎるところへ行くな。おまえが目指しているのはたしかにうつくしい場所だけれど、さびしくて静かだ。生きた人間には、ふさわしくないほどに。

走の魂を地上に結びつけてくれるものがあるといい。ユキはそう思った。ひとの生活、ひとの喜びと苦しみのなかに。そこに足をつけてこそ、走はきっと、もっと強くなれるはずだから。バランスが肝心だ。雪の山道を駆けくだるときと同じように。

宮《みや》ノ下《した》温泉郷に入り、富士屋ホテル前を通過したユキは、思いがけないものを目にして短く声をあげた。

「うわ」

ホテルのまえには宿泊客が大勢出て、箱根駅伝の旗を振っていた。浴衣《ゆかた》に丹前《たんぜん》を羽織っただけの軽装で、寒さに身を縮めながらも声を嗄《か》らすひともいる。ユキはそのなかに、母親と、半分だけ血のつながった妹、そして母の再婚相手の姿を見つけたのだった。

「雪彦《ゆきひこ》ー!」

と母親は大声で呼びかけ、

「お兄ちゃん、がんばって!」

と幼い妹は身を乗りだし、その妹を抱えてやっている義父は、しきりとうなずいていた。

「むちゃくちゃ恥ずかしいんですけど……」

数瞬のうちにホテルのまえを通過したが、ユキはしばらくうつむき加減に走った。正月を優雅に富士屋ホテルで迎えたのか、あの家族は。照れをごまかすために、ユキは内心で毒づいてみる。俺を誘っても来られないとわかっていたから、あえてなにも言わずにおいて、驚かせる算段をつけていたんだろう。それにしても心臓に悪すぎる。母親たちの声と姿を、テレビやラジオが拾っていないといいのだが。ニコチャン先輩に知られた日には、絶対にからかわれる。まあ、あのひとはラジオしか持ってなかったはずだから、大丈夫か。

ユキは急に、愉快な気分になった。いまのお袋の、あの顔ときたら。自分が走ってるみたいに必死で、泣きそうな顔だった。

ユキは、実の父親のことを覚えていない。ユキが生まれてすぐに事故で死んだので、父親の記憶は、母親が語ってくれる言葉と写真のなかにしかなかった。父が死んでからずっと、ユキは母親と二人で暮らしてきた。ユキは母親を、とても大事に思っている。高校時代の彼女には、「ユキってマザコンじゃないの」と言われたが、マザコンで当然だろとユキは思う。母親を大事にしない息子なんて、ろくなもんじゃない。

夜遅くまで働く母親の姿を見て育ったためか、ユキは早くから自分の目標を定めていた。堅実な職について、母親に楽をさせてあげるのだ。幸い、脳みその出来が悪くないことは、学校生活を送っているうちに判明していた。それなら、最強の資格といわれる司法試験を目指すのが手っ取り早い。情と論理の狭間《はざま》で働ける弁護士という職業は、自分に向いているのではないかと思ったし、なにより稼げそうだ。ユキは高校入学と同時に、独自に試験に備えはじめた。勉強もしたし、体力作りもした。男女関係の機微にも通じておくべきかと、女の子ともつきあった。

しかし、そんなユキの努力を無にするような出来事が起きた。母親が再婚したのだ。相手はちゃんと稼ぎのある会社員で、母親は働かなくてすむようになった。母親は新しい夫を愛していて、とても幸せそうだった。ユキが母親にしてあげたかった以上のことを、義父は軽々としてのけた。

ユキは打ちのめされずにはいられなかった。プライドがあったし、やると決めたら完遂しないと気がすまない性分だったので、司法試験を目指すことは諦《あきら》めなかった。だが、むなしかった。母親が再婚した翌年には、妹ができた。それもまた、十代後半のユキにとっては、こそばゆさと居心地の悪さとを感じさせる事態だった。大学進学を機に家を出て、それ以降は正月にもほとんど帰らなかった。

声援を送ってくれる家族の姿を見て、ユキだけが感じていた些細《ささい》なわだかまりが溶けていく。それに合わせるように、雪もいま、完全に雨になった。

義父も妹も、ユキを家族の一員として、いつでも気にかけてくれている。そして一番重要なのは、母親が幸せになったということだ。それでいいじゃないか。それこそが、俺がずっと望んできたことなのだから。自分が思い描いてきた筋道とは、ちょっとちがう形で母親が幸福になったからといって、いつまでも拗《す》ねるのは子どもじみている。

ユキは白くけぶる呼気にまぎれ、だれにも気づかれずに笑った。いつのまにか、カーブの先に帝東大《ていとうだい》の選手の背中が垣間《かいま》見えるようになっていた。後ろには気配がない。ともにスタートした下位チームを、引き離したらしかった。

腕時計を見て、自分のペースがまったく落ちていないことを確認する。心も体も軽かった。下りはこのまま行ける。肝心なのは箱根湯本から先、ラスト三キロの平地で、走りを支えきれるかどうかだ。清瀬には昨日、

「下り坂のあとだと、平坦な道でも上りみたいに感じられる。そこからが本当の勝負だ」

とアドバイスされていた。

大丈夫そうだよ、とユキは心のなかで答える。今日は負ける気がしない。自分の心身との勝負に。

小田原《おだわら》中継所には、あいかわらず陣太鼓が鳴り響いていた。風祭《かざまつり》駅前のカマボコ会社の駐車場には、大勢のひとが押しかけ、六区の選手の到着を待っている。

「見たか、ジョータ。いまのユキの顔!」

ニコチャンは富士屋ホテル前の様子を、携帯電話のテレビ機能でしっかりと目撃していた。先ほど、電話を入れてきたハイジに教えられてはじめて、ジョータの携帯でもテレビが見られることに気づいた。パソコンには詳しいニコチャンも、携帯は通話機能し

か使っていなかったし、ジョータもメール止まりだった。機械の進化にあまり興味がないからこそ、ボロアパートで満足できるのかもしれない。

「ユキ先輩のお母さんって、若くて美人だね」

伊達巻《だてまき》きをまるごとかじっていたジョータは言った。「ところで、このままだとユキ先輩、区間賞を取っちゃうんじゃない？」

「ユキはその事実に気づいてなさそうだがな。真中大のやつも、ユキと同じぐらいいいペースだから、微妙なところだろう」

「あー、やきもきする！ユキ先輩に、タイムを教えてあげたいよ」

「どうやって」

「念力でもなんでも使ってさ」

食べかけの伊達巻きをスポーツバッグにしまい、ジョータは真剣に携帯を眺めはじめた。「あと二十分もしないうちに、ニコチャン先輩の出番だね」

画面にはトップの房総大と、ほぼ一分半の差を追う六道大の選手が映った。いよいよ山下りを終え、箱根湯本駅へ向かうところだ。区間賞を狙《ねら》う真中大の選手は、順位を上げて八位につけていた。ペースは依然、落ちていない。

「ユキはどうだ」

「映らないなあ。箱根湯本まで出ないと、下位チームはあんまり映してもらえそうにないよ」

真中大のタイムに気をつけるようジョータに言い、ニコチャンは最後の調整に入った。駐車場のなかを軽く走り、体をほぐす。

午前九時。房総大の選手が、トップで中継所に入ってきた。タイムは六十分四十六秒。つづいて六道、大和《だいわ》の順に、襷《たすき》が受け渡された。ニコチャンは急いで、中継ライン近くにいるジョータのところへ戻った。

「すごいよ！」ジョータは興奮していた。「平地に入っても、スピードが衰えてない。頑張ってるよ、ユキ先輩！」

携帯の画面には、箱根新道とのわかれ道あたりで、帝東大の選手をかわすユキの姿が映っていた。十四番目を走る寛政大は、前方に東体大をしっかりととらえていた。

「よし、いいぞ！」

ニコチャンはジャージを脱いだ。あとは、ユキが区間賞を取れるかどうかだ。

「真中大は」

「もうすぐ肉眼で見える」

ジョータは携帯から顔を上げ、「来た！」と叫んだ。

線路沿いを走ってきた真中大の赤いユニフォームが、いままさに道をそれて中継所に入ってくるところだった。区間賞候補なのはわかっているから、歓声がひときわ高まる。真中大の襷が受け渡された。

「記録は！」

「六十分二十四秒」

携帯に映しだされるテレビ画面の表示を、ジョータが読みあげる。雪道だったわりには、いいタイムと言えるだろう。十キロのタイムが二十八分台の、六道大の田村ですら六十分四十八秒かかっている。

中継所では、各校が次々に襷リレーしていく。テレビ画面には、すぐそこまで来たユキが映っている。

ユキ、もう少しだ。係員に呼ばれ、ニコチャンは中継ラインに立った。あとはもう時間との戦いだ。横で東体大の選手が襷を受け取り、走りだしていく。ユキのタイムを腕時計で計る、ジョータの声が聞こえる。

「六十分十七秒、十八、十九」

ユキが中継所に入ってきた。歯を食いしばり、はずした襷を右手に持っている。沿道の見物客から、真中大の選手のタイムを教えられたのかもしれない。最後の直線で全力を振り絞ろうとしていた。

「ユキー！」

ニコチャンは吼《ほ》えた。ジョータが悲鳴のように、「六十分二十四秒」と言った。見物客からどよめきが起こる。襷《たすき》はまだニコチャンの手に渡っていない。ユキは区間賞に一歩及ばなかった。

だがニコチャンはそのとき、タイムの存在を忘れた。ユキの目が、まっすぐにニコチャンを見ていたからだ。ユキは、区間賞のことなど考えていなかった。ただ、少しでも早く襷をニコチャンに渡す。それだけを考えて、平坦《へいたん》なラスト三キロを乗り越えたのだ。ニコチャンには、それがわかった。襷を渡されたときに触れた、寒風にさらされつづけたにもかかわらず熱く湿ったユキの指先が、それを教えていた。

「よくやった」

とニコチャンは囁《ささや》いた。

「疲れた。あとは任せます」

ユキはニコチャンの背中を叩《たた》き、震える足をなんとか踏みしめて、倒れるのを防いだ。

「ユキ先輩！」

係員から毛布を奪い取ったジョータが、駆け寄っていってユキを支えた。「惜しかったけど、すごかったよ！」

「惜しい？　なにが？」

ユキはペットボトルの水を飲み、やっとのことで声を出す。

「区間賞だよ。ユキ先輩のタイムは、六十分二十六秒。あと二秒速かったら、区間賞とタイだったのに」

「そうか」

二秒。ユキは笑った。たったの二秒。一呼吸するうちに過ぎていくような、わずかな時間。そんな僅差《きんさ》で、俺はこの区間の一番になりそこねたのか。

「まあいい」

とユキは言った。「その二秒は、俺にとっては一時間ぐらいある」

ジョータは、シューズを脱いだユキの足裏を見て泣きそうになった。親指のつけ根にできたマメが、べろりと剝《む》けて血がにじんでいる。この一年間で、足の裏はすっかり皮が厚くなっていたのに。箱根の山を駆け下りるのがどれだけ大変なことか、まざまざと知った思いがした。

「もちろん、充分だよ。ユキ先輩はかっこよかった」

涙声になったジョータの頭をなでてやり、ユキは小田原の町へつづく道を見やった。

任せましたよ、ニコチャン先輩。

最前、小田原中継所にいるときに清瀬がかけてきた電話の内容を、ニコチャンは走りながら思い起こしていた。清瀬はふだんと変わらず淡々と、

「調子はどうですか、ニコチャン先輩」

と言った。

「いつもどおりだなあ」

「それはなにより。今日はいつもどおり走ってください」

「俺には期待してねえってことか？」

「まさか。ユキが予想以上に走ってくれてますが、それに引きずられないでください、ということです」

ニコチャンは「ふん」と鼻を鳴らした。ユキの力走に感激し、自分の実力を見失うほど熱しやすくはないつもりだ。

「まあ、ぼちぼちやるさ」

「ニコチャン先輩」

清瀬は改まった調子で言った。「一キロ三分ちょいのペースを維持するようにしてください。先輩に楽をさせられなくて、すみませんが」

「ハイジよう」

ニコチャンは頭を掻《か》いた。「楽っていうなら、走らなきゃ楽だったぜ。ダイエットも禁煙もしなくてすんだんだから。どんなペースだろうと、走りだしたら楽なんてことはねえんだ。健康体になれただけで、俺はよしとする。だからおまえも、俺がどんな順位になっても文句言うなよ」

「はい」

清瀬は笑ったようだった。「じゃ、大手町で」

清瀬に言ったことに、嘘《うそ》はない。走らなければ、楽だった。だが、長いブランクを経て再び陸上をはじめたことを、ニコチャンは悔いてはいない。走る苦しみは、親しいひとたちとひとつの目的に向かう楽しさと混じりあい、甘美なものになった。一人で学費を稼ぎ、自立した生活を営んできたニコチャンにとって、それは長らく忘れていた味わいだった。

箱根の山から吹き下ろす風を背に受け、ニコチャンは走る。小田原中継所から平塚《ひらつか》中継所に至る七区は、二十一・二キロある。全体的には、平坦で走りやすいコースと言えるだろう。往路の四区と同じ道を、東京方面に向けて逆走する形になるルートだが、大《おお》磯《いそ》駅で迂《う》回《かい》路《ろ》を通るため、そのぶん四区よりも若干距離が長い。

最初の三キロ、小田原の町に入るまでは、ゆるやかとはいえ下り坂だ。ここで調子に乗ってペースを上げすぎてしまうと、後半がきつい。ニコチャンは興奮と緊張をぐっと抑え、身の丈に合ったペース配分を心がけた。

ハイジのやつは、本当によくひとを見てるなあ、とニコチャンは思う。ユキから襷《たすき》を受け取れば、ニコチャンは発奮する。同時に意地もあるから、舞いあがって前半に突っ込みすぎないよう自制する。そういう性格と、ユキとの人間関係を読んで、清瀬は七区にニコチャンを起用したのだろう。もちろん、アップダウンの少ない七区なら、ニコチャンの脚に負担がかからず、実力を出しきれると考えてのことでもあるはずだ。

細かい雨が降りつづいている。髪はもうすっかり湿った。空気が乾燥しているよりは、雨の日のほうが呼吸が楽でいい。風がないのも幸いだ。雨に濡《ぬ》れたうえに、箱根からの寒風に吹かれたのでは、走るどころではないからだ。気温は一度というところか。七区は寒暖の差で体力を消耗しやすいコースと言われるが、雨のおかげで今日はその心配もあまりなさそうだ。これから海沿いの道を走り、昼が近くなるにつれ、もう少し気温が上昇するかもしれないが。

ただ問題は、濡れて肌に貼《は》りつくユニフォームなんだよなあ。ニコチャンはわずかに顔をしかめる。体のラインがはっきり出てしまい、裸で走るような心もとなさだ。まあ、もとから裸みたいなもんだが。

軽い素材で作られたランニングシャツと短パンが、ニコチャンは苦手だった。長距離選手は男女を問わず、ほっそりした体型をしている。もちろん、強靭《きょうじん》でしなやかな筋肉を秘めているのだが、見た目はほとんどガゼルかカモシカか、といったところだ。そういう選手なら、必要最小限の布地で作られたユニフォームもさまになるけれど、ニコチャンはいかんせん、骨が太かった。ダイエットのおかげで無駄な贅肉《ぜいにく》は減ったが、がっしりした肩幅や堂々たる腰骨《こしぼね》や頑健な大腿骨《だいたいこつ》まで削ることはできない。

そんなニコチャンが、ペラペラの小さな布でできたユニフォームを身に纏《まと》うと、肌の露出した部分がなんだかやけに多いように見えるのだった。しかもいまは、濡れて貼りついているときた。

岩場に打ちあげられた、太めの人魚じゃねえんだからよう、とニコチャンは恥ずかしい。せめてすね毛のお手入れぐらいしておくべきだったかな。ボーボーに繁《しげ》らせた脚を丸出しにした姿が、全国のお茶の間に届けられてしまうとは。

隣を走る選手の脚を、ちらっと眺めた。こいつのすね毛、見苦しくない程度にしか生えてねえな。生まれつき体毛が薄いのか、ちゃんと手入れしたのか、どっちだろう。そう考えた次の瞬間、ニコチャンは自分の隣を走る選手がいるという事実に驚いた。気づかぬうちに後続の選手に追いつかれ、抜かれようとしているのか？　ニコチャンは勢いよく隣を確認し、また顔の向きをまえに戻した。

隣を行くのは、東体大の選手だった。東体大は小田原中継所で、ニコチャンより十秒ほど早く襷《たすき》を受け取ったはずだ。追いつかれたんじゃない、俺が追いついたんだ。ニコチャンは腕時計を見て、自分がペースを保てていることを確認した。よし、とニコチャンは内心でうなずく。この東体大の選手を引き離すことはできるだろう。

しかし、前方には他大学の選手の姿は見えない。いったい自分が何番目を走っているのか、繰り上げぶんのタイムを加味すると、実質的にいま寛政大が何位なのか、まったくわからない。

濡れたユニフォームも問題じゃないぐらい、心もとない戦いだ。ニコチャンはそう思いながら、小田原の町に入った。沿道には応援の人々がひしめきあい、旗を振っている。そのなかに寛政大の幟《のぼり》を立て、なにごとか叫ぶ商店街のひとらしき顔があったが、周囲の喧噪《けんそう》といっしょくたになって、聞き取れなかった。情報は、五キロ地点で後ろの監督車からもらうしかないようだ。

ニコチャンはとりあえず、ペースを維持することと、宿敵・東体大を突き放すことに意識を集中させる。監督車に乗った大家だけでは、的確な情報をくれるかどうか不安なところだが、大家の背後には、寛政大の影の監督である清瀬がいる。いまこのときも、清瀬は情報収集に努め、ニコチャンの心を軽くする指示を出すよう、大家にアドバイスしてくれているはずだ。清瀬自身の出番も迫りつつあるというのに。

ニコチャンは、清瀬の監督としての能力を信頼していた。清瀬は寛政大のなかで、走に次ぐタイムを持つ選手だが、なによりも秀《ひい》でているのはやはり、ひとを見、ひとを配する目と手腕だろう。清瀬がいなかったら、箱根を目指そうなどと思いつくことも、本当にここまで来ることも、絶対にできなかった。

竹青荘の住人に対して、清瀬はたびたび強権を発動した。だが、走りに不慣れな住人たちを責めたりは決してしなかったし、それぞれの感情と誇りをないがしろにもしなかった。いつでも、住人たちの性格に添った形で、走りと自主的に向きあう方法を丁寧に伝えようとした。

一度、陸上で挫折《ざせつ》を味わったからこそ、清瀬は初心者がほとんどだった竹青荘の住人たちを導けたのだ。優しさと強さ、走ることへの確信と情熱を持って。ニコチャンには、それがちゃんとわかっていた。ニコチャンも、高校まで陸上競技に打ちこんだ経験があるからだ。

ニコチャンは大学に入ると同時に、陸上をきっぱりとやめた。走ることに希望を見いだせなかった。高校生だったころのニコチャンは、真剣に競技に取り組んだ。目標を立てて毎日毎日走りこむのは、苦しくて面倒でもあったが、走るという行為自体は好きだった。

だが、ニコチャンの体は大きくなり、骨は重くなった。どんなに走ることが好きでも、タイムで勝敗が決する競技であるかぎり、身体的な適性は必ずある。ニコチャンはもちろん、同年代のおおかたの男より速く長く走れたが、では長距離の選手として競技をつづけ、うえを目指せるかというと、どうも難しかった。難しいことが、高校三年生になると明らかになった。ニコチャンの骨格と、脂肪を蓄えやすい体質は、長距離には不向きだった。努力ではどうしようもないほどに。

大学で陸上部に入り、卒業後は実業団で活躍し、さらには世界を舞台に戦う。そんな選手が、いったい何人いるだろう。高みを目指せば目指すほど、天賦《てんぷ》の才《さい》を持つものの輝きがまぶしく感じられるようになる。自分の実力を把握できるだけの経験と練習を積んでいるからこそ、決してたどりつけない境地があることを思い知らされる。頑健に成長をつづける己れの体をまえに、ニコチャンは無力でむなしかった。

ニコチャンの不幸は、競技選手としてではなくても走りつづけていい、走ることが好きならば、それを楽しんでいいのだと、示してくれる指導者がいなかったことだ。まだ若く、ひたすら陸上に打ちこんできたからこそ、そのときのニコチャンには、選手として大成できないならすべては無意味だとしか思えなかった。ニコチャンは自分への失望を抱いて、陸上から遠ざかったのだった。

長い学生生活のあいだに、一人で生きる術《すべ》を得たし、陸上以外の経験も積んだ。そしてわかったのは、無意味なのも悪くない、ということだ。綺麗事《きれいごと》を言うつもりはない。走るからには、やはり勝たなければならないのだ。だが、勝利の形はさまざまだ。なにも、参加者のなかで一番いいタイムを出すことばかりが勝ちではない。生きるうえでの勝利の形など、どこにも明確に用意されていないのと同じように。

清瀬も似た考えを抱いていることが、ニコチャンを勇気づけた。高校生のころ、勝利への道はひとつだけだとがむしゃらに信じていた自分が、愛《いと》おしくも滑稽《こっけい》に思える。走りから距離を置くことによって大人になったニコチャンは、清瀬への共感と信頼を胸に、再び走る日々のなかに身を投じた。

清瀬は優秀な指揮官だ。ひとの痛みを知り、同時に、競技の世界の冷徹さも知っている。価値観のちがいをすべて飲みこみ、なおかつ強靭な精神力と情熱で、寄せ集めのチームを牽引《けんいん》してきた。

ハイジに情熱を与えつづけたのは、やはり走だ、とニコチャンは思う。清瀬は走を放っておけなかった。傷ついてなおきらめく、走の得がたい才能を。

すごいのは、二人のウマが合ったことだろう。ニコチャンは鼻筋を伝う雨の粒をぬぐった。走るという行為に限定せず、清瀬と走はあらゆる面において、お互いの存在に刺激を受けているようだ。ニコチャンにはそう見えた。相手の美点に心を揺さぶられたり、欠点に腹を立てたり。それはつまり、人間同士のつながりがちゃんとあるってことだ、とニコチャンは思う。友情とか愛情とか、そういうきれいで大切なものが、清瀬と走のあいだには確実にある。走りでも、心でも通じあえる。そんな二人が出会ったことを、ニコチャンは奇跡のようだと思うのだ。

清瀬と走のつながりとぶつかりあいを、ニコチャンはいつまでも見ていたかった。走るという行為がもたらした、とても貴い形をした人間のありかたを。

だからこの一年、ともに走ってきた。いまも全力で走っている。小田原の町を抜けたところで、東体大の選手はずるずると後退していった。酒匂川《さかわがわ》を越えたら、あとは海沿いの直線道路だ。まえを行く大学の姿を、はたしてとらえることができるか。

五キロ地点で、背後の監督車から大家の声が聞こえてきた。

「ニコちん、いまおまえは、十三番目を走っておる。三十秒差で、前方に甲府学院大《こうふがくいんだい》がいるはずだ」

七区を走る甲府学院大の選手は、たしか一万メートルのタイムが二十九分十秒台だったはずだ。ニコチャンよりも格段に走力がある。差を広げられないようにするのが精一杯というところだ。ニコチャンは耳をそばだてて、与えられる情報を分析する。

「なお、繰り上げタイムを加算した、寛政大の正味の順位は」

大家がマイクを通して声を張りあげた。「六区が終わった時点で、十六位！」

ユキが六区で区間二位の力走を見せたのに、まだ十六位か。ニコチャンは先行きを思い、気が遠くなった。だが、昨日の往路を十八位で終えたことを思えば、じりじりとながら再び順位を上げてはいる。ここで諦《あきら》めず、少しでもいいタイムで襷《たすき》をつないでいくしかない。

「ハイジからの伝言だ。『希望はあります。ペースを崩さないでください』。以上！」

了承の印に、ニコチャンは軽く右手をあげてみせた。そうだ、希望はある。寛政大が今回の箱根駅伝で優勝するのは、不可能だろう。すでに往路で十八位に沈み、復路の七区に至っても、めざましい躍進を見せられずにいる。だが、シード権のある十位以内を狙《ねら》うことは、まだできる位置だ。

十位以内を目指すのは、来年、無条件に箱根駅伝に出場したいからではない。十人だけで挑んだ戦いに、なんらかの形ではっきりとケリをつけたいからだ。選手がそろうかどうかもわからないチームが、シード権を獲《と》っても無意味だなどと、二度と言わせないためだ。

意味とか無意味とかじゃない。自分たちがしてきたことの証《あか》しと誇りのために、いまできるかぎりの走りを見せる。

熱のみなぎったニコチャンの腕が、降り注ぐ冬の雨を弾《はじ》いた。

八区を走るキングと、つきそいのムサは、平塚中継所にいた。ウォーミングアップを終えたキングは、中継所の周辺を走ったり、トイレに行ったりと、一所《ひとところ》にいようとしない。中継所にも、行く手の沿道にも、すでに見物客が詰めかけている。キングは緊張していた。

落ち着かないキングを、ムサは放っておくことにした。どんな言葉をかけても、キングは輪っかの玩具《おもちゃ》をまわしつづけるハムスターのように、うろうろと動くことをやめない。

まあ、疲れたらおとなしくなるでしょう。レース前に疲れるのは得策ではないけれど、キングさんの気のすむようにさせておくしかなさそうだ、とムサは判断した。キングは案外、繊細な神経を持っている。動きを無理に押しとどめたら、緊張が身の内に溜《た》まって爆発してしまうかもしれない。

そういうわけで、ムサは中継所の隅に広げたビニールシートに一人で座り、携帯テレビでレースの推移をチェックしていた。ユキの活躍に歓声を上げたムサは、いまはニコチャンの走りを見守っている。七区を行くニコチャンの姿を、画面はたまに映しだす。ニコチャンは現在、十キロ過ぎの二宮《にのみや》付近を走っていた。川にかかる橋のせいで、いくつもの細かいアップダウンがあるが、ニコチャンは視線をしっかりと前方に据え、堅実なフォームで脚を運んでいる。

キングはやっと、一時的に平静を取り戻せたらしい。走るのをやめ、ムサの隣に腰を下ろした。

「ニコチャン先輩はどんな調子だ？」

画面を覗《のぞ》くキングに、ムサは毛布を渡してやった。

「ペースは落ちていません。でも、甲府学院大との差は開いていってますね。相手が速いんです」

キングは毛布にくるまり、座ったままストレッチをはじめた。

「順位は」

「変わりません。甲府学院大の後ろ、東体大のまえを走っている位置ですから、見かけは十三番目ですが、総合タイムとしては十六位のままです」

「ああ……」

相槌《あいづち》だかため息だかわからぬ声を漏らし、キングはのばした膝《ひざ》に額をつけた。じっとしていると、不安で体が自然と震えてくる。

「ユキのやつ、すげえ走りだったなぁ」

キングは震えを振りきるように、明るい声を出した。

「そうですね。神童さんも喜んでいると思います」

ムサは微笑《ほほえ》んだ。二人はしばらく黙って、低い位置から目の前の風景をぼんやり見ていた。選手や係員や応援客が行き来する中継所は、縁日みたいに活気づいている。キングとムサのまわりだけ、音と時間から取り残されたように静かだ。緊張で満たされた水槽に隔離されている気がした。

二人の視界のなかに、ジャージを穿《は》いた脚が現れ、立ち止まった。そろって顔を上げると、東体大の榊《さかき》が見下ろしていた。

「どうやら寛政大学陸上部は、箱根はこれきりになりそうですね。来年度のメンバー不足を悩むまでもなくて、よかったと言えるかもしれない」

丁寧で静かな口調だからこそ、聞き流すことができなかった。キングは憤《いきどお》って立とうとしたが、ムサが毛布の端をつかんで止めた。榊も八区にエントリーされていた。出走を間近にして、わざわざ同じ区間を走るキングに話しかけてくる。ムサはそこに、榊の緊張とプレッシャーを感じ取ったのだった。

「まだわかりませんよ」

とムサは穏やかに返した。「東体大も、シード権を獲れるかどうか際《きわ》どいところですね」

「いまなんて、うちの大学より後ろを走ってるしなあ」

キングは榊に嫌味で応戦する。

「見かけだけのことです。それに、八区で俺が抜き返してやりますよ」

榊の言葉には、強い決意がこもっていた。「あなただけじゃない、まえを行く大学を何校だって抜いてやる」

へーへー、頑張って。キングは内心でつぶやき、

「なんだっておまえ、そんなに力が入っちゃってんの？」

と口に出して尋ねた。榊の眉《まゆ》が、壊れたワイパーみたいに跳ねあがった。

「力が入るに決まってるでしょう。これは箱根駅伝ですよ。俺はこの大会に出ることを目指して、ずっと走ってきたんだ。中学のころからです！　チャラチャラと遊びで走っ

てるあなたたちには、わかんないかもしれませんけど」

「遊びでは走れませんよ」

きっぱりと言いきったムサが急に立ちあがったので、キングはびっくりした。ムサは榊に対峙《たいじ》し、言葉をつづけた。

「こんなに苦しい遊びがあるわけない。榊さんはそれをよくご存じのはずなのに、なぜ私たちに喧嘩《けんか》を売るのですか？　キングさんはもうすぐ出番です。苛立《いらだ》たせるようなことは、言わないでもらいたい」

かっこいいなあ、ムサ。キングは毛布にくるまったまま、頼もしい思いでムサを見上げた。

榊の後方には、控えにまわった東体大の上級生たちがいた。夏合宿のときは、寛政大のことなど上級生たちの目には入っていなかったようだが、さすがにいまはちがう。

「榊、なにやってる」と呼びかけてくる。キングたちに向きあって立つ榊を、心配しているのだ。だが榊は、振り返ろうとしない。

キングは急に、榊のことが気の毒になった。走をはじめとする寛政大のメンバーはもちろんのこと、東体大のチームメイトすら、榊にとってはライバルなのだろう。走りにすべてを捧《ささ》げ、走ることを一途《いちず》に愛するあまり、榊にはまわりの全部が敵なのだ。だれとも打ち解けず、馴《な》れあわず、ただ自分以外のランナーの順位やタイムばかりは気になる。

そんなふうにしか走りと向きあえない榊を、キングは哀れだと思った。毛布を脇《わき》によけ、キングはビニールシートから立ちあがった。

「なあ、おまえ楽しいか？　ずっと夢だった箱根駅伝に出られて、これから走るんだぞ。なのにおまえ、全然楽しそうじゃないのはなんでだ？」

「楽しい必要なんてありますか？」

榊は微塵《みじん》も揺らがなかった。「これはレースです」

「そうだけど、でもさ……」

どう伝えればいいのか、キングは考えた。「うちの主将の清瀬は、よく言ってるぜ。速いだけじゃだめだ。長距離の選手は、強くないといけない、って。それってたぶん、走ることを楽しめって意味じゃないかと、俺は思うんだ」

「甘いですね」

榊はまた眉を動かした。しかたのない、と幼児の泥遊びをたしなめるように。

「学生時代のいい思い出を作りたいなら、楽しめばいいでしょう。あなたたちには似合ってる。でも俺はちがいます。戦って戦って、競技に勝つ。そのために走るんだ。蔵原みたいに、弱いやつらにあわせて堕落するのは御免です」

「なんだと、こら！」

キングは感じたばかりの哀れみを早くも投げ捨てて怒鳴ったが、榊は言いたいことは言ったと満足そうに、さっさと立ち去った。

「ホントに腹立つやっちゃなあ」

歯嚙《はが》みするキングを、まあまあとムサがなだめる。

「榊さんの言うことにも、もっともな部分がありますよ」

「そりゃそうかもしれないけど、でもやっぱり腹立つから、走に電話だ！」

キングはジャージのポケットから携帯電話を取りだした。

走《かける》は軽いジョッグを終え、戸塚中継所に戻ってきたところだった。体もほぐれてきたし、ストレッチをしてからもう一走りすればちょうどいいかな、と考えていると、荷物番をしていたジョージが手招きする。

「走、電話鳴ってる」

預けておいた携帯をジョージから受け取り、表示をたしかめる。清瀬かと思ったらキングだ。

「はい」

どうかしましたか、と問うまえに、キングの大声が走の鼓膜を直撃した。

「走ー！　おまえ絶対、一番になれ！　あのムカつくガキを悔しがらせて、涙の海に沈めてやれ！　いいかわかったな！」

一方的にまくしたて、電話は切れた。通話口から、まわりにも声があふれでるほどの剣幕だった。

「なに、いまの」

「さあ……」

走とジョージは顔を見合わせる。

「あんなに興奮してるキングさんって、わりとめずらしいよね」

「早押しのクイズ番組に、テレビの外から参加してるときぐらいだな」

「あ、わかった」

ジョージは解答ボタンを押す真似《まね》をした。「東体大の榊が、八区を走るじゃない？　中継所で、きっとまたなにか言われたんだよ」

走にも、それが正解だと思えた。キングは怒りのあまり緊張を忘れられたようだからよかったものの、そこまで自分は榊に嫌われているのかと考えると、情けなくなってくる。

傷心を表情には出さなかったつもりなのに、ジョージは敏感に察したようだ。

「放っておけばいいって」

と、走の背中を軽く叩《たた》いた。「たしかに、走に一番になってほしいけどさ」

「もちろん、そうなるように走るつもりだけど……」

純粋に走を応援しているだけではなく、ジョージにはほかに含みがありそうだ。走がうかがい見ると、ジョージは照れくさそうに笑った。

「ハイジさんが大手町のゴールテープを切ったところで、葉菜ちゃんに告白しようと思うんだ。あー、待ち遠しい」

なるほど、と走はうなずいた。それでジョージは、さくさくとレースが展開することを望んでいるわけか。

「でもジョージ。ここからだとかなり急いでも、大手町でのゴールの瞬間にまにあうかどうか、微妙なところじゃないか」

「うっそ、マジで⁉」

「たぶん。毎年、テレビ中継を見てるけど、八区を走り終えた選手は、放映時間内に戸塚から大手町まで戻れていないことが多い」

「どうしよう！　俺、いまから大手町に向かってもいい？」

ジョージは恋のためなら、つきそいの役目も放棄する勢いだ。

「俺はいいけど、ハイジさんにばれて、血の海に沈められると思う」

「そうだよねえ」

ジョージは身をよじるようにして苦悩しはじめた。「やっぱり走に襷《たすき》リレーされるまで、ちゃんと見届けなきゃまずいよねえ。葉菜ちゃん、待っててくれるかなあ」

葉菜子なら言われるまでもなく、大手町に双子が来るのを、いつまでだって待つだろう。たとえ夜になろうと、大雪に埋もれようと。走はそう思ったが、「どうかな」と言うにとどめた。走もたいがい鈍感だけれど、ジョージの鈍さときたら、アルマジロの前進するさまを見るようにじれったい。この程度の意地悪をしてやってもいいだろう。

あまりにせせこましい意趣返しに、走が内心で己れを笑っているところへ、声をかけてくるものがいた。

「寛政大はいつも楽しそうだ」

振り返ると、六道大の藤岡が立っている。走とジョージのやりとりを聞いていたらしい。口もとには寂滅《じゃくめつ》の釈迦《シャカ》を思わせる微笑が浮かんでいた。つるつるに剃《そ》った頭部は、薄曇りの今日も変わらず輝いている。

「ちょっとちょっと、このひとって……！」

と、ジョージは走のジャージの袖《そで》を引っ張り、

「あけましておめでとうございます」

と走は挨拶《あいさつ》した。

「今年もよろしく、か？」

藤岡は少し茶化すように言い、「とうとうこのときが来たな」と、すぐに真剣な表情

になった。

「蔵原。俺は九区で区間新記録を出す」

堂々たる宣言に、走は一瞬気を呑《の》まれた。藤岡は、単に区間賞を獲《と》る、と言っているのではない。今大会で九区を走る選手の頂点に立つのみならず、箱根駅伝の歴史のなかで九区を走った、全選手の頂点に立つ、と言っているのだ。

区間新記録。それは箱根駅伝の歴史が積み重ねてきた、偉大なる記録を更新した証《あか》しだ。歴史への挑戦者の立場から、仰ぎ見られ、追い求められる超越者の立場へと転じる、大きな意味を持つものだ。特に九区の区間新記録は、ここ五年ほどは更新されていない。箱根を走る選手にとって、区間新記録の樹立はすなわち自身の栄光だった。

「俺は、藤岡さんのその記録を塗り替えてみせます」

昂然《こうぜん》と顔を上げ、走は言いきった。「藤岡さんが区間新記録保持者でいられるのは、たぶん十分ぐらいだと思います」

走の大胆すぎる宣戦布告に、さすがのジョージも驚きと畏《おそ》れを感じて身を震わせた。六道大の藤岡のほうが、どうしたって先に襷《たすき》を受け取り、走りだすことになる。藤岡が区間新記録を出したとしても、それは所詮《しょせん》、後発の俺が鶴見中継所に着くまでの「新記録」だ、と走は言い放ったのだ。

ジョージは、一歩も引かない二人をそっとうかがった。走も藤岡も、闘志とお互いの走りへの期待を目に宿していた。だれにも触れられず、割りこめない、矜持《きょうじ》と矜持のぶつかりあいがそこにはあった。

王者・六道大の藤岡一真《かずま》と、寄せ集め集団・寛政大のエース蔵原走。戸塚中継所にいた人々も、二人が噴きあげる気迫の炎に気づき、胸を高鳴らせた。

とうとう、このときが来た。箱根駅伝のフィナーレを飾るにふさわしい、走りの申し子たちの激突のときが来たのだ、と。


追うべきものの姿は見えず、急《せ》き立て食らいつこうとするものの靴音も聞こえない。ニコチャンは一人、海沿いの国道一号をひた走っていた。

見物客が沿道にひしめく。すぐ後ろには、監督車に乗った大家がいる。十五キロの地点では、寛政大のジャージを着て待ちかまえていた給水要員が、前後の選手とのタイム差を教えてくれた。それでもニコチャンは、一人だった。海風に千切れる歓声を励みに、「三分ちょいのペースを守れ」という清瀬の指示を脳髄に木霊《こだま》させて、黙々と走るしかなかった。

そうだ、このさびしさが長距離だ。ニコチャンは思う。星のない夜空の下を旅するような孤独と自由。限界まで上がった心拍数を、冷える間もなく発熱する汗に濡《ぬ》れた肌を、血流と連動する筋肉のうねりを、ニコチャン以外のだれも知ることができない。定められた道のりを走り抜け、定められた場所にたどりつくまで、だれに触れられることもなく、ニコチャンは一人、余人の理解が及ばぬ戦いをつづけなければならない。

俺はずっと忘れていた。忘れたふりをしてきた。こうして走ることの切なさと歓喜を。思い出させてくれたのは、再び味わえる場に導いてくれたのは、竹青荘の住人たちだ。かつて、陸上をやめたその瞬間から、俺はずっと待っていた。もう一度、機会が与えられることを。陸上に適さぬ俺の肉体を知ったうえで、走ることを愛する俺の魂を、求め、欲してくれる存在を。走ってもいいのだと言ってくれる声を。

これが選手としての最後の走りになると、ニコチャンはわかっていた。競技選手への道はニコチャンには開かれない。激しい練習についていき、なおかつこれ以上の成果を上げるのは、ニコチャンには難しい。

ニコチャンは選ばれなかったし、祝福されなかった。もしいるのだとするなら、陸上の神とでもいうべきものに。走を身近で見ていれば、いやでもわかる。走のように、選ばれ祝福されたランナーになりたいものだと、ニコチャンは心から願ったが、それは果たされるべくもない望みだ。

でも、まあいいじゃねえか、とニコチャンは思う。選ばれなくても、走りを愛することはできる。抑えがたく愛《いと》しいと感じる心のありようは、走るという行為がはらむ孤独と自由に似て、ニコチャンの内に燦然《さんぜん》と輝く。それを手に入れられたのだから、いつまでもそれは残るのだから、もういいのだ。いま自分にできるすべてを最後の走りにこめて、ずいぶん長くつづいた競技への物思いは、今日で終わる。

大磯駅前から国道一号を北にそれ、迂回路《うかいろ》に入った。残り一キロを切ったところで、ニコチャンは前方にはっきりと、中継車の姿を認めた。その陰に、ペースが落ちて後退した前橋工科大《まえばしこうかだい》の選手が垣間見《かいまみ》える。同時にニコチャンは、背後に迫るものの気配も感じた。振り向かずともわかる。東体大が追いあげてきたのだ。

心が逸《はや》ったが、ニコチャンはぐっと抑えた。二十キロを走ってきて、体力の消耗が激しい。あせるな。一キロ三分ちょいのペース。それをまだもう少し保たなければ。仕掛けるのは、ラスト三百メートルだ。

ニコチャンは体感を信じた。星がなくても海を渡る鳥のように、正確にリズムを刻んで目的地である平塚中継所へ向かった。中継所からあふれたひとで、沿道の人垣がひときわ厚くなる。前橋工科大の選手は、完全に顎《あご》が上がっているようだ。ここだ、とニコチャンは直感した。

熱を持った筋肉に鞭《むち》打ってスパートをかけ、ニコチャンは猛追を開始する。東体大の選手が機をひとつにして、弾《はじ》かれたようにスピードを上げる。喉《のど》に薄く血の味がしたが、ニコチャンは全身の軋《きし》みと苦しみに耐えた。中継所のひとの群れが揺れ、キングがラインに飛びだしてきたのが見えた。前橋工科大の八区の選手、そして東体大の榊も、ラインに立った。三人は並んで、駆けこんでくるチームメイトに呼びかける。

ニコチャンは襷《たすき》をはずした。汗を吸いこみ湿ったそれを、命綱のように握りしめる。キングだけしか見えなかった。黒と銀のユニフォームだけを視界に入れて、ニコチャンは走った。

定められた場所。俺は、還《かえ》ってきたのだ。

「俺もやるぜ、ニコチャン先輩」

襷を渡されたキングが素早く囁《ささや》き、振り返らずに走りだす。ニコチャンは無言でうなずき、キングの背を押しやった。大手町のほうへ。

ムサが広げたベンチコートに倒れこみながら、ニコチャンはラップを刻む腕時計を止めた。タイムを競う世界を渡りきったニコチャンには、それはもう必要ないものだった。

ニコチャンの最後の戦績は、二十一・二キロを一時間〇六分二十一秒。区間十二位。

寛政大は平塚中継所を、十二番目で襷リレーした。前橋工科大はその四秒後に、東体大と同着で襷リレー。

ニコチャンの奮闘の甲斐《かい》あって、寛政大は繰り上げぶんのタイムを加算した実質的な順位も、十五位に上げた。東体大は、見かけでは寛政大に遅れを取っているものの、順位としては依然十三位のまま。トップ争いをする六道大と房総大も、房総大が首位を譲らず、六道大に一分半以上の差をつけている。三位の大和大は、六道大に遅れること三分。

上位校の順位に変動は起こるのか。接戦となった十位近辺の大学のなかで、シード権を獲得するのはどこなのか。不穏な静けさを秘めて膠着《こうちゃく》するタイム差は、戦いの行方をまだなにも語ろうとしなかった。

ニコチャンは中継所の隅に転がって、東の空を見上げていた。希望は潰《つい》えていない。キング、走、ハイジ。走ってくれ、大手町のゴールテープを目指して。俺たちは証明してみせるんだ。なにが俺たちを、ここまで走らせてきたのかを。

疲労は極限に達していたが、ニコチャンは結末を見届けるために身を起こした。黙ってそばについていたムサが、そっと肩に手を添えて助けた。荷物をまとめたムサとニコチャンは、興奮冷めやらぬ平塚中継所をあとにし、大手町へ向けて発《た》った。

出走する直前のキングに、電話をかけてきたハイジは言った。

「緊張してるか？」

「そういうこと、言わないでほしいんだよなあ。緊張してたのを思い出しちゃったぜ」

「それはすまない」

と清瀬は真面目《まじめ》な声音で謝った。「でもきみは、なにかにつけて緊張してるじゃないか。試験期間がはじまった、レポートの期限が迫ってる、バイトの面接が明日だ、絶対に見たいクイズ番組の録画に失敗するかもしれない。よくそんなに緊張の種を見つけられるものだと、俺はいつも感心してる」

「喧嘩《けんか》売ってんのか？」

「いいや。緊張がきみの常態なんだから、緊張してるからっていまさら騒ぐことはない、と言いたいだけだ」

やっぱり喧嘩を売ってるじゃないか。キングは文句を言おうとして、なぜか笑ってしまった。鶴見中継所にいる清瀬も笑顔だろうということが、見えもせず聞こえもしないのに、電波に乗って伝わってくる。

「なあ、ハイジ。おまえ就職活動してるか？」

「していたように見えるか」

「どうすんの？　やっぱ、おまえぐらいだと実業団とか行くのか？　それとも留年して、来年も箱根に出るのか？」

言いながらキングは、変なの、と思った。俺はなんで、寛政大が来年も箱根に出られると信じて疑わずにいるんだろう。「俺も留年するから、おまえもそうしろよ。そんでまた一緒に走ろうぜ」と言いたくてたまらないんだろう。

「先のことは全然考えてないし、考えられないな」

と清瀬は静かに言った。「箱根駅伝に出る。四年間、それだけを考えてきたから。もしかしたらこれは夢じゃないかと、いまも思ってるぐらいだ」

キングは淡く落胆した。心のどこかで、「もちろん来年も走る。きみもだよ、キング」と清瀬が言ってくれるのではないかと期待していたからだ。だがキングは、そういう自分の気持ちを表明したくなかった。

「あんなに大変な練習だったのに、夢だったら怒るぜ俺は」

「それもそうだな」

清瀬は含み笑い、すぐにいつもの淡々とした調子で、「キング」と呼びかけてきた。

「八区はきつい区間だ。追い抜かれることがあっても、気にするな。ポイントは十六キロ過ぎの遊行寺《ゆぎようじ》の坂。ここまでできるだけスタミナを温存してくれ」

「わかった」

「箱根が終わったら、きみの就職活動を手伝うよ」

「どうやって？」

「リクルートスーツを寝押ししたり、ワイシャツにアイロンをかけたり、さ」

「いらねえ。じゃあな」

携帯電話をムサに預け、キングはジャージを脱いだ。清瀬は「一緒に就職活動しよう」とも言わなかった。そのことがキングに、わずかに不吉を感じさせた。清瀬はまるで、今日をかぎりに未来がなくなると考えているみたいだ。

ユニフォーム姿になったキングは、二、三度強く首を振ってから空を見た。レースとともに西から流れてきた雲で、灰色に覆《おお》いつくされている。また雨が降りだしそうだ。キングはシューズの紐《ひも》をたしかめ、ムサと掌《てのひら》を打ちあわせてから、中継ラインに走り寄っていった。

ニコチャンから襷《たすき》を受け取ったキングは、走りはじめてすぐに、東体大の榊と前橋工科大の選手に追いつかれた。その二校は、平塚中継所であった寛政大との四秒の差を、瞬《また》く間に詰めてきた。

後ろにぴったりとついた二校を、キングは振り向いて確認した。前橋工科大の選手は、額に早くも大粒の汗を浮かべている。気温は二度。右手から弱い海風が吹きよせる。走りにくいほど暑いわけでも、走っているのに凍えるほど寒いわけでもない。こいつは体調が悪いのかもしれない、とキングは思った。

目下の敵は、やはり榊だ。榊は海風を避けるためか、前橋工科大の選手をちゃっかり盾《たて》にして、キングの左後方に位置取っている。キングを見返した榊の目には、明らかになぶる色があった。あなたのことなど、いつでも抜ける。さあ、どうします？　問いかけを装《よそお》い、道を明けろと無言で脅迫してくる。

もちろんキングは、榊に屈するつもりなどない。そのまま車線の真ん中を走っていると、榊は左側からキングを抜き去った。並ぶことなく、あっというまにキングのまえに出て、さらに引き離しにかかる。この野郎。キングも負けずにスピードを上げる。三キロ地点にある湘南《しょうなん》大橋を、榊を追って駆ける。前橋工科大の選手は、キングと榊についてこられない。荒い呼吸音がどんどん背中から遠ざかった。

キングは、スタミナを温存しろとハイジに言われていたことを忘れた。広く長い橋から、右手の大海原《おおうなばら》を眺める余裕もなかった。海は曇天のもと、相模川《さがみがわ》から流れこむ真水を拒絶して波立っていた。それを見ないキングの心も、榊への闘争心に逆巻《さかま》く。キングは、榊と自分の実力差を忘れた。

追っても追っても、榊との距離は開く。必死に食いつこうとして、キングの呼吸は乱れた。沿道から注がれる見物客の視線と歓声も、脳内でぼんやりと乱反射するばかりで現実感がない。榊の背中をにらみつけて、ひたすら走る。

キングはパニック状態にあった。レースという特殊な状況。キングを打ち負かすと宣言し、実際そのとおりの走りを見せる榊。すべてがキングにプレッシャーをかけ、混乱させ、正しい判断能力を奪っていった。

そんなキングを、清瀬が見過ごすはずはない。五キロ地点で、監督車から大家の声が響いた。

「キング、深呼吸をしろ。なにをそんなにあせってる。こらキング！」

キングは我に返り、意識して一度大きく息を吐いた。がちがちに肩を強張《こわば》らせていた力が抜けていった。キングは両腕をまわしてほぐし、リラックスしたことを大家に示した。

「おまえは五キロごとに、深呼吸したほうがいいな」

大家の声には、安堵《あんど》の響きがあった。「あんまり突っ込んでいくもんだから、ハイジがあわてて俺に電話してきたぞ」

清瀬の携帯に、沿道に配置した寛政大の学生から情報が入ったのだ。キングが脇目《わきめ》もふらず、設定タイムよりもずいぶん速く走っていることを聞き、清瀬は事態を察した。榊の挑発に乗ってはならない。キングの自滅を防ぐために、早いうちに冷静さを取り戻させねばならない、と。

監督が選手に声をかけられるのは、五キロごとに一分ずつだ。大家は早口に告げた。

「『大手町で会ったら、遊行寺の来歴を教えてほしい』とハイジが言っていた。聞こえたか?」

そうだ、遊行寺の坂。ハイジに注意されていたんだっけ。

もう大丈夫、という合図に、キングは再び両腕をまわしてみせた。速度を落とし、慎重に疲労の度合いを計る。榊の背中は、あいだに入った大会関係者の車でさえぎられて見えなくなり、やがては車そのものも小さくなった。だがキングは、自分のペースを把握し、着実に前進するよう努めた。本当に戦うべき相手を、思い出したからだ。

榊に負けてはならないのではない。挑発に軽々と乗って実力を見失う、自分の心に負けてはいけなかったんだ。

キングは小心であるがゆえに、プライドが高い。傷つけられることを恐れて、ひとと親しく交われない。そんな臆病《おくびょう》な本性を、だれかに知られることすら許せないから、表面上はひとづきあいのいい明るい人間を装う。

そのおかげで、一緒に騒げる友人は多いほうだったし、竹青荘の住人たちとも、仲良くやっていけていると思う。でも、悩みを打ち明けられる相手がいるかと問われれば、だれも浮かばない。キングが困ったときに、助けてくれるひとがいるかと問われれば、自信がない。

清瀬は、キングのプライドを傷つけたりはしない。たとえば八区を走っているのが双子やユキや走だったら、「いまからそんなペースで、遊行寺の坂を越えられると思うのか?」と、清瀬ははっきり言ったはずだ。

以前は、清瀬の気づかいに苛立《いらだ》たせられた。小心者のプライドを見透かされている耐えがたさと、気づかわれることへの喜びが同時に襲い、自己嫌悪《けんお》が募った。清瀬なら自分を受け入れてくれるかもしれない、と期待するのが怖かった。清瀬がキングを、「一番の友人」とは思っていないことが明白だからだ。

寛政大に入学した春、キングは学生課の掲示板の隅に、色あせた間取り図を見つけた。

破格の家賃に魅《ひ》かれて竹青荘を訪れたキングは、一年生がほかに二人いると聞いて、「ボロアパートに住むのもおもしろいかもしれない」と入居を決めた。同学年の二人とは、言うまでもなく清瀬とユキだ。

一階の部屋は、すでにすべて埋まっていたので、キングは二〇二号室に入った。二階の床が抜けるのを避けるため、なるべく一階から空室を埋めるようにしていたらしい。二階には、いまは神童の部屋である二〇五号室に、四年生が住んでいるだけだった。その四年生も、いまと変わらず一〇四号室に住んでいたニコチャンも、走の部屋の先住者である一〇三号室の二年生も、気のいい先輩だった。清瀬やユキとも、頻繁に会話を交わすようになった。キングは竹青荘の居心地がいいことに安心したが、やはりここでも、疎外感《そがいかん》はぬぐいきれなかった。

つかず離れず、無言で絶妙の距離を築く方法が、キングはどうしてもうまく体得できない。どこにいても、だれといても、いつも自分が浮いている気がする。角が立たぬよう愛想よく振る舞い、けれどだれにも心を開けない。弱みを見せずに見栄《みえ》を張る。そんなキングの内側には、もちろんだれも踏みこんでこようとしない。さびしいと感じるのは屈辱だから、愛想ばかりがますますよくなる。

竹青荘の住人たちには、それぞれ特に気の合う相手がいる。たとえば、清瀬と走。ユキとニコチャン。双子と王子。ムサと神童。約束したわけでも、示しあわせたわけでもないのに、なんとなくともにいる時間が多い相手。会話がなくても気にするふうでもなく、ひとつの部屋でお互いに好きなことをしていたりする。キングはそういう光景を、竹青荘のなかで何度も見かけた。

そこまで気心の知れた友人が、いまも昔もキングにはいない。キングは全員とまんべんなく楽しく過ごすが、それだけだ。

キングは自分が嫌いだった。嫌いだということだけはわかり、いまさら生きかたを変える術《すべ》はわからないままだ。

でも、走っているときはちがう。

駅伝は一人でも欠けたら成り立たない。求められていることを実感できるし、遠慮もプライドもかなぐり捨てて、支えあうことができる。だけど走るあいだは一人だから、他人の思惑や人間関係のしがらみから解き放たれて、自分の心と向きあえもする。

走っているときだけは、明るく調子よく振る舞う必要がまるでない。居場所を得ることに汲々《きゅうきゅう》とし、ひとからどう見られているのか気になる心を、ひたすら御《ぎょ》することに集中すればいい。

キングは浜須賀《はますか》の交差点を左折し、海沿いの道から離れて、藤沢《ふじさわ》方面へ北上をはじめた。左折したところが十キロ地点だ。背後で再び、大家がマイクを取った。

「いいペースだぞ。ハイジも、『キングはうまくリズムを立て直しましたね』と言って

いた。現在、東体大との差は三十秒ある。こいつのことは、もう気にするな。それより
も、後方から帝東大が追いあげてきているらしい。注意しつつ、いまのペースで進め。以上」

聞こえた印に、両腕をまわした。五キロごとに、大家が律儀《りちぎ》に声をかけてくるのは、清瀬の意向が働いているためだろう。「きみをちゃんと見ている」と、大家を通して清瀬はキングに告げる。だから安心して走っていいんだ、と。

勝てねえなあ。キングは思う。俺はハイジには勝てない。

藤沢警察署の脇を通りすぎるあたりから、雨が降ってきた。沿道の見物客は傘を差そうともせず、箱根駅伝の小旗を振って応援する。紙製の旗は、静かな霧雨のかわりに、揺れるたびパタパタと音を立てる。音は重なりあい、キングの前進にあわせて波のようにうねりながらついてくる。

沿道にひしめく、見知らぬ人々の顔をキングは見た。これから先、途切れることなく大手町までつらなるだろう人垣。励まし、まえへうながすひとの声。

藤沢駅前を避け、さらに北東へ進むと、内陸部にのびる国道一号にぶつかる。キングは十五キロ地点で、雨合羽《あまがっぱ》を着た給水要員からボトルを受け取った。初春の雨に、肌の内も外も湿っている。それでも心を落ち着かせるために、気持ちばかり水分を口にした。

「『勝負どころだ。解答ボタンの用意はいいか？』。以上、ハイジからの伝言」

と大家が言った。道端にボトルを投げ捨て、キングは両腕をまわして体の力を抜く。

十六キロ過ぎ、遊行寺の坂が見えてきた。

クイズ好きのキングは、もちろん遊行寺についての雑学も仕入れ済みだ。

遊行寺は時宗《じしゅう》の総本山だ。正式名称は、藤沢山無量光院清浄光寺《とうたくさんむりょうこういんしょうじょうこうじ》という。鎌倉時代に呑海上人《どんかいしょうにん》が遊行寺を建てて以来、藤沢は門前町として栄えた。

寺の由来を自分がちゃんと覚えていることに、キングは満足する。思い出せるだけの、精神的余裕があることにも。ハイジ、待ってろよ。大手町でレクチャーしてやるからな。

江戸時代には、江《え》ノ島《しま》の弁天さまにお参りした人々が、藤沢宿を通り、この坂を上って遊行寺にも詣《もう》でた。当時の景色の名残を、道はうっすらと残している。枝を張った大木は常緑の葉に雨を受け止め、走るキングを守るかのようだ。

それにしても、なんてきつい坂なんだ。文字で得た知識と、実際に走るのとはおおちがいじゃないか。江戸時代のやつらは、ホントにこんな坂を上ったのか？

キングはだんだん顎《あご》が上がってきた。坂自体は、一キロもない程度の長さだ。見た目にはそれほど傾斜もしていない。車で通ったら、「坂なんてあったかな」と首をかしげるぐらい、あっという間に上りきってしまうだろう。だが、十六キロを走ってきたキングにとっては、遊行寺の坂は箱根の山ほどにも感じられた。

脚が重かった。アスファルトが泥に変わりでもしたのかと、思わず地面をたしかめる。

榊に煽《あお》られたツケがまわってきたらしく、道の起伏に応じた走りの切り替えがうまくいかない。背後から、見物客が振る旗のうねる音が迫ってくる。帝東大の選手が追いついてきたのだろう。

負けるもんか。ひきつるように呼吸をし、なりふりかまわず手足を振って進んだ。

ハイジ。夢じゃないかと思う、っておまえは言った。俺は本当は、これが夢ならいいと思ってるんだ。

最初はみんな、おまえに引きずられて走りはじめただけだった。俺も調子に乗って、「箱根駅伝？　よくわかんないけど、いいんじゃねえ」って、軽い気持ちでうなずいただけだった。一人だけ、取り残されるのがいやだったから。竹青荘のなかで、これ以上浮いてる存在になりたくなかったから。

だけど、いまはちがう。箱根駅伝はもう、ハイジ一人の夢じゃない。俺たち全員の夢になった。俺は走るのがおもしろくて、つらくても楽しくて。おまえらと同じものを目指すのが、クイズの早押しと同じぐらいドキドキして……、だから走るんだ。

俺はこんなに、だれかと濃密に過ごせたことはなかった。一緒に、心から笑ったり怒ったりしたことはなかった。たぶんこれからもないだろう。ずっとあとになって、俺はきっと、この一年を懐《なつ》かしく切なく思い返す。

俺はなあ、ハイジ。これが夢であってほしいと思うんだ。

二度と覚めたくないほどいい夢だから、ずっとたゆたっていたいと思ってるんだよ。

「六道大学は、箱根で優勝することを定めづけられている」

藤岡は静かに言った。キングが八区を走り終える二十分前のことだ。戸塚中継所の奥に敷かれたビニールシートに、走は藤岡と並んで座っていた。

「選手のレベルだけではない。見込みのあるランナーを探しだすために、全国の中学と高校に張りめぐらされた人脈。効果的なトレーニングを積むための施設と、優秀な指導者。それらを維持するための豊富な資金力。すべてにおいて、六道大学は王者であり、勝って当然の星のもとにある」

誇るわけでもなく、藤岡は訥々《とつとつ》と言葉をつづける。走は納得した。いま座っているビニールシートも、六道大の陣地だ。藤岡には五人もの後輩がつきそって、出走までの世話をあれこれとする。花見の場所取りのように、ひとでごった返す中継所に陣地を確保したのも、その後輩たちだ。走は藤岡に誘われ、そこにお邪魔しているのだった。

つきそいの五人は藤岡に遠慮して、シートから少し離れたところに立っていた。ジョージも藤岡の威厳に腰が引けたのか、藤岡の世話係たちとともにいる。時折心配そうに、走のほうをちらちら見るが、近づいてはこない。

箱根の王者・六道大のなかの、真の王者が藤岡だ。中継所に詰めかけた見物客すらも、藤岡を畏《おそ》れ敬うように遠巻きにする。嵐《あらし》の夜にも泰然と大海原に浮かぶ巨大空母みたいに、ビニールシートのうえだけは人混みとも喧噪《けんそう》とも無縁だった。

「優勝して当然なんて、苦しくないですか」

と、走は尋ねた。

「苦しくはない。ひとは苦しみに慣れる」

藤岡は、瞑想《めいそう》するように目を閉じた。「だが……、重い。俺は四年間、その重みに耐え、重みを糧《かて》に走った。より強くなるために」

仙台城西高《せんだいじょうせいこう》にいたなら、蔵原にもわかるんじゃないか。そう問われ、走は首を振る。いくら全国大会での優勝経験がある高校だからといって、箱根の常勝校とは比べものにならないだろう。走りのレベルも、周囲からのプレッシャーも。走にはうかがいしれない重荷を抱え、藤岡は走る世界に身を置いている。

「俺は六道大を、勝利に導かなければならない」

藤岡はビニールシートから立ちあがり、ジャージを脱いだ。すぐに後輩が駆け寄ってきて、うやうやしさすら感じさせる手つきで、ジャージを受け取る。

房総大は八区の二十キロ地点で、未《いま》だトップを走りつづけていた。六道大は追いあげてはいるが、その差は一分ある。

「同時に自分自身と、蔵原、おまえに勝つ」

「俺も、俺自身と藤岡さんとに勝ってみせます」

走も立って、藤岡と真っ正面から向きあった。藤岡は、ふっと息をもらした。笑ったようだった。軽くうなずいた藤岡は、中継ラインへ歩みかけ、なにか思い立ったのか走を振り返った。

「清瀬と俺が、高校でチームメイトだったのは言っただろう」

「はい」

「六道大からは、清瀬にも声がかかった。俺は、大学でも清瀬とともに走れることを、楽しみにしていた。だがあいつは断って、一般入試で寛政大に入学した」

そうだったのか。六道大に陸上推薦で入れるなんて、高校生ランナーの憧《あこが》れといってもいいことなのに。走は、昨夜東海道線のなかで聞いた清瀬の話を思い起こした。

ハイジさん。あなたは俺を、「魂の底から走ることを追求している」と言ってくれたけど、それはあなただ。あなたのことだよ。

熱い思いがこみあげ、唇を嚙《か》みしめた走に、藤岡は言った。

「蔵原。清瀬が選び取ったものがなんなのかを、俺に見せてくれ」

「必ず」

と走は答えた。

午前十一時十三分四十五秒。六道大の藤岡は襷《たすき》を手に、一位で戸塚中継所から走りだした。六道大の復路逆転、総合優勝への期待を、一身に担《にな》って。首位を行く房総大との差は、五十八秒。

箱根駅伝は、復路九区に突入した。

藤岡の背中を見送った走は、自分が緊張していることに気づいた。レース前の高揚感に変えようとしても、指先が震える。

ジョージが携帯テレビを手に、やっと走のそばに戻ってきた。

「キングさんは、東体大の榊に追いつけなさそうだよ。それどころか、帝東大に抜かれちゃうかも」

大丈夫だ、俺が抜きかえす。そう言おうとして、声が喉《のど》に詰まった。走は気取られぬように、細く長く息を吐いた。

「ちょっとハイジさんに電話する」

と走は言った。ジョージは、走が清瀬の脚を心配していると解釈したらしい。「うん」と言って、携帯テレビの画面に視線を落とす。走はさりげなくジョージから離れ、清瀬の番号を呼びだした。

「はい、清瀬」

ワンコールもしないうちに、清瀬と通話がつながった。

「ハイジさん」

と呼びかける声がなさけなくかすれ、走は咳払《せきばら》いする。

「めずらしい。弱気になってるのか」

からかうように清瀬が言った。それで少し、走は平常心を取り戻した。

「いえ、脚の具合はどうかと思って……」

「痛み止めも効いて、好調だ」

清瀬の声は揺るぎなく、走の耳に心地よく届く。「中継所で、藤岡と会ったか？」

「はい。いろいろ話しました。それで俺、たしかにちょっと弱気になったみたいだ」

「ばかだなあ、走」

清瀬は笑った。「俺は藤岡のこともよく知っている。そのうえで断言するが、きみはすごいランナーだ。これからもっと速く、もっと強くなれる」

「いまはまだ、藤岡さんに勝てないってことですか？」

弱気をぬぐいきれていなかったので、走は不安になって思わず聞いた。

「記録会やインカレに出るのを、きみがいやがったことがあったな。そのときに俺が言ったこと、覚えてるか？」

「『強くなれ』って、ハイジさんは言いました」

「そのあとだ」

「そのあと……」

なんだっただろう、と走は記憶をたどった。清瀬はさっさと答えを告げた。

『きみを信じる』と俺は言ったんだ。思い出したか？」

そうだ。東体大の記録会をまえに、俺は怖《お》じ気《け》づいていた。陸上強豪校に入った榊に、負けるんじゃないかと怖かった。暴力沙汰《ざた》を起こした選手だ、と後ろ指を指されるかもしれない。俺の本性がばれたら、ようやく見つけた居心地のいい場所から、追い払われてしまうかもしれない。一緒に寝起きし、練習し、仲良くなりつつあった竹青荘の住人たちに、嫌われてしまうかもしれない。そういうすべてが、怖かったんだ。

でもハイジさんは言ってくれた。俺を信じると言ってくれた。俺はそれで、記録会に出ようと決意できたし、強さってなんだろうと考えるようになった。

「思い出しました」

と走は言った。

清瀬は、「実は」と厳《おごそ》かに切りだした。

「あれは嘘《うそ》だった」

「はい!?」

走が奇声に近い声を発したので、ジョージが驚いて顔を上げた。通話口の向こうで、清瀬がわざわざ繰り返す。

「きみを信じると言ったのは、嘘だったんだ」

走は泣きたくなった。

「そんなあんた、いまさら……」

「しかたないだろう」

清瀬はため息をついた。「知りあってまだ一カ月ぐらいだったんだ。きみが信ずるに足る人間かどうかなんて、わかりようがない。だが、ああでも言わなければ、きみは公式の記録会にも試合にも、出ないままでいそうだったから。苦肉の策ってやつだな」

聞いているうちに、走は清瀬の言わんとするところがわかってきた。

「じゃあ、いまはどうですか？」

期待と不安で、声がうわずらないようにするのが精一杯だ。言ってくれ。俺を信じると、今度こそ本当に。蔵原走は、だれよりも強く速いランナーだと、藤岡に負けるはずがないと、言ってくれ。

「一年間、きみの走る姿を見て、きみと過ごしたいまは……」

清瀬の声は澄んで深い湖のように、走の心のなかで静かに潤《うるお》う。「きみに対する思いを、『信じる』なんて言葉では言い表せない。信じる、信じないじゃない。ただ、きみなんだ。走、俺にとっての最高のランナーは、きみしかいない」

ああ。走の胸は歓喜に満ちた。このひとは俺に、かけがえのないものをくれた。きらきらと永遠に輝く、とても大切なものをいま、俺にくれたんだ。

「ハイジさん……」

ありがとうございました。あの春の夜、俺を追ってきてくれて。俺を真実の意味での走りへ導き、俺を信頼し、まるごとひっくるめた俺自身を認めてくれて。

走はそう言おうとして、できなかった。心にあふれたこの思いは、言葉で伝えきれるものではない。

しばし落ちた沈黙から、清瀬は走の内心を鋭敏に察したらしい。

「礼を言うにはまだ早いぞ」

「すぐに行きます。待っててください」

「転ぶなよ」

と清瀬は言った。楽しそうだ。

午前十一時二十分。走は通話を終えた携帯電話をジョージに預け、ジャージを脱いだ。寛政大のユニフォーム姿になって、軽くストレッチをする。霧雨が、降るとも漂うともつかず、周囲を煙らせはじめた。ユニフォームの銀色のラインが濡《ぬ》れて光る。そのあいだにも、八区の選手が続々と戸塚中継所に到着し、襷《たすき》を受け取った九区の選手が走りだしていく。

午前十一時二十三分。係員の呼びだしに応じ、走は中継ラインに近づいた。荷物を抱え、ジョージが緊張の面もちでついてきた。

「ジョージ、俺も勝田さんが好きだ」

　とうとう葉菜子への気持ちを口にしたが、それで世界が変わるわけでもない。「でも、ジョージが勝田さんとうまくいくといい、と思ってるのも、本当なんだよ」

　走の突然の宣言に驚いたらしく、ジョージは目をまんまるにしていたが、すぐに笑顔になった。

「大手町で抜け駆けしないでよ、走」

「しないよ」

　と走も笑った。手を振るジョージにひとつうなずき、走は中継ラインへ出ようとした。東体大の榊がちょうど八区を走り終え、襷を渡して脇《わき》によけてきたところだった。走と榊はすれちがった。

「無駄だよ、蔵原。寛政大はもう終わりだ」

　榊は走の耳もとで囁《ささや》く。八区で寛政大を含めて四校を抜き、チームを十位に押しあげた自信がそう言わせたのだろう。榊のタイムは一時間〇六分三十八秒で、区間五位だった。

　走はちらりと藤沢の方向を確認した。甲府学院大、あけぼの大が中継所に走りこんでくる。その後方で、キングが走っていた。帝東大に追撃され、中継所を目前にして抜かれてしまったところだ。それでもキングは遅れを取るまいと、中継所に向かって、走に向かって、懸命に走っていた。

「終わるわけがない」

榊の目を見て、走ははっきりと言った。榊。おまえは身勝手にすべてを終わらせた俺を、試合のこともチームメイトのことも考えなかった高校時代の俺を、許せないんだろう。いまさら謝ったって意味がないし、俺も謝りたくない。本当にまちがっていたとは、どうしても思えないから。

だけど、あのときとはちがう方法を見つけたんだ。俺の心を、意志を表すための、暴力ではない方法を。

見ていてほしい、と走は言いたかった。榊に対して、そんな都合のいい頼みを言えるわけがないと、わかってもいた。だから決意をこめて告げるだけで、ゆっくりと榊から離れる。

「俺はもう、絶対に終わらせたりしない」

中継ラインに立った。帝東大が、すぐ横で襷リレーする。

「キングさん」

走は右手を高くあげた。霧のなかに灯火を掲げるように。襷を持った手を、キングがのばす。

「すまねえ、走」

荒い息に混じって、キングは囁いた。走の右手に、襷《たすき》を強く握らせる。汗と雨で湿ったキングの拳《こぶし》に、走は一瞬、そっと左手をのせた。謝る必要なんてありませんよ、キングさん。

キングは八区、二十一・三キロを走り抜いた。東体大の榊に遅れること、ちょうど一分。タイムは一時間〇七分四十二秒で、区間十位だった。

寛政大は現在、十四番目。実質的な順位は十六位。シード権獲得圏内にいる十位の東体大とは、総合タイムで二分五十三秒の差がある。この差をゼロにし、さらに一秒でも速いタイムを出さなければならない。

午前十一時二十四分二十九秒。希望の襷を託された走が、戸塚中継所から走り去っていった。

沿道で応援する人々も、中継映像をテレビで眺める人々も、実況するアナウンサーと解説者の谷中も、九区の首位争いに目を奪われていた。

トップを走る房総大と、それを五十八秒差で追う六道大。このまま逃げきりたい房総大と、首位を奪還して王者の実力を示したい六道大。「復路のエース区間」「裏の二区」と言われる九区に、両校とも主将をエントリーした。こうなるともう、意地と意地とのぶつかりあいだ。

房総大の主将、四年の沢地《さわち》は、首位に立っているからといって、気のゆるみなど微塵《みじん》も見せない。最初の一キロを二分四十六秒というハイペースで入った。六道大の藤岡からは、前方を走る沢地の姿をまだ見ることができない。藤岡は感情をうかがわせぬ表情で、黙々と脚を運ぶ。こちらも、最初の一キロを二分四十八秒。どちらが先に体力を使い果たし、ペースを落とすのか。それとも、両者ともハイペースのままレースが展開するのか。キャプテン対決に注目が集まった。

「お互いの姿は見えていないのに、両者は示しあわせたように強気のペースで、最初の一キロを通過しています」

アナウンサーは興奮の色を隠せない。「これはすごい戦いになりそうですね、谷中さん」

「沢地くんも藤岡くんも、キャプテンの名に恥じぬ走りを見せています。ただ、映像を見るかぎりでは、藤岡くんのほうに余裕があるようですね。あるいは横浜駅あたりで、順位に変動があるかもしれません」

そこへ、中継カメラを積んだ二号車からの映像が入った。

「おっと、これは？　四位の西京大《さいきょうだい》ですが、その後方に、喜久井《きくい》、真中、北関東大《きたかんとうだい》が迫っていますね」

「はい、四校が四位集団を形成しようとしています！」

と答えたのは、二号車に乗った中継アナウンサーだ。「真中、北関東の両選手は、最初の一キロを二分四十秒で入りました。ものすごい追いあげを見せ、西京、喜久井にどんどん近づいてきています」

「ということは」

谷中とともにスタジオにいるメインアナウンサーが、状況を整理する。「現在、房総大と六道大がトップ争い。大和大が、六道に遅れること五分少々で三位。大和大の一分後に襷《たすき》リレーした四位の西京大が、後続の喜久井、真中、北関東大の集団に吸収されかかっている、というわけですね」

「復路も後半になって、動きが再び激しくなりそうですね」

谷中は身を乗りだしてモニターに見入る。そこへ今度は、現在八位を行く動地《どうち》堂大《どうだい》についた三号車から、中継映像が送られてきた。

「こちら三号車です。動地堂の背後に、九位の横浜大《よこはまだい》の姿が、早くも見えてきました！横浜大の一キロの入りは、二分四十三秒。戸塚で横浜大の二秒後に襷リレーした、十位の東体大は引き離された模様です」

「いやはや、どの選手も怒濤《どとう》の走りを見せています」

メインアナウンサーは、感心を通りこしてあきれたような声になった。九区は二十三キロある長丁場だというのに、最初から二分四十秒台で突っ込んでいく。ペース配分を度外視した、無謀な走りだ。

「これはいったい、どういうことでしょうか谷中さん」

「横浜大、東体大は、シード権獲得圏内ぎりぎりの順位ですからね。必死にもなるでしょう。九区の最初の三キロは下りですから、スピードも出やすい。ただ、ハイペースで入ったために、あとでリズムを作れない選手が出てくるかもしれません」

「順位の変動がはじまりつつありますが、揺り戻しもあるかもしれない、ということですね」

メインアナウンサーは、モニターを覗《のぞ》きこんだ。「おや、雪ですか？　また、雪がちらつきだしたようです」

三台の中継車ではフォローしきれぬ下位チームには、機動力のある中継バイクがついている。その中継バイクからの映像が入ってきたのは、ちょうど粉雪が舞いはじめたときだった。

「こちら中継バイクです。現在、十三番目を走る寛政大についているのですが、大変なスピードです。一キロの通過タイムが、二分四十二秒！」

雪だ。視界を乱舞する、灰のような細かい欠片《かけら》に気づき、走はぼんやりと思った。さっきまでは霧雨だったのに、いつのまに雪に変わったんだろう。どうりで寒いはずだ。

箱根では雪だったとはいえ、戸塚を過ぎた平野部のこのあたりで、また降りはじめるとは予想していなかった。走は長袖《ながそで》やアームウォーマーを着用していない。もっと温かい恰好《かっこう》をすればよかったな、とちらりと考えたが、すぐに忘れた。正面から受ける寒風を跳ね返すほど、体内が燃焼しはじめたからだ。

七秒差で先行していた帝東大の選手のことは、戸塚中継所を出て四百メートルも行かないうちに抜いた。いま、十三番目。東体大とのタイム差や実質的な順位を、思いわずらったところで情報はない。ただ走るだけ。一秒でも早く鶴見中継所に行く。それだけだ。

走はゆるやかな下り坂に乗じて、最初の一キロを疾走した。腕時計でラップをたしかめる必要は感じなかった。たしかめずとも、自分がこれまでになく走れていることがわかる。関節の可動はなめらかだ。血流は遅滞なく全身に酸素を行き渡らせる。それほど力をこめているとも思えないのに、脚は次々に地を蹴《け》って、足裏と接する路面の感触を伝える。

調子はすこぶるいい。だが走の心は凪《な》いでいた。未来を映す魔法の水盤みたいに、波ひとつ立たず静謐《せいひつ》に澄み渡っている。

どうしたんだろう。もしかして俺は、闘志を失ってしまってるんじゃないか。走はふいに不安になった。リズムに乗っていると感じるのは錯覚で、本当はとんでもなく遅いペースで走ってるんじゃないか。はじめて腕時計を見る。二キロを五分三十秒。やはり悪くない。だけどもしかしたら、時計が壊れているのかもしれない。そうだったら、どうしよう。

　動揺したせいで、少し呼吸が乱れる。その途端、沿道からの声援が耳に押し寄せてきた。ガードレールに沿って、はるか彼方《かなた》までひとの壁が延々と築かれている。見物渋滞した対向車線の、車列のなかからも走に視線が注がれている。わざわざ車の窓を開け、声をかけてくれるひともいた。

　斜め前方から、中継バイクのカメラを向けられていることに気づく。俺を映すってことは、いいペースで走れているんだ。ようやく確信が持てた走は、再び安定を取り戻した。

　三キロ地点手前で、最初のアップダウンがある。分岐した道がゆるやかなアーチを描いて山側を通り、また本線に合流する。走の体は短い上り坂にも自然に対応した。走るリズムだけが、走のすべてを支配し、動かす。

　周囲の景色と喧噪《けんそう》が、また徐々に意識から離脱していく。目に入る景色を、景色としてうまく認識できない。ピントの合いすぎた写真としか思えないほど平板だ。屋内プールにいるみたいに、音が遠くで反響する。熱を宿した皮膚は、なにかに包まれているかのようだ。舞う雪が触れても、夢のなかに似てまるで温度を感じない。

純度の高い集中が、走の心身に不思議な平穏と無感覚をもたらしつつあった。だが走は、そのことをまだ自覚できていなかった。

走の状態にいちはやく気づいたのは、もちろん清瀬だ。清瀬は王子とともに、鶴見中継所で携帯電話の液晶画面に見入っていた。

中継バイクから送られた映像は、やや乱れながらも走の力走を伝える。ぶれも歪《ゆが》みもない、完璧《かんぺき》なフォーム。そこから繰りだされる強さと速さが、「走りとはこういうものだ」と見るものに告げている。

「うつくしいな」

清瀬はつぶやいた。魔物に魅入られたように陶然とする清瀬の横顔に、王子はちらりと視線を向ける。

「こんな走りを見せられたら、いやになりますよ」

王子はやるせなく笑った。「なんだかむなしい」

その気持ちは、清瀬にもよくわかった。完全なる美と力をまえにして、できることは無に等しい。それを思い知らされるのはつらい。つらいけれど、見つめ、求めずにはいられない。むなしいと言い表すほかにない葛藤《かっとう》が、たしかに心に生じる。

「努力ですべてがなんとかなると思うのは、傲慢《ごうまん》だということだな」

王子をなだめ、励ますように清瀬は言った。自分自身に言いきかせる言葉でもあった。

「陸上はそれほど甘くない。だが、目指すべき場所はひとつじゃないさ」

物理的に同じ道を走っても、たどりつく場所はそれぞれちがう。どこかにある自分のためのゴール地点を、探して走る。考え、迷い、まちがえてはやり直す。

もしも答えが、到達するところが、ひとつだったなら。長距離に、これほどまで魅惑されはしなかっただろう。走の走りを見てむなしいと感じ、それでもまだ走りたいと願うことなど、到底できないだろう。

完璧な走りを体現する走も。それを見て静かな喜びと闘志を瞳に湛《たた》える清瀬も。二人のレベルにはとても追いつけずとも、最後まで走り通した王子も。長距離の世界において、だれもが等価で、平等な地平に立っている。

「そうですね」

と、王子はうなずいた。諦《あきら》めに似た充足感が、王子の胸に生じる。しばし黙って、清瀬と王子は画面のなかの走を見ていた。しんみりした雰囲気を打ち壊すタイミングで、清瀬の携帯に大家からの着信があった。

「ハイジハイジ、どうして連絡してこない？」

大家はあせっているようだ。「もうすぐ五キロ地点だぞ。走になんと指示を出せばいい？」

「なにも。声をかけないでください」

「しかし走は、沿道の声援にもまるで反応を示さないんだ。レースのプレッシャーに呑《の》まれて、ぼんやりしてるように見える」

「いいえ、逆ですよ」

清瀬は確信をもって答えた。「走はいま、極度に走りに集中しているんです。それを妨げてはいけません」

修行を積んだ僧が、座禅を組んで悟りをひらくように。単調なリズムで大地を踏んで、シャーマンがトランス状態になるように。走は、「走る」という慣れた行為を通して、次元のちがう境地へ至ろうとしている。

たるみなく張った細い糸を、切れる寸前までなお引き絞ろうとしているのがわかる。緊張と高揚が縁まで漲《みなぎ》った器に、あと一滴のなにかを投じようと、走は無心にひた走っている。

邪魔をしてはならない。だれも走に触れてはならない。いまは。

走《かける》は八キロ過ぎを走っていた。灰色の空の下、積もることのない雪が、わびしく絶え間なく眼前をよぎる。

片側一車線の、ゆるいカーブがつづく道。郊外の街道沿いには、二階建ての地味な商店が並ぶ。走はこういう風景が好きだった。さびれている、と言ってもいいほど、なんの変哲もないありふれた町。でも、ひとの生活するにおいがある。道のわずかな起伏はそのまま、そこを踏みしめて通った人々の歴史の刻印だ。

一キロ三分を切るペースで、走は権太坂《ごんたざか》を難なく上りきった。道端の常緑樹は、黒い影のように葉を繁《しげ》らせている。

正面に歩道橋が見えた。飾られた箱根駅伝の横断幕が、風をはらんでふくらんでいる。道の両側には見物客がひしめいているのに、歩道橋にはだれも立っていない。戴《いただ》くもののない王冠のように、道のうえに神妙に掲げられるばかりだ。

権太坂の頂上からは、坂の終わる地点まで見通せる。その下り坂の途中に、あけぼの大、甲府学院大、東体大の選手の姿を、走は認めた。頭の芯《しん》が熱くなる。獲物をまえにした肉食獣だ。しなやかな筋肉を伸縮させ、一息に、敏捷《びんしょう》に、走り寄る。

下りの勢いに乗って、走は一団に追いつき、追い越した。並んで様子を見るなどと、悠長なことをするつもりはなかった。一気につき離してこそ、相手のやる気を殺《そ》ぐことができる。

いくら走が抜いても、それは見かけの順番にすぎない。実質的なタイムでは、まだ寛政大は東体大に遅れを取っているはずだ。だが、そうと気づかせてはいけない。「あの走りには、どうしたってかなわない」と、ハッタリでもいいから知らしめることが有効だ。

権太坂の下りで一キロ二分四十秒まで加速したペースを、坂を下りきったところで再び一キロ二分五十五秒ペースに戻す。リズムに乗った走の体は、計算するまでもなく自然にそのペースを選択した。

三校を抜いて、十番目に浮上できた。走は頭の隅で考える。でも実質的な順位としては、シード権獲得圏内に食いこめていない。九区の残りは、あと十五キロ弱。十区の二十三キロと合わせても、寛政大に残された距離は四十キロに満たない。そのあいだに、タイム差をひっくり返せるか？

たりない。走はあせりと悔しさに歯噛《はが》みする。もっと距離があれば、もっと走りつづけることを許されれば、絶対に俺が抜いてやるのに。まえを行くチームをすべて抜いて、だれよりも速いタイムを叩《たた》きだしてやるのに。

そう思った走は、ふと笑ってしまった。

なんだか俺っていつも、永遠に走りたいと願ってないか？

ちらつく雪。かつてはそのなかを、一人で走った。高校のグラウンドでも、ジョッグをする河原でも、走はいつも一人だった。もちろんチームメイトはいたけれど、陸上について話しあうほど親しくはなれなかった。

走は、スピードとチームの連帯を重視する監督に逆らった。ひたすら自分自身と対話し、自分のペースで黙々と走りこむことを好んだ。それでもなお、卓越したスピードを見せる走を、チームメイトは遠巻きにした。蔵原は変人だから。蔵原は天才だから、と。

そうじゃない、と高校生の走は叫びたかった。俺に特別な才能があるわけじゃない。だれよりも練習しているから、いいタイムが出るだけのこと。俺は走りたいだけなんだ、と。

どうして監督の言うがままに、部内の規律にばかり気をまわし、練習で極限まで疲れたあとに、さらにたらたらと一時間もジョッグをしなければいけないのか。そんなやりかたには意味がない、と走は感じた。無茶な練習や根性論で、本当に速くなれるのか？とてもそうは思えない。だって、俺よりいいタイムを出すやつが、いつまでたっても現れないじゃないか。

監督や上級生に怒られないように、従順に「部活動」をこなすチームメイトが、走には理解できなかった。走はもっと自分の心身に正直に、走るという行為に没頭していたかった。

高校生のころ、走はさびしかった。走りに対する自分の姿勢や考えが、まちがっているとは思えない。周囲になにを言われようと、自分のやりかたを貫いた。だが走れば走るほど、走は一人になった。スピードは称賛と引き替えに、走からひととまじわる喜びを奪っていくものだった。

延々とつづく楕円《だえん》のトラック。走はそこに閉じこめられるのがいやだった。だが、逃げだすこともできない。走は高校に、陸上推薦で入学した。授業料は免除されている。走の両親は、息子が持つ陸上の才能に期待をかけている。逃げて、いったいどこへ行けるだろう。

そしてなによりも、走るという行為が、走をとらえて離さなかった。どんな称賛も一時のもの。走が走りに打ちこめば打ちこむだけ、孤立は深まる。それはわかっていたが、走りやめることはどうしてもできなかった。

チームメイトのやっかみと、足の引っ張りあい。強制される練習と規律。それらに抗《あらが》い、でもどこにも行けない。一人きりで、いつまで走りつづければいいのか、ゴールが見えない。閉塞感《へいそくかん》に息がつまりそうだった。

いまはちがう。胸にかかった寛政大の襷《たすき》に、走はそっと触れた。この一年で走は変わり、そして知った。

走りは、走を一人にするばかりではない。走りによって、だれかとつながることもできる。走るという行為は、一人でさびしく取り組むものだからこそ、本当の意味でだれかとつながり、結びつくだけの力を秘めている。

清瀬に会うまで、走は自分の持つ力に気づけていなかった。長距離とはどういう競技なのか、よくわからないまま走っていた。

走りとは力だ。スピードではなく、一人のままでだれかとつながれる強さだ。

ハイジさんが、それを俺に教えた。言葉をつくし、身をもって、竹青荘の住人たちに示した。好みも生きてきた環境もスピードもちがうもの同士が、走るというさびしい行為を通して、一瞬だけ触れあい、つながる喜び。

ハイジさんは、信じるという言葉ではたりないと言った。俺もそう思う。どんな言葉も嘘《うそ》になりそうなほど、ただ自然に湧《わ》きあがる全幅の信頼が胸のうちにある。自分以外のだれかを恃《たの》む尊さを、俺ははじめて知った。

走ることも、それに似ている。理由や動機は必要ない。ただ呼吸するのにも似た、俺が生きるために必要な行為だ。

走りはもう、走を傷つけない。走を排除したり、孤立させたりしない。走がすべてをかけて求めたものは、走を裏切らなかった。走るという行為は、走の思いに応《こた》えて強さを返した。呼べば振り向き、近づいてきてくれる大切な友人のように、走りは走のかたわらに寄り添う。征服し、ねじ伏せるべき敵としてではなく、いつまでもともにあり、走を支える力となって。

「見て、ハイジさん」

王子の携帯電話の画面には、横浜駅手前の様子が映しだされていた。六道大の藤岡が、房総大の沢地にとうとう追いつき、並ぶ間もなく抜き去っていく。アナウンサーが叫んでいる。

「藤岡くんが抜いた！　王者・六道大が、九区でついに首位に立ちました！」

十五キロ近くを走ったというのに、藤岡は一キロ三分ペースを維持している。沢地を

かわして首位に立ち、そのペースは衰えるどころか、ますます上がっていくようだ。

藤岡は九区の残りを独走して、鶴見中継所に来ることになるだろう。区間エントリー

が発表になった日から、六道大はずっと、この展開を予測していたはずだ。

房総大が主力選手を持ってくるのは、往路か復路か。六道大は、区間エントリーで藤

岡を補欠にまわし、房総大の出かたをじっくりと見きわめていた。そして、房総大が往

路に勝負をかける布陣だと見て取るや、当日のエントリー変更で藤岡を九区に入れた。

往路は房総大についていくことを第一とし、復路で巻き返して勝つ戦法を選んだのだ。

選手層の厚い六道大だからこそ、実行できた作戦だった。巻き返しの要《かなめ》となった、主

将の藤岡にかかるプレッシャーは、どれほどのものだっただろう。だが藤岡は、見事な

までに責務を果たそうとしている。王者とはどうあるべきかを、走りで示している。

「沢地はついていけないな」

清瀬は察した。藤岡が内心に期すものは、六道大の勝利だけではない、と。

「藤岡は区間新記録を狙《ねら》っている」

王子は思わず、画面を確認した。九区の区間記録は、五年前にやはり六道大の選手が出した、一時間〇九分〇二秒だ。画面の片隅に、そのときのラップと、藤岡のいまのタイムが並んで表示されている。たしかに藤岡は、区間記録とほぼ互角のペースを維持していた。

「え!?」

藤岡は淡々と走っているように見える。その藤岡の内部に、激しい闘争心があるとは。王子は驚いた。外見からは、とてもうかがうことができない。優勝だけでは飽きたらず、個人タイトルをも手中に収めようとする。なんという意欲。すがすがしいまでに徹底した、走りへの貪欲《どんよく》さだろう。

「藤岡に対抗できる選手は、走しかいない。後半、走にスパートをかけさせるためにも、情報が必要だ。王子、藤岡のタイムに注意してくれ」

清瀬はベンチコートを脱いで、王子に渡した。「俺はウォーミングアップしてくる」

走は横浜駅まで四キロと迫った。道は片側二車線になった。それにつれて、沿道の人垣も何重にもなり、車道に押しだされる見物客もいるほどだった。

「危ないですから、下がって！　選手に旗を向けないでください！」

警備にあたる係員や警察官が、ふくれあがる人垣を必死に抑え、悲鳴に近い声で注意する。走るにとっては、一瞬で過ぎゆく光景だが、何キロ走っても沿道で同じような攻防が繰り広げられているので、さすがにおかしくなってきた。

俺にしてみれば、箱根駅伝は真剣勝負で挑むレースだけど、それを見るひとたちにとっては、新年のお祭りなんだ。

いろんなひとがいるなあ、と走は笑いを噛み殺す。選手に、心からの声援を送ってくれるひと。「蔵原！」と個人名をあげて声をかけてくるひともいた。見も知らぬひとなのに、出走する選手のことをちゃんと調べて、力づけてくれる。

反対に、こっちは懸命に走っているというのに、テレビカメラに映りこむことに夢中な見物客もいる。

車道に出てきた男が持つ旗に、走はあやうく顔面から突っ込むところだった。選手は自転車よりも速いスピードで走っているから、衝突したらどちらも怪我《けが》をしてしまう。走は軽く手をあげて、走路を邪魔する小旗を払った。失礼にならぬよう、そっと払ったつもりだったが、薄い紙で手の甲が切れ、肌に一本の細い線が刻まれた。

赤くにじみだした血を、走は舐《な》める。痛みはなかったし、腹も立たなかった。寒さで手がかじかんでいることと、「そういえば、手袋をするのを忘れていたな」ということを、改めて思い出しただけだった。

お祭りなんだから、楽しんでくれればいいや、と走は思う。俺がどんな気持ちで走っているか、いま、この走りにどれだけの体力と気力を注いでいるか、理解してもらいたいとは思わない。走る苦しさと高揚は、走るものにしかわからない。でも、この場所の楽しさをわけあうことはできる。大手町までつらなる熱と歓声を、一緒に感じ、味わうことはできる。

一人だけど、一人ではない。流れる川のように道はつづく。

十三キロ地点で、ついに前方を走る西京大と喜久井大の姿をとらえた。追いつける。追い越す。絶対に。走はあせることなく、少しずつ距離を詰めていった。

十三・七キロ地点にある、戸部《とべ》警察署前を通過。沿道の人並みは途切れず、ますます数を増していく。十四キロ地点で高島町《たかしまちょう》の交差点を渡り、ガード下をくぐると、道はいよいよ片側四車線になった。高速道路の巨大な高架が、複雑に絡《から》みあって頭上を覆《おお》う。

横浜駅前には、大観衆がつめかけていた。歩道は見物客で埋めつくされ、植え込みのわずかな段差のうえにも、ビルのスロープにも、びっしりとひとが立っている。人々の歓声が高架に跳ね返り、怒号にも似た地響きとなって、広い車道を揺るがすほどだ。

こんなにたくさんのひとが、走る人間を応援しているなんて。群衆と、群衆が発する声に、走はさすがにびっくりして沿道を見た。蠢《うごめ》く小旗は嵐《あらし》の夜の森みたいに、低いうなりを湧き起こす。

西京大と喜久井大の選手を、走はつづけざまに抜き去った。目の前で繰り広げられる逆転劇に、観客は興奮してどよめく。走の走りは見るものの脳裏から、贔屓《ひいき》の大学や選手のことを瞬時消し去った。賛嘆せずにはいられない、有無を言わせぬ美とスピードと力強さが、そこにはあった。

十五・二キロ付近で、人垣から給水要員が飛びだしてきた。寛政大のジャージを着た短距離部員だ。併走する給水要員に、走はしばらく気づかなかった。

「蔵原、蔵原！」

と呼びかけられて、視線を横にやる。差しだされるボトルを見てようやく、「給水か」と思い出した。気温が低く、路面がしっとりと濡《ぬ》れるほど雪が降っていたので、喉《のど》の渇きは感じなかった。だが、給水要員は必死になって走のスピードに追いすがり、ボトルを差しだしつづける。走はそれを受け取った。

「藤岡が、区間新記録を出しそうだ！」

給水要員が素早く告げる。そうか、やっぱり、と走は思った。詳しいタイムを聞き返す間はなかった。併走をやめた給水要員を残し、走はなおも前進する。

藤岡さんは、どれだけの速度でこの道を走ったんだろう。俺は藤岡さんのタイムを抜けるか。いや、抜かなきゃいけない。

走はいま、八番目を走っていた。秒差がどれだけあるのか、まえを行く選手を視界にとらえることはできない。走が戦うべき相手は、目に見える選手ではなく、時間だった。

形のない時間というものを、たぐり寄せなければならない。寛政大が、ひとつでも順位を上げるために。走が、いま自分にできる最高の走りを、箱根駅伝の歴史に刻みつけるために。

四車線になり、視界が広がったせいでスピード感がちがってくる。走っても走っても、なかなかまえに進めていないような気がする。あせるな、と言いきかせ、走は水を口に含んだ。俺は大丈夫だ。もっと行ける。もっと走れる。全身の細胞が熱い。筋肉がちぎれそうに叫んでいる。加速しろ。限界を超えた、その先へ。

ボトルを道端に投げ捨てる。冷たい液体が体内をすべり落ちた。

「あ……」

走が思わず発した声は、掠《かす》れてだれの耳にも届かなかった。

体の底で、なにかが鋭く破裂した。一点で弾《はじ》けた力が体じゅうに、指の先まで拡散していく。拡散ではなく、集合しているのか？　エネルギーの流れがあまりにも速すぎて、どちらなのか区別がつかない。渦巻いて身の内に充満する。

音が一気に遠のき、脳髄が冴《さ》え渡った。走る自分の姿を、もう一人の自分が俯瞰《ふかん》しているみたいだ。呼吸が急に楽になった。舞い散る雪片のひとつひとつが、ひどく鮮明に視界をよぎる。

なんだろう、この感覚。熱狂と紙一重《かみひとえ》の静寂。そう、とても静かだ。月光が射《さ》す無人の街を走っているようだ。行くべき道が、ほの白く輝いて見える。このまま還《かえ》ってこられなくなりそうなほど、気持ちがいい。怖いぐらいだ。輝く恒星のほうへ、たった一人で押し流されていく。だれか、俺をつかみとめてくれ。いや、だれも邪魔をするな。このままでいい。このままいきたい。もっと遠くへ。灼《や》きつくされてもかまわない。ほら、彼方《かなた》が見える。きらめくなにかまで、あともう少し。

清瀬はウォーミングアップを終え、王子の携帯電話の画面に見入っていた。テレビの中継映像が、力走をつづける走から、九区を走り終えようとする藤岡に切りかわる。

「六道大の藤岡選手、一時間〇九分ちょうどで襷《たすき》リレー！　区間新記録です！」

午後十二時二十二分四十五秒。鶴見中継所は、藤岡の記録更新に湧き返った。清瀬は顔を上げる。ちょうど、藤岡が中継ラインから中継所の敷地内に入ってきたところだった。

首位に立ったことを喜んで、六道大学陸上部の下級生が藤岡を取り囲む。見物客から健闘を称《たた》える声をかけられ、記者にはコメントを求められ、走り終えた直後だというのに、藤岡は座って休むこともできなさそうだ。

少し困惑したふうに、藤岡は快挙に浮き立つ周囲のさまを眺めた。その視線が、中継所の奥にいた清瀬のうえで止まる。藤岡はひとの輪から抜けだして、清瀬のほうに近づいてきた。

「王子。大家さんに電話して、藤岡のタイムを伝えるんだ。二十キロ地点で、走に教えるように、と」

清瀬は王子に小声で指示してから、微笑を浮かべて藤岡に向き直った。「おめでとう」

「心にもないことを」

区間新記録を出したというのに、藤岡は勝ち誇るでもなく無表情なままだ。「蔵原が覆《くつがえ》すと思っているだろう」

「どうかな」

清瀬の微笑もまた、内心を垣間見《かいまみ》せぬ鎧《よろい》だった。

中継ライン付近が騒がしくなった。房総大の沢地が襷リレーしたようだ。六道大との差は、一分三十一秒。後続の大学は、まだ気配もない。優勝争いは、六道大と房総大の二校に絞られた形だ。だが、残り一区間となったいま、九区で藤岡が作った一分半のタイム差は大きい。十区を走る両校の選手の実力を考えても、六道大のほうがはるかに優位に立っている。

「優勝は六道だな」

と清瀬は言った。「きみの走りは、あいかわらず強くて安定していた」

「首位には立った。だが……」

藤岡は言葉を飲みこんだ。近くにいたひとの持つラジオから、中継の声が聞こえてくる。

「二十キロ地点を過ぎて、寛政大の蔵原選手がまたスピードを上げはじめたようです！この選手のスタミナには、限界というものがないのでしょうか！　もしかしたら、九区の区間記録がまたもや更新されることになるかもしれません！」

藤岡ははじめて、わずかに笑った。苦いものを食べたのに、無理やり甘いと言おうとしているような表情だった。

「清瀬、俺たちはいったい、どこまで行けばいいんだろうな。到達できたと思っても、まだ先がある。まだ遠い。俺の目指す走りは……」

清瀬は藤岡の目に、昏《くら》い絶望の光を見た。孤独に走りつづけ、追い求めつづける、走と同質の翳《かげ》りを認めた。

きみは一人じゃない。きみのおかげで、走は強くなった。これからもきっと、きみたちはお互いの存在を糧《かて》に、高みを目指していくはずだ。だれも行けなかった場所へ、いつかたどりつくまで。

そう言おうとして、清瀬は口を閉ざした。うらやましかったからだ。走が。藤岡が。走りに選ばれた存在が。だから清瀬は、

「でも、やめないんだろう？」

とだけ言った。「きみは、走るのをやめられない。ちがうか？」

「そうだな」

藤岡は、今度こそ心からの笑みを口端に浮かべた。「また一からやり直しだ」

後輩たちとともに中継所をあとにする藤岡を、清瀬は静かに見守った。藤岡のチームメイトは、だれ一人として気づかないだろう。優勝を決定づける走りをし、区間新記録まで出した藤岡の胸に、なお満たされぬ空虚があることに。

藤岡は負けたわけではない。だが、満足していないのだ。その思いが、藤岡を走らせ、また強くする。

「難儀なものだな、走ることを選んだ人間というのは」

清瀬はつぶやき、王子に歩み寄った。「走に伝わったようだな」

「はい。いま、大家さんから電話がありましたよ。藤岡さんのタイムを言ったとたんに、走が意気込んだのがわかったって」

王子の携帯の画面を、清瀬も覗《のぞ》きこむ。走が映しだされている。中継所まで、あと二キロだ。二十キロ以上を走った苦しさなど微塵《みじん》も見せず、走はしっかりと視線をまえに向けている。

もうすぐだ。清瀬はジャージのうえから、そっと右脚をこすってみた。布越しに触れる指を、痺《しび》れたように曖昧《あいまい》にしか感じ取れない。だが、痛みも遠い。走れる。

三位の大和大が、房総大から遅れること五分〇八秒で襷《たすき》リレーし、そこから中継所はあわただしい動きを見せはじめた。北関東大、真中大とつづけて中継所にやってくる。

「横浜大《よこはまだい》、動地堂大《どうちどうだい》の選手は、中継ラインに」

係員がメガホンを使って呼びだす。「その次、寛政大の選手も準備してください」

中継所にいた人々はざわめいた。芦ノ湖で十八番目に、復路のスタートを切った寛政大が、鶴見中継所を八番目で襷リレーしようとしている。復路の四区間で十チームも抜いた寛政大の、実質的な順位ははたしていま何位なのか。シード権を獲《と》れるほど、順位を上げてきているのか。

寛政大の十区の走者、清瀬に注目が集まった。清瀬は、人々の視線と囁《ささや》き声を気にすることなく、超然とした態度で中継ラインに向かう。王子も人目など気にもしない。清瀬のベンチコートとジャージを受け取り、最後に右脛《みぎすね》をちらっと見た。サポーターもテーピングもしていない。あまりにも無防備に思えて、王子はおずおずと尋ねる。

「ふつう、固定したりしませんか？」

「いいんだ、面倒だから」

平然と答えた清瀬の言葉には、故障を言い訳にしない覚悟が宿っていた。だったら笑って送りだそう。王子は正面から清瀬を見て言った。

「ハイジさん。僕は楽しかったな、この一年」

「俺もだ」

清瀬は王子の肩を軽くつかみ、揺さぶってやった。

中継ラインに立つ。横浜大と動地堂大がかたわらで襷を受け渡したが、もう清瀬の目には入らなかった。

清瀬は、中継所前の側道を見据えていた。九区の最後の百メートル。まっすぐな道を駆け来る走の姿を。

はじめて会った夜から、俺にはわかっていた。俺がずっと待っていたもの、ずっと欲していたものは、きみなんだと。

走は、清瀬の理想の走りを地上に実現してみせる。清瀬が求め、あがき、ついに届かずに終わろうとしているものを、いともたやすく視覚化してみせる。これほどまでにうつくしい生き物を、ほかに知らない。

夜空を切り裂く、流星のようだ。きみの走りは、冷たい銀色の流れだ。

ああ、輝いている。きみの走った軌跡が、白く発光するさまが見える。

九区の二十キロ地点で、走は藤岡の出した区間記録を知った。大家の声を耳がとらえ、体は自動的に反応してスピードを上げる。だが走はあいかわらず、不思議な無感覚状態の余韻を引きずっていた。

ランナーズ・ハイになったことは、これまでもあった。心と体が浮き立ち、どこまでも走っていけそうになる。いまの感覚は、それとは少しちがった。もっと透徹とした、静かな恍惚《こうこつ》だ。

入ってくる情報を、分析することはできる。藤岡のタイムは、一時間〇九分。それを越えられるかどうかは、残り一キロを切ってから、俺がどれだけ粘《ねば》れるかにかかっている。そう判断することはできる。

しかし、思考する脳の回路とは関係なく、走の意識と感覚の大半は、気づくと遠い岸辺に運び去られてしまう。神経が覚醒《かくせい》しきっているのに、意識はふわふわと浮遊する。自分ではどうすることもできない。睡魔の波間を何度も漂うときに見る、妙にリアルな夢に似ていた。起きて通学の準備をすべて終えたはずなのに、はっと目を開けたらまだベッドにいて驚く。あれと同質の感覚が、走りながら繰り返し襲いかかってくる。

気分は悪くないし、実害もない。むしろ、ぬるく持続する快感のなかで、いつにも増して走りの切れがよくなっている。ただ、自分がどうなってしまったのか、このトランス状態がなんなのか、わからなくて不安だ。

大手町で、ハイジさんに聞いてみよう。俺の経験した感覚を、ハイジさんに話してみよう。箱根駅伝が終わったら。

そう考えた走は、正確なリズムを刻んで走っているつもりだった。ところが、体がふいにスパートをかけたことに気づき、あわてて周囲の景色を確認する。また、意識がしばし空白になっていたらしい。いつのまにか、残り一キロを切っていた。走った距離は、道路端に掲げられるプラカードでわかる。その表示を見て、走の体は勝負どころだと的確に判断したようだ。

人垣のうねりと歓声が、奔流のように目と耳に入ってくる。腕時計を確認する。走りはじめて、一時間〇八分二十四秒。まにあうか。藤岡が出した記録を、塗り替えられるか。ぎりぎりだ。もう一段加速する。苦しい。鼓動がいまさらのように、頭蓋骨《ずがいこつ》のなかで激しく響きだした。

並木を境にした側道にそれ、鶴見中継所前の最後の直線に入る。残り百メートル。ざわつく人々の姿が見える。中継ラインが見える。そこに立つ、清瀬が見える。

清瀬は、立ちつくすと言ってもいいほどまっすぐに、走を見ていた。うれしそうにも、少し悲しげにも見える顔で笑っている。

打たれたように、なにかに操られるように、走はかけていた襷《たすき》をはずした。あと十メートル。走ること。襷を渡すこと。それ以外の動きはいまは邪魔だ。呼吸を止めた。まばたきもしない。体内にある酸素とエネルギーを、最後の数歩に使いきる。

清瀬が左足を引き、やや体を開いて走に右手を差しだす。走は思いきり右腕をまえへのばした。

もう、名を呼ぶ必要も感じなかった。間近で一瞬交錯した眼差《まなざ》しだけで、すべてが伝わる。

ハイジさん、俺たちはずいぶん遠いところまで来ましたね。言葉も皮膚も最後には意味をなくす、遠い遠い場所へ、二人で一緒に来たんですね。

走の手から、黒い襷《たすき》がすり抜けていった。

中継ラインを越えて走りやんだ走は、襷をたなびかせて去っていく清瀬の背中を見ていた。呼吸を再開させ、喘《あえ》ぐようにして空気をむさぼる。心臓が暴れ狂い、肩が上下する。舞う雪は、走の肌に触れるとすぐに小さな水の粒に変わった。

「走、やった、やった！」

叫んだ王子が飛びついてきたのと、王子の持つ携帯電話から、

「寛政大の蔵原走、一時間〇八分五十九秒！　藤岡選手が出したタイムを、一秒更新しました。区間新記録です！」

とアナウンサーがまくしたてる声が聞こえたのが同時だった。

王子は感極まったのか、走の首根に抱きついたまま鼻をすすった。係員が、中継ラインから下がるように告げた。走は王子をぶらさげ、引きずって、鶴見中継所の奥に入る。中継所内にいたひとたちから、次々に祝福の声がかかる。テレビカメラが、すぐ横でレンズを向けている。専門誌の記者らしき人物が、コメントを求めて駆け寄ってくる。

走はのろのろと左手首を見た。止めることを忘れられた腕時計は、律儀《りちぎ》にラップを刻みつづけている。余韻が体に残り、ぼんやりとしてしまってうまく状況に反応できない。

それでも何歩か進むうちに、走った高揚が収まっていく。グライダーがなめらかに着地するように、ふうわりと現実感を取り戻す。取り戻してまず思ったのは、「こうしてはいられない」ということだ。

「王子さん、荷物は？」

「まとめてあるけど？」

「じゃ、行きましょう大手町に」

中継所の隅にあったスポーツバッグを手にし、走は休む間もなく駆けだした。王子は急いで、着替えの入った紙袋を持つ。

「走、汗ぐらい拭《ふ》けよ！」

紙袋からタオルやらジャージやらを引っ張りだしながら、王子も懸命に走のあとを追った。「ちょっと、全力疾走はやめてってば。ねえ！」

鶴見《つるみ》市場《いちば》駅へ向けて去っていく走と王子を、中継所に居合わせた人々は呆気《あっけ》にとられて見送った。走にインタビューをしようとしていたテレビクルーは、「どうするんだよ」と顔を見合わせて困惑する。

走が区間新記録を出したのは、午後十二時三十三分二十八秒のことだった。六道大の藤岡が区間記録を塗り替えてから、わずか十分四十三秒後。箱根駅伝、九区二十三キロの記録は、一秒だけとはいえ、はじめて一時間〇九分の壁を越えた。

寛政大は、鶴見中継所を八番目で襷《たすき》リレー。東体大はそれから五十一秒後に、十一番目で襷リレーした。だが実質的なタイムでは、東体大はまだ十位につけている。戸塚中継所では十六位だった寛政大は、九区で走が力走したため、十二位に浮上。十位の東体大とのタイム差は、縮まったとはいえ一分二秒ある。

鶴見中継所で九位につけた西京大から、東体大、あけぼの大、寛政大、そして十三位の甲府学院大まで、タイム差は全部で一分十八秒しかない。五チームが、僅差《きんさ》で十位近辺にひしめきあっている形だ。どこがシード権獲得圏内にすべりこんでも、どこが脱落しても、おかしくない。

レースの行方は、箱根駅伝の最終区間、十区二十三キロに持ちこされた。ここからは、まさに一秒を競う戦いになる。

鶴見市場駅のホームで京浜急行線を待つあいだ、走は王子の携帯を借りてユキに電話した。ユキはすぐに出て、「見てたよ。すごかった」と言った。区間記録更新についての言葉だと、走は一拍おいてやっと気づいた。頭のなかは、十区を走る清瀬のことでいっぱいだった。

「ありがとうございます。ユキ先輩、いまどこにいますか？」

「ジョージとキング以外は、全員が大手町に着いている」

「俺と王子さんは、これから電車に乗ります。そのあいだ、ハイジさんのサポートをお願いします。タイムやレース状況を分析して、大家さんに伝えてください」

「安心していい。こっちには秘密兵器がある」

秘密兵器ってなんだ？　と走は思ったが、ちょうど電車が来たので、ユキに問い返すことはできなかった。

午後十二時四十六分。走と王子は京浜急行に乗車した。川崎《かわさき》で東海道線に乗り換え、東京駅を目指す段取りだ。走は車内で、ユニフォームのうえから手早くジャージの上下を着込み、清瀬のベンチコートを羽織った。携帯で路線検索をしていた王子が言った。

「京急川崎から、ＪＲの川崎駅へダッシュすれば、特急踊り子にまにあうかもしれない。どうする？」

「もちろん、走ります」

「じゃあ、これも持って」

王子は紙袋を走に渡した。せめて手ぶらにならなければ、走の速度にはついていけそうもなかった。

午後十二時四十三分。清瀬は三キロ地点の六郷橋《ろくごうばし》を渡っていた。多摩川《たまがわ》を越え、いよいよ神奈川県から東京都に入る。

全長が四百メートル以上ある巨大な橋の真ん中で、前方に動地堂大の選手の姿をとらえた。動地堂大は鶴見中継所で、寛政大よりも一分半ほど先に襷《たすき》リレーした。それなのに、六郷橋で視認できる距離まで追いつけたということは……。清瀬は考える。たぶん、あの選手は体調が悪いんだな。腹でも痛いのか。細かい雪がまだ降っているし、ずいぶん冷える。さえぎるものもなく、橋のうえには川風が吹きつける。気温は一度あるかないかだろう。

清瀬自身は、一キロあたり三分〇三秒のペースで、順調に走っていた。動地堂大の姿が見えたからといって、追い抜くためにスパートをかけたりはしない。このままのペースを維持していれば、どうせ五キロあたりで動地堂大をかわせるはずだ。逸《はや》ってはいけない。序盤で脚にいらぬ負担を強いては、十区を走りきることすらできなくなる。

清瀬が戦うべき相手は、他大の選手ではない。時間と、自分が抱える脚の古傷だった。

六郷橋を渡りきり、第一京浜を東京方面に向けてひた走る。京急本線を左手に見ながら、線路に沿って進む形だ。

五キロ地点で、監督車に乗った大家が情報を伝えてきた。

「九区までの総合タイムが出た。首位は六道大で、九時間五十三分五十一秒。房総大は一分三十一秒差で二位だ」

それはいいから、と清瀬は手を振った。トップ争いについて聞かされても、いまは意味がない。知りたいのは、寛政大が十位に食いこむために、どれだけタイムを縮めればいいのかだった。

大家は、三位以下のタイムも順に読みあげようとしていたが、清瀬の意を察して咳払《せきばら》いした。

「えー、途中を略して。寛政大は現在、十二位。総合タイムは十時間〇六分二十七秒。十一位はあけぼの大で、十時間〇五分二十八秒。十位の東体大は、十時間〇五分二十五秒。ついでに言うと、東体大に三秒先行して、西京大が九位にいる」

清瀬は脳内で、タイム差を目まぐるしく計算する。東体大よりも一分二秒以上速いタイムで、十区を走る必要があるということだ。

厳しいな、と清瀬は思った。見かけの順番では、東体大は寛政大よりも後ろを走っている。清瀬にとっては、「あの選手を抜けば十位だ」という、わかりやすい指標がない状態だ。東体大の選手がどんなペースで走っているのか、目にすることができないままに、清瀬は着実にタイム差をひっくり返さなければならない。もちろん、東体大に見かけの順番を抜かれることなど論外だ。

監督車から指示できる一分間が過ぎようとしている。大家は早口でつけくわえた。

「ちなみに東体大は、三キロ通過時点で、一キロ三分〇五秒ペースで走っている。以上」

見てきたように言う、と清瀬はおかしかった。きっとユキが気を利《き》かせて、収集した情報を大家に伝えたのだろう。

俺は一キロ三分〇三秒ペース。東体大の選手が三分〇五秒ペース。十区二十三キロのあいだに俺が縮められるタイムは、単純計算で四十六秒だけということになる。これでは逆転できない。

ペースを上げる必要がある、と清瀬は判断した。脚が痛みださないうちに、できるだけタイム差を縮めるべきだ。

ちょうど前方に、京急蒲田《かまた》の踏切が見えてきた。京急本線に合流する、京急空港線の線路が、道を横切っているのだ。

タイミングの悪いことに、電車が近づいているらしい。警報機が鳴りはじめた。沿道にひしめく見物客が、清瀬と踏切を見比べ、「急げ！」と口々に叫ぶ。遮断機を下ろすことはせずに、警察官と係員があわただしく交通整理する。対向車のことは赤い手旗で停止させたが、選手はぎりぎりまで踏切を渡れるようにと、無線を使って連絡を取りあっている。

ここで踏切に阻《はば》まれ、足止めされるわけにはいかない。走りのリズムが崩れてしまう。いい機会とばかりに、清瀬はスピードアップした。止めるな、止めるな、と係員に目で訴えながら、警告ランプを点滅させる踏切に突っ込んでいく。沿道の人垣からは、まにあえ、という願いが悲鳴に似た歓声になってほとばしった。

清瀬は京急蒲田の踏切を通過した。見物客から、今度は安堵《あんど》のため息が漏れる。勢いに乗った清瀬は、動地堂大の選手を一気に抜き去った。一キロ三分を切るペースになったな、と冷静に自分の走りを把握する。いまのところ、脚の痛みはない。

沿道に途切れることのない観衆。その声援。箱根駅伝を走っている。昨日と今日、竹青荘の住人たちが味わった高揚と喜びを、寛政大の十人目の走者として、いま俺も体験している。

ふと、九区を走っていたときの走の姿を思い起こした。観衆の一番多い横浜駅前で、先行するチームを抜いたのが走らしい。走の走りには華がある。周囲を圧倒するスピードはもちろんのこと、見せ場を逃さぬ間のよさがある。

箱根駅伝が、ランナーとしての走をいちだんと成長させたことを、清瀬は確信していた。気づいているかどうかはわからないが、走は九区を走りながら、「ゾーン」に入っていた。高い集中がもたらす、特殊な心身の状態がゾーンだ。苛酷《かこく》な練習を積んだトップアスリートが、極限状態となる試合中に、まれにゾーンに入るという。

清瀬自身は、ゾーンを経験したことはない。ゾーンについての本を読んだ。そのなかでは、陸上選手に限らず、ゴルフや野球、スピードスケートやフィギュアスケートのトップ選手が、ゾーンに入ったときの感覚を語っていた。清瀬は最初、ゾーンとはランナーズ・ハイのことではないかと思ったが、読み進むうちに微妙なちがいに気づいた。

ランナーズ・ハイは、ジョッグをしていても訪れる。心身の条件がそろったときに、ある程度の距離を走りつづければ、ランナーズ・ハイと言われる状態にはなる。

「この調子だと、ランナーズ・ハイになるな」と、慣れてくると事前にじわじわと察せられることからも、癖のようなものだと清瀬は思っている。この角度で腕を上げると、よく肩の関節がはずれてしまうとか、ビールとワインをちゃんぽんすると、なぜか悪夢を見ることが多いとか。体が覚えた習慣に、条件反射で脳が起こす現象のような気がする。

だがゾーンはどうやら、唐突に訪れるらしい。ランナーズ・ハイよりも鮮烈で、瞬間的に、しかも試合中にのみ起こる。

闘牛士も、牛を殺す「真実の瞬間」に、時間を超えた不思議な恍惚《こうこつ》を味わうことがあると知り、清瀬は「なるほど」と思った。ランナーズ・ハイとゾーンは、現象は似ているが、たぶんきっかけとなる回路がちがうのだ。ランナーズ・ハイが体を動かすことで引き起こされるのに対し、ゾーンは極度に緊張し集中した心理が契機となるのではないか。

たとえるなら、段階を踏まない、突発的な神がかり状態なのだろう。ランナーズ・ハイにしろ、ゾーンにしろ、脳内麻薬の悪戯《いたずら》にはちがいないが、ゾーンに入るほど競技に対して集中できるということは、選手として一流になれる適性がある証拠だ。携帯電話の小さな画面越しにも、横浜駅前を過ぎたあたりで一瞬、いつも以上に切れを増した。そのあと、走は自分の陥った状態に戸惑っているようだったが、走りの鋭さは持続した。鶴見中継所で、清瀬が襷《たすき》を受け取るときまで。

走はきっと、多くのひとに愛されるランナーになるだろう。出会いの瞬間から、清瀬の心をとらえたように。走が走る姿は、見るものを魅了しつづけるだろう。

清瀬はかつてない充足感を覚えた。顔に当たる雪も、濡《ぬ》れた路面も気にならなかった。

午後十二時五十分。東京大手町の読売新聞社ビル周辺は、ひとでごった返していた。

寛政大を応援にきた商店街の面々も、沿道での場所取りに余念がない。

ニコチャン、ユキ、神童、ムサ、ジョータ、そして葉菜子は、人混みを避け、東京駅が正面に見えるお堀端に座った。ニラも一緒だ。耳のあいだをなでる葉菜子の手の感触を、目を細めて味わっている。

打ち上げ準備のため、商店街に残った八百勝《やおかつ》にかわり、左官屋《さかんや》がニラを大手町までつれてきた。ニラはあまりの人出に怯《おび》えたようで、ワゴンから降ろされた途端に、尻尾《しっぽ》を股《また》に挟んでしまった。葉菜子はかわいそうに思い、ニラをお堀端での作戦会議に誘った。「ここよりひとが少ないところなら、どこでもいい」とばかりに、ニラは喜んでついてきた。

作戦会議で活躍しているのは、ユキの秘密兵器であるノートパソコンだ。ユキから託された葉菜子が、二日間、大事に持ち歩いていた。

「この、直線だけでできた人間、なんなの？」

ジョータが、ユキの膝《ひざ》のうえに置かれたパソコンを覗《のぞ》きこむ。「三十年前のゲームみたいな動きだね」

画面ではいくつかの人型が、ぎこちなく左から右へと移動していっている。

「十区のレース展開をシミュレートしてるところだ」

ユキはキーボードを叩《たた》く手を止めずに答えた。「黒いのがハイジ。青いのが東体大の選手。ピンクがその他の大学の選手」

「俺が作ったソフトだ」

と、ニコチャンが補足した。「各チームのこれまでのタイムに、十区の走者の予想スピードを加味して入力すると、予測される十区のレース展開が絵になって表れる仕組みだ」

「すごいですねえ」

ムサは興味深そうに画面を眺める。「おや、ハイジさん人形が、ピンクをひとつ抜きましたよ」

「動地堂大だな」

とユキは言い、

「動地堂のことは、さっきもう抜いたよ！」

とジョータは叫んだ。「現実よりも遅いシミュレーションってどうなの。意味ないじゃん！」

「まあまあ、パソコンも頑張っているようだから」

マスクをした神童が、鼻声でなだめた。シルバーのボディーは、カタカタとかすかな音を立てて演算に勤《いそ》しむ。ジョータは、「方眼紙にグラフでも書いたほうが早いよ」とぶつぶつ言った。葉菜子も同感だったので、パソコンから話題をそらすことにした。

「ジョージくんたち、遅いね。清瀬さんのゴールにまにあうといいんだけど」

「走と王子さんは、大丈夫そうだよ」

ジョータは照れてしまって、葉菜子を直視できないらしい。地面に伏せたニラに向かって答えた。

「携帯にメールしてみたら、『踊り子、まにあう』って返信が来た」

「まちがってキャバレーの支配人にメールしたんじゃねえか？」

とニコチャンは首をかしげ、

「特急踊り子号のことですよ、たぶん」

と神童は言った。

「走と王子さんは、携帯メールに慣れていませんから。そう打つのが精一杯だったんでしょう」

ムサが優しく、この場にいない人間をフォローする。

「それであの、ジョージくんは？」

ニラを見るふりでうつむいた葉菜子の頬は、薄く染まっている。キングの存在は無視か……、と全員が思った。

「キングさんとジョージは、ちょっと遅れるかも」

さりげなく「キングさん」を強調しつつ、ジョータは答えた。「交通規制で、戸塚駅まで行くのに手間取りそうだって連絡があった」

ユキがパソコンから顔を上げる。

「シミュレーションの結果が出た」

「どれどれ」

「どうなった？」

全員が腰を浮かし、パソコンを覗きこむ。ユキは厳《おごそ》かに述べた。

「ハイジがいつものペースで走った場合、東体大とのタイム差を覆《くつがえ》すのはやや難しいところだ、ということがわかった」

「そんなの、シミュレートするまでもなくわかってるよ！」

ジョータが再び叫んだ。「大事なのは、じゃあどうすればいいか、ってことでしょ」

「ハイジを信じて待てばいい」

ユキはそう言って、平然とノートパソコンを畳んだ。

「なんのための秘密兵器なの、それ！　やっぱり意味ないじゃん！」

ジョータはみたび吼《ほ》える。ニコチャンはシミュレーションソフトのことを早くも脳裏から抹消し、ムサの持つ携帯テレビを眺めた。

「おい、東体大のペースが落ちてきてるぞ」

画面には、九キロ過ぎを走る選手が映っていた。たまに苦しげに脇腹《わきばら》を押さえている。

「大家さんに電話しろ」

清瀬は十キロ地点で、大家から東体大の情報を得た。京急大森海岸《おおもりかいがん》駅を過ぎたあたりで、横浜大の選手と併走しているところだった。

東体大のペースが落ちたのは、こちらにとっては都合がいい。しかし問題もある。俺の脚も痛みだしたってことだ。

右足が接地するたびに、鈍い痺《しび》れが脛《すね》を走るようになっていた。それでも清瀬は、一キロ三分〇四秒ペースを崩さなかった。ガードをくぐり、今度は右手に電車の走る高架を見ながら、なおも京浜急行の線路に沿って進む。

品川《しながわ》駅に至るまでの町並は、灰色に塗りつくされているようだった。重く垂れこめた雪雲と、そびえるコンクリート製の高架のせいだろう。閉塞感《へいそくかん》を覚えるのは、ここを通りすぎるだけの清瀬の勝手な印象だ。目の端に映った小さな商店街は、正月の初売り目当ての客で賑《にぎ》わっていた。東京湾に面しながらも高架に視界をさえぎられた町で、古くからの住民たちは活気ある生活を営んでいるようだ。

清瀬は、故郷の島根の空を思った。東京に来て驚いたのは、晴れの日が多いな、ということだ。それなのに、夜に見える星が少ない。島根は曇りがちで、思い出す空といえば灰色だが、夜になると雲はどこかに消え、満天の星が輝く。

このあたりの町の感じは、故郷に似ている。黙って灰色に閉じこめられたりせず、人々が地に足をつけて暮らしているところが。

清瀬が通い、清瀬の父親が陸上部の監督をしていた高校は、県内一の陸上強豪校だった。藤岡は県外から入学し、寮に入っていた。藤岡とジョッグをした道を、清瀬は思い出す。夏の田んぼの、甘いようなにおい。夜に走っていると、無数の蛍《ほたる》が黄緑色の淡い光を放った。「多すぎないか」と、藤岡が気持ち悪そうに言ったのを覚えている。

強いチームメイトと走れて、清瀬は幸せだった。父親のやりかたには不満もあったが、藤岡にときになだめられ、ときに一緒に愚痴を言っていれば、忘れることができた。脚に違和感を覚えるまでは。

少しハードに走りこむと、脛に痛みが生じるようになったのは、高校一年の秋のことだった。マッサージも針も試したが、痛みはなかなか去らず、やがて故障は慢性的なものになった。父親には黙って行った病院で、疲労骨折を起こしかけていると言われた。走るのを一時やめるのが、なによりの治療法だと。

記録ものびているのに、走りやめることなどできない。清瀬は走りこみを徹底させる方針に慣れていたから、練習量を減らしてはならないという強迫観念があった。監督でもある父親に、弱みを見せられないという意地もあった。

脛をかばうように走ったせいか、今度は膝蓋骨《しつがいこつ》を剝離《はくり》骨折した。小さな骨のかけらが関節を動かすさまたげになり、手術して取り除くことになった。高校二年の夏休みは、ひたすらリハビリに費やした。走れるようになってからも、以前ほどスピードがのびていく感覚は味わえなかった。

終わった、と清瀬は思った。走るために生まれたと信じ、それにすべてをかけてきたのに、清瀬の体は、清瀬の意志を裏切った。父親はあせるなと言ったが、深い絶望が清瀬の胸のうちに淀《よど》んだ。陸上選手として致命的な故障を抱えてしまったのだと、だれよりも清瀬が一番よくわかっていた。

高校生のなかではトップレベルのスピードがあったが、これ以上はのびない。のばそうとすれば、右脚は二度と競技できない状態になるだろう。それでもかすかな希望にすがって、練習をつづけた。

暗い箱のなかで生長をつづける、不気味な植物のようだ。清瀬は自分のことを、そう思った。覆《おお》いにつっかえ、根枯れして朽ちるだけとわかっているのに、まだ貪欲《どんよく》に枝葉をのばそうとする。肉体的な限界を突きつけられているのに、走らずにはいられない。走りやめたら、死んでしまうと思った。精神が死に、やがて肉体も衰える。そんな自分は許せなかった。無駄な行為だと頭のどこかでわかっていても、ぎりぎりまで競技の世界で走りつづける。それしか、自分の心を生きのびさせる方法がなかった。

藤岡は清瀬を支えてくれた。体ができあがれば、故障も完全に治癒するかもしれない。せっかく誘われたのだから、一緒に六道大で走ろうと言ってくれた。

清瀬は考えた。長距離という競技について、走るという行為について、考えつくした。そのうえで、寛政大に進学することを選んだのだ。よりのびることが明白なものの集う場所は、自分にはふさわしくないと思った。だが、走りつづけたいと願う、炎のような気持ちを抑えることはできない。走りとは無縁の人々がいる場所で、もう一度自分に問い直すことが必要だ。

俺はなぜ走るのか、と。

寛政大は走るための環境が整っておらず、入学したことを何度も何度も後悔した。もう走るのはやめようとも思った。だが実行には移せなかった。竹青荘で暮らすうちに、わかってきたからだ。

走っても走らなくても、苦しみはある。同じぐらいの喜びも。だれもが、それぞれの悩みに直面し、なしとげられないとわかっていてももがいている。

陸上と少し距離を置くことで、清瀬は当たり前のことに気づいた。どこへ行っても同じならば、踏みとどまって、自分の心が希求することをやり通すしかない。

清瀬は右脚に爆弾を抱えたまま走った。走りながら、機会を待った。待ちつづけ、とうとう四年目に走に会った。竹青荘に十人がそろい、いま、箱根駅伝をともに戦っている。

箱根の山は蜃気楼《しんきろう》ではない。箱根駅伝は夢の大会ではない。走る苦しみと喜びに満ちた、現実の大会だ。それは常に門戸を開いて、真摯《しんし》に走りと向きあう学生を待っている。もがきながら走りつづけた清瀬を、待っていた。

清瀬は元旦《がんたん》に、父親から電話をもらった。袂《たもと》を分かつように寛政大に入学して以来、帰省してもほとんど話しかけてこなかったのに。

「新しいテレビを買ったから、母さんと見る」

と父親は言った。「なかなか愉快なチームのようだな」

そうだよ、最高のメンバーだ。俺がついに手に入れた、希望の形を見てくれ。走るという行為を、それぞれに体じゅうで表現する、この十人を見てくれ。

故障し、もとのようには走れないと知ったとき、裏切られたと思った。すべてを捧《ささ》げたのに、走りは俺を裏切った、と。でも、そうじゃなかった。もっとうつくしい形でよみがえり、走りは俺のもとに還《かえ》ってきてくれた。

うれしい。涙が出そうなほど、叫びたいほど、喜びで胸は満ちる。

たとえ、二度と走れなくなったとしても。こんなにいいものが与えられたのだから、それで俺はもう、充分なんだ。

十三キロ地点にある八《や》ツ山橋《やまばし》のゆるやかな上り坂で、清瀬は横浜大の選手を振りきった。巨大なターミナル駅に集まる何本ものレールが、跨線橋《こせんきょう》の下を通っている。道は右にカーブしながら、品川駅前へ下っていく。

雪は降りやんでいた。

午後一時十四分。東京駅構内から、走は丸《まる》の内《うち》方面へ走りでた。スポーツバッグを袈《け》裟《さ》がけにし、左手には紙袋を持っている。視線は、右手の携帯電話から離れない。王子からもぎとって、テレビ中継を見ていた。

横浜大を抜き、六番目に立った清瀬の姿が映っている。アナウンサーは、「寛政大の主将、清瀬灰二《はいじ》が快走をつづけています」と言った。「ちがう」と走はつぶやく。脚が痛みだしたんだ。プレッシャーと寒さが、ハイジさんの体を限界に追いやりつつある。それなのに、ハイジさんはなんでもない顔で走っている。

「走、そこ直進」

王子が息も絶え絶えになって、後ろから声をかけてきた。走に奪い取られる寸前に、携帯にユキからのメールが入ったのだ。

「みんな、堀端にいるんだって。大手町じゃなく、そっちに行ってみよう」

寛政大のジャージとベンチコートを着た一団が、皇居外苑《がいえん》を背にして立っていた。走と王子に気づき、ニラが跳ねた。車道に飛びださないように、葉菜子が引き綱を強く握る。ジョージとキングは、まだ到着していないようだ。

「おつかれ！　おめでとう、走」

とジョータが言った。

「なんかものすごくひさしぶりな気がするなあ、おい」

とニコチャンは笑う。

「走の走りを見て、アナウンサーがおもしろいことを言っていたよ。ええと……」

神童はまだ復調できていないらしい。肝心なところで言葉を思い出せず、熱で潤《うる》んだ目をしばたたかせる。ムサが素早くあとを引き取った。

「『黒い弾丸』です。『寛政大の蔵原走、黒い弾丸のような走りです！』と言っていました」

走は赤面した。

「どうして、こんなところにいるんですか？」

「作戦会議をしてたの」

葉菜子は役に立たなかった秘密兵器について説明しようとしたが、ユキがさえぎって歩きだした。

「ゴール付近は、すごいひとでね。避難していたんだが、そろそろ戻ったほうがいいな」

お堀端を、大手町に向かって歩く。風に乗って、応援部の演奏が聞こえてきた。各校が競いあって校歌を歌うから、すさまじい不協和音になっている。

復路十区は東京駅近辺で、往路一区とは異なるルートを取る。往路では堀端の道を直進して田町《たまち》に出るのに対し、復路では馬場《ばば》先門《さきもん》で右折し、東京駅の東側を迂回《うかい》する。日《に》本橋《ほんばし》を渡り、皇居を正面に見て大手町に至るルートだ。堀端の道から大手町に向かう走たちは、ちょうどゴール地点の裏手に出ることになる。

読売新聞社ビルが近づくにつれ、ひとはどんどん増え、喧噪《けんそう》も大きくなった。熱気のせいで、ビル風すらも少しぬくもって感じられるほどだ。

「ここを出たのが昨日のことだなんて思えないよ」

王子はあたりを見まわした。「百年経《た》ったみたいな気がする」

オフィスビルの窓には、社員らしき人々が顔を覗《のぞ》かせ、通りを見下ろしている。正月も働いているのかと驚いたが、よく見ると手に缶ビールを持つひとも多い。どうやら、わざわざ出社してきて、特等席でフィニッシュの瞬間を見守ろうということらしい。

係員は、走たちを寛政大の選手と見て取り、通行止めのロープをゆるめてくれた。ロープをまたぎ、ゴール地点に入る。視界が開け、日本橋の方角に至るまっすぐな道が見渡せた。

「うわあ……」

思わず声が出た。広い道路の両側に、四重、五重の人垣ができていた。小旗を持つ見物客も、各校の応援部も、選手が来るのをいまや遅しと待っている。分厚い人垣は延々と、東京駅のガード下を過ぎてもまだつづいているようだ。

「ものすごい数だよ」

ジョータが呆然《ぼうぜん》と言った。

「テレビで見ていたときは、これほどとは思わなかった」

走はうなずいた。「実際に目にすると、迫力がある」

「たぶん、私が住んでいた町と同じぐらいの人数が、ここに集結しています」

ムサはあきれたのか感心したのか、ゆっくりと首を振る。

「僕の村の人口より多いのはたしかだ」

神童は眩暈《めまい》を起こしたようで、ちょっとふらついた。

メインアナウンサーと解説者の谷中は、スタジオから移動してきたらしい。読売新聞社ビルのバルコニーに、マイクを置いて座っている。アナウンサーの声が、テレビのなかからのものと、マイクを通してバルコニーから降るものと、二重になって聞こえる。

「東京大手町の気温は現在、〇・四度。雪はやみましたが、風が強く吹いています。最初の選手はもうあと十分ほどで、このビル風のなかを、ゴールを目指して走ってくるはずです」

関係者しか入れないとはいえ、ゴール地点もひとがひしめきあっている。居場所を求めて、走たちはビルの壁のくぼみに収まった。ニラはさっきから、葉菜子に抱えられて震えている。尻尾《しっぽ》は後ろ足のあいだに隠れ、耳は情けなくへたったままだ。

中型犬だから、ずっと抱いているのは疲れるだろう。走は、「俺が」と言いかけ、紙袋を持っていたことを思い出した。袋を地面に置き、改めて申し出ようと身を起こす。ところがジョータも同じタイミングで、葉菜子の状況に気づいたらしい。

「俺に貸して」

と、葉菜子からニラを抱き取った。「けっこう重い。葉菜ちゃん、力持ちだね」

「野菜を運んでるから」

葉菜子は少し恥ずかしそうに笑う。走は行き場をなくした両手を、ジャージのポケットにつっこんだ。ニコチャンとユキはにやにやし、神童とムサは見て見ぬふりをし、王子はスポーツバッグから出した漫画を読んでいた。葉菜子が、「あ、それ私も読んでます。おもしろいですよね」と王子と話しはじめたのを見計らい、走はジョータに近づいた。

「ジョージが、勝田さんに告白するって言ってた。抜け駆け禁止だって」

そう囁《ささや》くと、ジョータは「うそっ」と素《す》っ頓狂《とんきょう》な声を上げた。ニラの耳がひくっと動く。

「じゃあ俺もする！」

つれションじゃないんだから、と走は思ったが、わくわくしはじめたらしいジョータの表情を見て、笑ってしまった。

「俺もしようかな」

「なにそれ、どういうこと。え、走もやっぱり葉菜ちゃんを……」

ニコチャンに呼ばれた走は、騒ぐジョータからさっさと離れた。

「ハイジの走りをどう思う。やっぱり脚が痛むんじゃねえか？」

ニコチャンが差しだす携帯電話の小さな画面には、十五キロの通過タイムが表示されていた。

十区を走る六道大の一年生は、区間新記録を出すペースで独走中だ。藤岡の悔しさを晴らしてみせるとばかりに、気迫に満ちた走りだった。房総大は追いつけそうもない。よほどのことがないかぎり、六道大が優勝するのはもはや明白だ。

清瀬の十五キロの通過タイムは、六道大に次いで二番目のペースだ。だが、ずっと近くで見てきたからこそわかる。画面に映しだされる清瀬は、わずかに苦痛の色を浮かべていた。

「ハイジさんは今朝、医者に痛み止めを打ってもらってました」

「やっぱりな」

ニコチャンは頭を掻《か》き、ユキはため息をついた。

「無理をするなと大家さんから伝えてもらっても、無駄だろうね」

「東体大の通過タイムは?」

と走は聞く。

「三番目のペースで走ってる。途中でちょっとリズムが乱れたが、また持ち直したみてえだな」

「向こうも必死だからねえ」

ニコチャンとユキの言を受け、走は力強く言いきった。

「ハイジさんは大丈夫です」

「その根拠は？」

「大丈夫だと約束してくれました」

ユキは哀れむように走を見た。

「何度だまされても懲《こ》りないな、走は」

いいんだ。清瀬がやがて来る方角を、走は見やった。いくらでもだましてくれてかまわない。ハイジさんが走ると言うなら、俺は待つ。ハイジさんの渾身《こんしん》の走りを目にする瞬間を、黙っていつまでも待つだけだ。

品川駅を過ぎたあたりから、高いビルが目立ちはじめる。十六・六キロ地点の芝《しば》五丁目の交差点を左に折れ、清瀬は第一京浜から日比谷《ひびや》通りへ入った。車線が広がり、いよいよ都会らしい風景になる。

両側に隙間《すきま》なく建つビル群。それでも意外に緑が多いことに、走っていると気づく。芝の増上寺《ぞうじょうじ》前を通過。堂々たる山門前でも、見物客が声援を送る。

交通規制された広い道を、独占して前進する。右脚はいまや、地面を蹴《け》るたびに熱く鋭い痛みを感じさせるようになっていた。だが、かばっている場合ではない。東体大とのタイム差は、どれだけ縮められただろう。開いているということだってありうる。ここでスピードをゆるめるわけにはいかない。

追っているのに追われるように、清瀬は必死だった。チーターに狙《ねら》いをつけられたシマウマだって、これほど走りはしないだろう。そう思うほどに、痛みをおして加速した。

前方に車が見えた。真中大の選手についた監督車だ。みるみるうちに距離を狭める清瀬に気づき、あわてて隣の車線に移動する。無防備にさらされた選手の背中を見据え、清瀬は右側から抜きにかかった。

真中大の選手も引かなかった。粘って食いついてくる。そのまま二百メートルほど併走した。どちらのものかわからない、荒い呼吸が耳を打つ。左頬に、様子をうかがう真中大の選手の視線を感じたが、清瀬は相手を振り向きはしなかった。まえだけを見て走る。

日比谷公園を過ぎ、左手が開けた。皇居の堀端に出たのだ。馬場先門の交差点を右折。ここだ、と直感の光が清瀬の全身を貫いた。角を曲がるときに内側に立ったのを利用して、清瀬は一気に真中大を引き離す。心身を極限まで削り、数々の試合や競技会に挑みつづけてきたからこそわかる、仕掛けどころだった。

意志の力を受けて、体がしなやかに加速をつける。真中大の選手が、水に沈むように背後から遠ざかっていくのがわかる。清瀬はうめきを嚙《か》み殺した。加速に耐えかね、右脚が軋《きし》んだ。痛みが神経を直接つかんだのかと思うほどの衝撃だった。

すごく大きな虫歯が、右の脛《すね》にできたみたいだ。腰から脳髄まで響く痛みに、清瀬は笑いたくなった。骨も歯もカルシウムの塊だから、似たようなものか。笑わなければ、やっていられない。

ガードをくぐり、東京駅の八重洲《やえす》側に抜ける。寒さをまったく感じないのに、吐く息が白い。

二十キロ地点で、大家のマイクがハウリングした。

「メーデー、メーデー」

と大家はマイクの調子をたしかめる。そんなことを言うひとが、まだいたとは。清瀬は苦笑しつつ、与えられる情報を聞き取ろうとした。雷雨のような沿道からの声で、かき消されてしまいそうだ。

「ユキの試算を伝える。このままだと、東体大のタイムに六秒及ばないそうだ」

くそ。こんなに走ってもだめなのか？　清瀬は奥歯を噛みしめる。

いや、まだだ。まだ三キロある。諦《あきら》めるな。走れ。全力で走れ。ここで諦めたら、俺は今度こそ本当に、大切ななにかを失ってしまう。せっかく取り戻せたものを、また幻にするわけにはいかない。

絶対に諦めない。届いてみせる。

左折して中央通《ちゅうおうどお》りに入る。オフィスビルや百貨店が建ち並ぶ、華やかな道だ。残り二キロ。脚が痛い。襷《たすき》が重い。物理的に重かった。昨日からの雨と雪と十人分の汗が染《し》みたそれは、ただの布とは思えないほど、ずっしりとした重みを肩に伝える。

残り一キロ。首都高速の高架に覆《おお》われた日本橋を渡る。日の射《さ》すことのない場所で、川は海へ向かって静かに流れる。

日本橋を渡ってすぐ左折する。地鳴りのような歓声と、応援部の鳴り物の音が押し寄せてきた。ゴールまでの残り八百メートルは直線だ。もう一度首都高と電車のガードをくぐる。

ビル風が強く吹き抜けた。

清瀬は前方に、求めつづけていたものを見た。「東京箱根間往復大学駅伝競走」と書かれた横断幕の下に、竹青荘の住人たちが立っていた。清瀬に向かって叫んでいた。

ゴール地点だ。とうとうここまでたどりついた。

清瀬はまた一段、加速した。あと五十メートル。まにあうか。俺の時間だけ止めてくれ。時間を超えたい。鋭く飛翔《ひしょう》するように走るのはいまだ。清瀬は上体をやや前傾させ、ラストスパートをかけた。

右脛の骨が、ぱきりと音を立てた。その瞬間だけ大観衆の発する声援が途絶えたように、清瀬の耳は不思議と、自分の骨がはがれる小さな音をはっきりととらえた。

痛みは脂汗《あぶらあせ》となって、全身からどっと流れた。体が右側にかしごうとするのを、踏みとどまってまえに進む。ゴールで走が泣きそうな顔をしている。悲鳴と絶望を抑えたその顔は、怒っているようにも見える。

ばかだな、走。俺は大丈夫だ。

必ずそこまでたどりつく。強く吹く風が教える。俺は走っている。俺の望んだとおりの走りを、俺はいま体現している。すごくいい気分だ。これほどの幸福はない。

ああ――。清瀬はふと、視線を空に移した。ビルのうえに広がる空には、厚い雲がかかっている。だが清瀬はたしかに目にした。

その一角に薄日が射し、白くほのかな光を宿すのを。

ゴール地点では、優勝した六道大のメンバーのインタビューがはじまっていた。紫色のジャージを着た陸上部員が勝利に沸き、そこここではしゃいでいる。

その輪のなかにありながら、藤岡はやはり静かにたたずんでいた。走はあわただしく行き交う選手や係員に押されながら、藤岡を見た。藤岡も走に気づく。目が合った数秒で、互いの健闘を称《たた》える挨拶《あいさつ》は無言のうちにすんだ。

「まにあった！」

という声とともに、走の背中に飛びついてきたものがいた。ジョージだ。東京駅から走ってきたらしい。キングは息をきらしている。

「どうなった？」

「さっき、房総大が二位でゴールしたところだ。一位の六道大とは、結局四分四十一秒の差があった」

「六道は王者の座を譲らず、か」

ジョージはうなったが、すぐに気を取り直して明るく言った。「まあいいか、俺たちがいずれ引きずりおろしてやるんだから」

ジョージの言葉は自信にあふれていた。走ももう、「無理だ」と一蹴《いっしゅう》しようとは思わなかった。「よし、やってやろう」と言えば、本当に実現できそうな気がした。

十人で箱根を目指す。多くのひとが夢物語だと笑ったことを、走たちはやりとげたのだから。

午後一時四十一分。大和大が三位でゴールした。清瀬の姿は見えない。六道大の優勝インタビューのために、寛政大が何番目につけているのか、テレビから得られる情報は途絶えた。

「そろそろ、ゴールラインの近くにいきましょうか」

ムサが所在なさげに提案する。

「まだ早いんじゃねえか」

と言いつつ、ニコチャンは移動をはじめた。

「東体大はどうなったんだ」

ユキのつぶやきに、走もなぜか小声で「わかりません」と答える。不安と期待に肺が押しつぶされそうだ。竹青荘の住人たちとともに、走は遠慮がちにゴールライン付近ににじり寄っていった。

「また選手の姿が見えてきました！」

アナウンサーの声が、ビルのあいだにこだまする。「北関東大です。そして、その次にガード下から現れたのは……」

「ハイジさん！」

走は叫んだ。

「あ、ほんとだ！」

「ハイジ、走れー！　無理せず全力で走れー！」

ジョージとキングが塊になって飛び跳ねた。疾走するハイジに呼びかけ、大きく手招きする。

「寛政大！　五番目に大手町にやってきたのは、なんと寛政大です！」

アナウンサーも興奮のあまり声を嗄《か》らす。「たった十人だけのチーム。箱根初出場の寛政大が、なんと五番目に姿を見せました！　一区では最下位、その後順調に順位を上げたものの、五区でまさかのブレーキ。今日の復路を、十八番目でスタートした寛政大です！」

「いいよ、改めて言わなくて」

と王子はつぶやき、神童は居心地悪そうに足踏みした。

「しかし、寛政大の快進撃はそこからまたはじまりました！」

アナウンサーの声は潤《うる》みを帯びて震えはじめた。「六区で岩倉選手が区間二位、九区では蔵原選手が区間新記録。そして十区、アンカーの清瀬選手も力走し、いま、大手町にゴールしようとしています！　まさに、十人の力で走りきりましたね、谷中さん」

「はい」

と、谷中の声が低く答えた。「この小さなチームの果敢な挑戦は、箱根駅伝がつづくかぎり語りつがれるでしょう。寛政大の出場によって、今大会はきわめておもしろく、刺激的なものになりました」

谷中の言葉に、歓声は一段と大きくなった。寛政大のジャージを着たものたちに向かって、沿道から、ビルの窓から、拍手が湧《わ》き起こる。ジョータは肩を震わせてうつむき、神童は静かに目を閉じた。

降り注ぐ声援のなか、走は近づいてくる清瀬をじっと見ていた。脚の痛みをこらえているのがわかる。だが清瀬はスピードを落とさない。東体大とのタイム差を、一秒でもひっくりかえそうとしている。

もういいです、それ以上無理をしないでください。そう言いたい気持ちを、走は必死に飲みくだす。清瀬はいま、魂と肉体のすべてで走っている。みなぎる気迫が周囲を撃つようだ。最後の加速をかけるために、清瀬の体がきらめくような力を放つ。

その瞬間だった。

走は視覚でも聴覚でもない部分で、清瀬に起こった異変を察知した。ハイジさん、と悲鳴のように名を呼ぼうとしたが、叫びは声にならなかった。

清瀬はふらつき、しかしすぐに体勢を立て直す。スピードは衰えない。ゴールを目指し、清瀬の走りは力強さを増した。

やめてください、壊れてしまう。二度と走れなくなってしまう。走は焦燥と混乱のうちに、まわりにいる竹青荘の住人たちを見た。だれも気づいていないのか。どうして。どうすればいい。ゴールから飛びだして清瀬にすがりつきたい。無理やりにでも清瀬を走りやめさせなければ、取り返しがつかないことになる。

走は清瀬に視線を戻し、コースに足を踏みだそうとした。目が合った。汗に濡《ぬ》れた清瀬の顔が、ゆっくりと微笑を象《かたど》った。すべてをなげうって、すべてを手に入れたものの顔だった。

これは競技だ。清瀬の全身がそう言っている。砕けそうに右脚が痛んでいるだろうに、清瀬の覚悟は微塵《みじん》も揺らいでいない。惜しくもシード権は逃しましたが、十人だけのチームでよく健闘しました。そんなおためごかしな言葉など欲しくないのだ。俺たちは走る。最後の最後まで、一秒を争って走る。戦って、自分たちだけの勝利をつかむ。そうじゃないか？　清瀬の目が激しく走に告げている。

ああ——。走は立ちすくむ。止めることはできない。走るなと言うことはできない。

走りたいと願い、走ると決意した魂を、とどめられるものなどだれもいない。

走は見た。ふと空に視線をやった清瀬が、大切なうつくしいものを探し当てたように、透徹とした表情を浮かべるのを。

ハイジさん。あなたは俺に、知りたいと言った。走るってなんなのか、知りたいんだと。そこから、すべてははじまった。その答えを、いまならあなたに返せそうです。

わからない。わからないけれど、幸も不幸もそこにある。走るという行為のなかに、俺やあなたのすべてが詰まっている。

走は確信に近く予感した。俺はたぶん、走ることを死ぬまで求めつづけるのだろう。たとえばいつか、肉体は走れなくなったとしても、魂は最後の一呼吸まで、走りやめはしない。走りこそが走に、すべてをもたらすからだ。この地上に存在する大切なもの——喜びも苦しみも楽しさも嫉妬《しっと》も尊敬も怒りも、そして希望も。すべてを、走は走りを通して手に入れる。

一月三日、午後一時四十四分三十二秒。

清瀬は大手町のゴールラインを越えた。激しく呼吸し、そのまま膝《ひざ》が崩れそうになった清瀬を、走はあわてて支えた。

竹青荘の住人たちが、次々に走と清瀬に抱きついてくる。叫びはもはや言葉の体《てい》をなさない。獣のように吼《ほ》える。清瀬は輪の中心で、右腕を高く掲げた。その拳《こぶし》には、黒い襷《たすき》がしっかりと握られていた。

二百十六・四キロの長い長い道のりを越えて、寛政大学陸上競技部の襷は、再び大手町に戻ってきた。

興奮した住人たちにもみくちゃにされながら、走は清瀬の肩に手をかけた。清瀬は全身に脂汗をかいている。

「ハイジさん、早く手当を」

「いい、平気だ」

清瀬は顔を上げ、走の言葉を素早くさえぎった。「いまはここにいたい。東体大は」

走と清瀬は、ゴールラインのほうを見た。東体大の十区の選手が、ゴール手前二十メートルに迫っていた。全力でスパートをかけている。

竹青荘の住人たちは、ひとかたまりになったまま呼吸を殺した。その隣では東体大の一団が、最終走者の名を口々に呼び、「急げ！」と叫んでいる。そのなかには榊の姿もある。走は榊を見ても、もう怒りも屈託も覚えなかった。すべての感覚が麻痺《まひ》している。東体大の最終走者に対して、スピードを落とせと念じることもできない。ただ心のどこかで、頼む、頼む、と繰り返すばかりだ。だれに向かって、なにを願っているのか、もはや定かではなかった。

東体大の選手がゴールラインを越える。観客は息をのみ、ゴール地点は一瞬の静寂に包まれた。

「タイムは！」

ユキがじれたように怒鳴る。瞬時ののち、読売新聞社のバルコニーから、アナウンサーの絶叫に近い声が降ってきた。

「総合タイムが出ました。東体大、寛政大に二秒及ばず！」

今度の喜びは、もう声にもならなかった。走も、清瀬も、ニコチャンもユキも、ムサも神童もキングも、ジョータもジョージも王子も、無言でしっかりと抱擁しあった。十人はそのまましばらく、ひとかたまりになってじっとしていた。

「初出場の寛政大が、シード権を獲得しました！」

アナウンサーの声はうわずりながらつづいている。「寛政大の総合タイムは、十一時間十七分三十一秒で十位。十一位の東体大は、二秒差で涙を呑《の》む結果となりました」

キングが嗚咽《おえつ》をこらえて身を震わせた。神童とムサが、キングの肩にそっと腕をまわす。ユキははずした眼鏡をニコチャンに渡し、手の甲で目をこすった。ジョージと王子が両手を打ちあわせる。その横でジョータは、腕に抱いたニラの背中に顎《あご》をうずめている。あとからあとから流れる涙が、ニラの毛皮を濡らしていく。

並んで立ちつくしていた走と清瀬は、顔を見合わせた。二人は同時に、腹の底からうなるように喜びの声をあげた。叫びは狼《おおかみ》の遠吠《とおぼ》えみたいに伝播《でんぱ》し、竹青荘の住人たちはうおーうおーと口々に言いながら、またひとかたまりになった。

歓喜を爆発させる姿に、いくつものレンズが向けられた。テレビカメラが二台、スチールカメラを持ったカメラマンも五人は集まっている。「シード権獲得、おめでとうございます！」と、インタビュアーがマイクを突きつける。ゴール地点の様子を黙って見守っていた大家と葉菜子が、竹青荘の住人たちのそばまでやってくる。

走たちはさすがに身を離し、おずおずとあたりを見まわした。まともに言葉を発せない選手のかわりに、大家がインタビュアーにつかまっている。氷の入った袋を、葉菜子がそっと清瀬に手渡した。

「ありがとう」

と清瀬は言った。

「清瀬さんのタイムは一時間十一分〇四秒で、区間二位。寛政大は、復路を五時間三十四分三十二秒で走りました」

葉菜子は泣き笑いのような表情だ。

「ハイジさん……」

自分たちがなしとげたことを改めて理解し、走は呆然《ぼうぜん》として清瀬を呼んだ。「俺たち、やったんですね」

「ああ」

清瀬の声も抑揚に欠けていた。「箱根駅伝を走り抜いたんだ」

走は清瀬と、一瞬だけ固く抱擁しあった。清瀬は悪戯《いたずら》っぽく走を見た。

「アオタケの住人には底力がある、と俺は言っただろう。まだ信用していなかったのか？」

「してましたよ！」

走は大声で言った。「信じるなんて言葉ではたりないぐらいに」

清瀬は笑った。心の底からうれしそうに。そして、全員の顔を眺めわたして言った。

「頂点が見えたかい？」

エピローグ

どこかで咲く花の甘い香りが、夕暮れの空気に混じっている。

竹青荘の住人たちとここへ来たのが、ついこのあいだのように思える。蔵原走《くらはらかける》は、鉄橋を渡っていく小田急線に視線をやった。また春が来たのだ。

電車の窓には、すでに明かりが灯《とも》っている。夜の色を宿しはじめた多摩川の流れは、今日も穏やかだ。河原には人影がない。走はジョッグのスピードを徐々にゆるめた。土手を数歩下りると、やわらかい草が履き慣れたシューズを包む。

走は土手に腰を下ろし、対岸のネオンを映す水面《みなも》を、しばらく見ていた。

「走さん」

声をかけられ振り仰ぐ。堤防のうえの道に、この春から陸上部に入部する予定の新一年生が立っている。走がうなずくと、うれしそうに近づいてきて隣に座った。

「ずっとジョッグしてたのか？」

と走は尋ねた。「あんまり張り切りすぎるなよ」

「いえ、さっきまで商店街に買い出しにいってたんです」

新一年生は、少し緊張した様子で答えた。「張り切ってるのはジョージさんですよ。『今夜はパーティーだから』って、肉と野菜を大量に買ってました」

焼き肉をするつもりだな、と走は思った。そういえばジョータが昼間、クラブハウスの食堂のおばちゃんから、鉄板を借り受けていた。牛肉を食べたいが、八百勝で買い物もしたい。双子はそう考えて、メニューを決めたのだろう。

「取り壊すなんて残念ですね」

と新一年生は言った。「俺も竹青荘《ちくせいそう》に住みたかったな」

「床が抜けるぞ」

「それって本当なんですか？」

「うん」

信じられないなあ、と新一年生は笑った。

「もうみんな集まってるのか」

と走が聞くと、新一年生は神妙な顔になって「はい」と言う。

「それでジョッグに出てきたっていうのもあるんです。知らない先輩ばっかりで、どうしていいかわかんなくて」

新一年生は居住まいを正した。「清瀬《きよせ》先輩って、どんなひとなんですか？」

「どんなって……、なんで」

「走さんなら、もっと強い実業団に行けたのに。清瀬先輩がコーチをやってるから、走さんはわざわざ新設のチームを選んだんだ、ってジョージさんが言ってました」

「あんまり大きなところは、性《しょう》に合わないだけだよ」

「そうですか？」

新一年生は納得がいかないようだ。「でも俺、ちょっと興奮しちゃったな。清瀬先輩と会えるなんて。清瀬先輩がアンカーだったときの箱根駅伝を見て、絶対に寛政大に入学する、陸上部員になる、って決めたから」

走は土手の草をちぎり、川べりを吹く風にそっと乗せた。

「冷えてきたな。帰ろうか」

走が立ちあがると、新一年生もあわててあとについてくる。新一年生のペースに、さりげなく合わせて走は走った。

「ハイジさんがどんなひとかって質問だけど」

「はい」

「嘘《うそ》つきだよ」

「え？」

「すごく嘘がうまいから、だまされないように気をつけろ」

新一年生は困惑したらしく、「はあ」と言った。走はうっすらと笑う。

大丈夫だ、と言ったのに。やっぱりハイジさんは嘘つきだった。二度と走れなくなることは、わかっていたはずだ。それでもハイジさんはあの日、嘘をつきとおした。俺との約束を守るために。俺たち全員で見た夢を、現実にするために。

あんなに潔《いさぎよ》く残酷でうつくしい嘘を、ほかに知らない。

原っぱを突っ切り、住宅街のなかの細い道を走る。家々の低い屋根の向こうに、銭湯「鶴の湯」の煙突が浮かびあがる。あたりはすっかり薄闇《うすやみ》に覆《おお》われた。通りに面した家の窓から、夕飯のにおいがあふれ、混じりあって春の空気に溶けていく。

「嘘つきなひとが、監督には向いてるのかな」

と新一年生はつぶやき、首をかしげた。「箱根に初出場したときも、清瀬先輩が実質的には監督だったんですよね？　いまは実業団のコーチだし」

「さあ、どうだろう」

向き不向きなんて、走は考えたこともない。清瀬は清瀬だ。どんなときも飄々《ひょうひょう》として、選手の身になって考え、走ることをだれよりも真剣に追求する。追求することを、選手にも厳しく要求する。走ろうとするもの、走りたいと願うもののそばに、清瀬はいつでも変わらずに寄り添っている。

「ただ俺は、ハイジさんがすべてを教えてくれたんだと思ってる」

と走は言った。「たったひとつのこと以外は」

「たったひとつのことって、なんですか？」

走るとはなんなのか。

清瀬はそれだけは、教えてくれなかった。教えられなかったのかもしれない。

その答えを知りたくて、走は走る。走りつづけている。頂点を極めたと思ったこともあった。だが達成感は一瞬で、答えが見えることはない。

「そのうちわかるよ」

走は静かに、隣を走る新一年生に言った。「走っていれば、いつかきっとわかる」

角を曲がると、竹青荘の生け垣が見えてくる。にぎやかな話し声。最近は散歩の距離が短くなったニラが、相槌《あいづち》を打つように吠《ほ》えている。生け垣の切れ間に消えた新一年生のあとに、走もつづいた。

竹青荘の庭先には、なつかしい顔ぶれがそろっていた。

ニコチャンとユキが笑いあっている。竹青荘の窓に、明かりをつけてまわる王子のシルエットが映っている。ムサと神童が焼きあがった肉を運んでいる。キングがニラに酒を舐《な》めさせ、大家に怒られている。葉菜子と双子が顔を寄せ、楽しそうになにか話している。

夢かもしれない、と走は思った。夢のようなあの一年が、戻ってきたのかもしれない。

走が砂利を踏んで敷地に入ると、鉄板に向かっていた清瀬が微笑《ほほえ》んだ。酒の入ったコップを両手に持ち、右脚を少し引きずって歩いてくる。

「おかえり、走」

「ただいま」

走はコップを受け取った。

竹青荘の最後の夜だ。走は明日、ここを出ていく。

帰りたいと願う日が来ても、今夜をかぎりに竹青荘は姿を消す。ここには陸上部のための、新しい寮が建つ。だが、さびしさは感じない。記録は塗り替えられて消えていき、あとには記憶だけが残るように。なにもかもが失われるわけではないのだと、走はもうわかっている。

竹青荘のすべての部屋に、明かりが灯った。やわらかな光を映す酒を、走はコップをかざしてしばし眺める。

「ハイジさん、覚えてますか?」

「なにを?」と聞き返すことはせず、清瀬はただ静かに笑った。

庭の一角で、ひときわ大きな歓声が湧《わ》き起こる。季節はずれの小さな花火が打ちあげられ、しけった火薬のにおいが空にのぼっていく。煙が描く白い軌跡を、走は清瀬と並んで目で追った。

一瞬の光の粒が、庭にいるものたちを等しく色鮮やかに照らしだす。

かけがえのないひとたちと、このうえもなく濃密な一年を過ごした。あんな時間は、もしかしたらもう二度と訪れることはないのかもしれない。それでも。

——走、走るの好きか？

四年前の春の夜。清瀬は走に、そう尋ねた。生きることそのものを問うような、とても純粋な顔をして。

——俺は知りたいんだ。走るってどういうことなのか。

俺もです、ハイジさん。俺も知りたい。ずっと走ってきたけれど、まだわからない。いまではもう、走ることがそのまま問いになった。これからも、問いやめることはない。

俺は知りたいんだ。

だから行こう。どこまでだって走っていこう。

確信の光は、いつも胸の内にある。暗闇のなかに細くのびる道が、はっきりと見えている。

「走、早く早く」

仲間の呼ぶ声に応《こた》え、走は清瀬とともに、鉄板を囲むひとの輪へと足を踏みだした。

謝辞

取材や資料収集等に関し、多くのかたのお力を拝借した（肩書は当時）。深く感謝している。

作中で事実と異なる部分があるのは、意図したものも意図せざるものも、言うまでもなく作者の責任による。

大東文化大学陸上競技部監督　只隈伸也さん
大東文化大学陸上競技部のみなさん
大東文化大学陸上競技部部長　青葉昌幸さん
法政大学陸上競技部駅伝監督　成田道彦さん
法政大学陸上競技部のみなさん
法政大学陸上競技部前部長　苅谷春郎さん
日産自動車陸上競技部の久保健二さん　山崎浩二さん　飯島智志さん

小島敏勝さん　榎本史一さん
上野武男さん　鈴木とし子さん
関東学生陸上競技連盟　故　廣瀬豊さん
成田雅子さん
田中範央さん

主要参考文献

「箱根駅伝公式ガイドブック」（陸上競技社）
「講談社ＭＯＯＫ　写真で見る箱根駅伝80年」（陸上競技社）
「箱根駅伝　熱き思いを胸に襷がつないだ80年間」（ベースボール・マガジン社）

解説

最相葉月

第一京浜国道沿いの町に住んでいたことがある。ゆっくり歩けば半日は遊べる縦に長い商店街があり、下駄《げた》とジャージ姿で散歩できる気安さから、三十代前半の約四年間、一人で暮らしていた。正月はテレビを見ながら酒を飲み、新春大出血サービスのパチンコで無為の時間をやり過ごした。国道を箱根駅伝の選手たちが走ることは知っていたが、いつも当日になると酔っぱらって寝てしまい、見たことはなかった。不健康で性根のねじれた三十女には、選手たちの姿はあまりにもまぶしすぎた。

ところが住み始めて四年目の正月三日、突然、国道まで行ってみるかという気になった。たいていの行動に理由などないのである。沿道に出てみて息を呑《の》んだ。どこに住んでいたのかと思うほどの人だかりだった。おまわりさんが交通整理をし、なじみのコロッケ屋の主人が息子を肩車している。いつもスポーツ新聞を読ませてもらっている喫茶店のママも、らせん階段の踊り場から道路を眺めている。こんなことになってたのか、と腕組みしながら見ていると、「ほい、おねえちゃん」とはっぴ姿のおじいさんに旗を渡された。旗なんて振らんよ、と思ったが、おじいさんはもう次の次の人ぐらいに旗を渡していたので返すタイミングを失ってしまった。

そうこうしているうちにざわめきが大きくなり、やがて報道の車と白バイに続いて先頭の選手がやってきた。青いユニフォームを着た神奈川大学の選手だった。うぉーっという歓声と拍手が鳴り響き、旗が舞った。後続の選手たちも次々と走り抜けていく。うへー、なんて速いんだ。同じ人間とは思えない。瞬《まばた》きする間も惜しいほど彼らの走りに見入ってしまい、いつのまにか私もコロッケ屋の家族と一緒に大声を上げていた。

『風が強く吹いている』を読みながら思い出したのは、あの日の選手たちのスピードだった。箱根駅伝に出場する選手が走る速度は、中学のとき運動やってました、という程度では太刀打ちできないほど速い。約二十キロの距離を一時間ほどで安定して走り続けるのである。竹青荘の住人は、ハイジと走《かける》のほかは運動経験がある者はいても遠い過去。自称「運痴」の王子にいたっては、ほとんど無謀ともいえる挑戦である。さて、そんなメンバーが一年そこそこの練習期間で箱根駅伝を走ることができるのか。しかも十人必要な競技に十人ぎりぎりで臨むのである。

ありえない。そう思った。単行本の帯に「目指せ箱根駅伝！」とある本書が、若者たちがんばって駅伝を走る青春物語であることは承知だ。ラストはきっと泣かされるだろうことも想像はついている。読む前からそんなひねくれた読者である私が、しかし、読み始めたらいつのまにか、文句垂れつつも練習に励む彼らから目が離せなくなり、箱根の襷《たすき》リレーからは、一人応援団となっていた。

海岸線、温泉街、トンネル、芦ノ湖《あしのこ》、富士山へとめまぐるしく変化する景色に、彼らの挫折《ざせつ》や家庭事情が重なる。時間軸は、大手町のゴールまで一直線なのに、十人が見る景色は一色ではない。孤独な走りの中で知るのは、仲間たちの孤独。自分の殻に閉じこもり「厳しくなきゃ走らないやつも、楽しくなきゃ走れないやつも、走るのなんてやめればいい」などとうそぶいていた走も、一本の襷を通じて「自分以外のだれかを恃《たの》む尊さ」に気づいていく。勝利を手にすることだけをよしとする価値観とはまったく次元の異なる、走ることのかけがえのなさが浮かび上がり、熱いものがうねりながら押し寄せてきた。

本稿を書くにあたって約二年ぶりに再読してみると、初読のときはレース展開が気になるあまり文字面《もじづら》をなぞるだけだった細かい記述にたびたび目を奪われた。たとえば、復路六区、箱根の山下りをユキが走りながら、走の居場所に気づく場面だ。六区は往路の順位でスタートするが、トップと十分以上のタイム差がある大学は一斉スタートを切らねばならない。ランナーにとってはタイム計算が複雑になる上、下り坂が続くためスピードを抑えるのはむずかしい。雪が薄く積もる路面を確認する余裕もなく、ハイジが指示したタイムより一キロ五秒も早いペースで駆け下りるユキの姿を携帯テレビの画面で見た走がつぶやく。「速すぎないか？」。

この区間は監督の車が選手の近くを走っておらず、ハイジの指示をユキに伝えることができない。走の不安を受けとめたハイジは、ユキがすべって転ばないよう祈るしかないと告げる。それより自分のことを心配しろと軽やかに笑いながら。

「走はもうちょっと、俺たちを信じなきゃ」。ジョージの言葉に走はわれに返る。レースの成り行きに夢中になっている読者は、ジョージのこの一言で、走がハイジのいった「強さ」の意味を繰り返し問い続けていたことを思い起こすだろう。話題はそこから葉菜子のことに転じるが、走の問いはハイペースで山を下るユキに引き継がれていく。

ユキは、これまで自分が見たことも感じたこともない場所に向かおうとしていた。それは、「正面から顔に当たる柔らかな雪片にすら、小石みたいな痛みを覚えるほどのスピード」であり、勢いにのって広がった「一足で二メートル」の歩幅であり、平地では考えられなかった「一キロあたり二分四十秒で下るペース」が導く場所、……ここへきてユキは気づく。これはふだん、走が体感している世界だと。

「走、おまえはずいぶん、さびしい場所にいるんだね」

この一言を書くために、著者はどれだけ緻密《ちみつ》にレースの構成を組み立てたのだろうか。大手町で王子がスタートを切ってから、彼らの走りに伴走し、加速度的に彼らの感じている風の感触に近づいていた私は、六区を走るユキの目を通して、ついに、走やハイジ、そして駅伝を走る若者たちの生きる世界をすぐそばで体感できた気がした。あとはもう、大手町のゴールまで一気である。

まるでファンタジーだ。本書にはそんな批判めいた感想も寄せられたという。だが、そんなことはだれよりも著者自身が、この物語を着想した時点で考えたはずだ。執筆に六年を要したと聞き（デビュー直後からほとんどの著作が本書と並行して執筆されたという）、私は、著者が挑んだ思考実験のスケールの大きさに改めて圧倒された。ストーリーを裏付けるディテールのたしかさを得るために、何人もの箱根駅伝の経験者や関係者に話を聞き、現場へ何度も足を運んだのだろう。そこまでしてなぜ著者は、あえて小説で駅伝を書こうとしたのか。本書を初めて手にしたときからの問いをここで改めて思い返してみると、彼らの言葉がこれまでとは違う音色で響き始める。

〈俺たちが行きたいのは、箱根じゃない。走ることによってだけたどりつける、どこかもっと遠く、深く、美しい場所〉

人には、なんのためとか、誰のためといった目的の定かでない行為を無性に必要とするときがある。それがなぜなのかは手にするまでわからないし、手にしたとしても他人に教えられるものではない。ただ、それはその人の人生を昨日までとはまったく違う色に塗り替える。著者がこの直球勝負の物語で描いたのも、小説によってのみたどりつける「もっと遠く、深く、美しい場所」だったのではないか。

本書が刊行されてまもなく、あるラジオ番組で著者にインタビューした。そのとき、なぜ本書の末尾にある二つの大学を取材対象に選んだのかと訊《たず》ねたところ、著者はこう教えてくれた。箱根駅伝には出場するけれども毎回優勝するようなレベルではなく、徹底管理型ではない指導者がいて、若者をどう伸ばしていくかに腐心しているアットホームな小さな陸上部。そんなイメージを大学陸上部を統括する関東学生陸上競技連盟に問い合わせたところ、推薦されたのがこの二校だったと。さらに、この間、自転車をひたすら漕《こ》いだり、時速二十キロで走らせた自動車の窓から顔を出したりして、選手たちの受ける風の強さを体感してみたこともあったという。そこまで周到な準備をして、「あとは、ひたすら想像するのみでした」。

小説家の想像力とは何か――、と思う。

私はもう一つ、不躾《ぶしつけ》な質問をしている。それは、かねてからの問い――すなわち、登場人物たちの行動と思いが一つのゴールに収斂《しゅうれん》していく、誤解を恐れずにいえば、あまりにもわかりやすい駅伝をあえて小説で描いたのはなぜかという問いだ。それに対して著者は、ストレートに取り組みたいと思うほどに箱根を目指す学生たちが魅力的でその真剣さに打たれたことはもちろんだが、それ以上に、平明なストーリーの中で努力神話について考えてみたかったと語った。

「私自身、報われなかったのはがんばらなかったからだという考え方に納得がいかないからです。才能や実力のない人に到底たどりつけない目標を与えてがんばらせるのは、人間を不幸にすると思う。できる、できないという基準ではない価値を築けるかどうかを、小説を通じて考えてみたかった。報われなかったからといって、絶望する必要はないんじゃないか、と」

デビュー以来、著者の変わらぬ姿勢だろう。就職戦線をたたかう女子大生を描く『格闘する者に○《まる》』も直木賞受賞作の『まほろ駅前多田便利軒』も、ドタバタとハプニングは起こるし笑いもあるが、都会に生きる若者たちの孤独や、社会の制度からはみ出た人々の生きにくさに対する静かな共感が常に流れている。ご本人はレッテルを嫌うだろうが、俗にいう就職氷河期世代にあたる著者が日々、肌身に感じてきた身近な人々の生き様と無縁ではないのだろう。登場人物たちには、著者自身がこうありたい、こうであったらいい、逆に、負へ向かう人物を描いても、自分もこういうことをしてしまうであろうと思うような人物像を投影させることが多いという。それは著者の小説への思いと深く関わることなので、最後にここに紹介しておきたい。

「私にとって、小説やマンガなどあらゆる創作物が希望だったように、読者にとっても私の本が希望であってほしいと思っています。希望というのは、創作物に救いを求めるという意味ではないんですが、生きていくうえでの支えや指針になることもあれば、こんなひどいことがあるなんて世の中どうなっとるんじゃーという怒りの原動力になることもある。小説もマンガも、自分ひとりだけでは感じ取れなかったものを感じ取らせてくれるもの。好き勝手に書いてはいるんですが、読み手の世界を閉ざしてしまうようなものは書きたくないと思っています」

さて、熱心な読者なら、この二年後（二〇〇八年）に発表された長編『光』で著者がみごとにこの「希望」という言葉に根底から揺さぶりをかけたことをご承知だろう。希望のかたちは単純ではない。前のめりにつかみとるものかもしれないし、かけがえのない何かを踏み台にして引きちぎるように奪うものかもしれない。世に、一つとして同じ人生がないように、希望もまた人それぞれだ。底知れぬ感情の滝壺《たきつぼ》を内に抱える三浦しをんの小説を、私はこれからも読み続けたいと思う。

（二〇〇九年四月、ノンフィクションライター）

本書は二〇〇六年九月新潮社より刊行された。

風《かぜ》が強《つよ》く吹《ふ》いている

新潮文庫　み－34－8

平成二十一年七月　一日　発　行
令和　六　年十二月十五日　四十四刷

著者　三《み》浦《うら》しをん

発行者　佐藤隆信

発行所　株式会社　新潮社
郵便番号　一六二―八七一一
東京都新宿区矢来町七一
電話　編集部(〇三)三二六六―五四四〇
　　　読者係(〇三)三二六六―五一一一
https://www.shinchosha.co.jp

価格はカバーに表示してあります。

乱丁・落丁本は、ご面倒ですが小社読者係宛ご送付ください。送料小社負担にてお取替えいたします。

印刷・株式会社精興社　製本・株式会社大進堂
© Shion Miura 2006 Printed in Japan
ISBN978-4-10-116758-9 C0193